Les feuilletons Américains

- ~~Sous le soleil~~ (non)
- Santa barbara
- Beverly Hills
- melRose place
- Alerte à MAlibu
- Dallas
- la petite maison dans la prairie
- il était une fois dans l'ouest
- Jonathan and Jennifer
- Starsky and Hutch.
- Amour gloire et beauté
- les feux de l'amour.
- Chips
- chapeau melon et bottes de cuir
- la croisière s'amuse

INAVOUABLE AMOUR

Henry Denker

INAVOUABLE AMOUR

FRANCE LOISIRS

Titre original : *Benjie*

Traduit de l'anglais par Jean-Charles Provost.

Edition du Club France Loisirs,
avec l'autorisation des Presses de la Cité.

France Loisirs,
123, boulevard de Grenelle, Paris
www.franceloisirs.com

© Henry Denker
© 2002, Presses de la Cité pour la traduction française
ISBN : version reliée : 2-7441-4995-0
        version brochée : 2-7441-5106-8

1

– Ne me touche pas avec tes sales pattes !

La voix dure, furieuse, du petit garçon explosa dans la pièce.

Le docteur Wallace regagnait son bureau au Centre pour la protection de l'enfance. Elle fit vivement demi-tour et se dirigea vers la salle d'attente.

C'était une petite pièce ouverte, en L, juste à côté de la réception. Des chaises s'alignaient le long des murs. Elles délimitaient un espace où les enfants les plus jeunes pouvaient jouer sur le tapis. Au milieu d'une profusion de jouets, de poupées, d'autos miniatures, de Lego et d'autres jeux de construction, une dizaine d'enfants des deux sexes se trouvaient sur le tapis, dans des positions diverses. Chacun était concentré sur son jouet.

Sept chaises étaient occupées par des parents anxieux. Six femmes et un homme. Tous essayaient de dissimuler un état d'esprit que le docteur ne connaissait que trop bien. Ce mélange pitoyable de peur, de défensive, de frustration. Sans compter les yeux cernés qui trahissent les nuits d'insomnie, l'angoisse, et au bout du compte un sentiment profond de honte et de culpabilité.

C'était toujours pareil. Le nombre variait, mais c'était chaque jour le même schéma, désespérément répétitif. Une seule chose consolait le docteur : avec le soutien de ces

parents affolés, ceux, justement, qui amenaient régulièrement leur enfant aux séances, la plupart de ces gamins
pourraient recevoir de l'aide. La possibilité d'un nouveau
départ vers ce qui serait peut-être une vie féconde. Une vie
heureuse.

Parfois – trop souvent, selon elle –, elle rencontrait un
enfant que personne ne pouvait aider. Les dommages provoqués par les mauvais traitements se faisaient sentir depuis
trop longtemps, ils étaient tellement enracinés qu'ils faisaient échouer les thérapies les plus intensives.

Depuis qu'elle se consacrait à ce travail souvent douloureux, elle avait développé une véritable intuition et était
capable de reconnaître ces petits malheureux. Elle eut soudain le sentiment déprimant qu'elle se trouvait en face d'un
de ces cas.

Dans un coin de la pièce, sur la chaise la plus éloignée
de la réception, comme si elle se cachait, se tenait une jeune
femme visiblement bouleversée et gênée. De toute évidence,
la mère du petit rebelle. Elle essayait d'ôter à un gamin de
huit ou neuf ans sa casquette de base-ball sale.

– On ne met pas sa casquette à l'intérieur d'une maison !

L'enfant hurla, d'une voix encore plus furieuse
qu'auparavant :

– Ne me touche pas avec tes sales pattes !

– Benjie, s'il te plaît...

C'était à peine plus qu'un murmure.

L'enfant s'éloigna brusquement d'elle. L'air décidé, il se
dirigea vers la petite construction qu'un autre gamin assem-
blait avec des éléments en plastique. Il la démolit d'un coup
de pied brutal, faisant voler les pièces en tous sens.

– Benjie ! supplia la femme, désespérée.

Il se tourna vers elle. Il allait se remettre à crier lorsque le docteur décida d'intervenir.

— Hé, toi ! Benjamin ! Viens ici ! fit-elle de sa voix la plus autoritaire.

Bien que Corinne Wallace se fît un devoir de ne jamais porter de blouse blanche ni aucun autre signe extérieur de sa profession, la mère du garçon comprit qui elle était. Elle se confondit immédiatement en excuses.

— Docteur, je ne sais pas ce qui lui prend... Il n'est jamais comme ça. Jamais !

Machinalement, le docteur remarqua ce « jamais » significatif. Mais elle ne dit rien, préférant se concentrer sur le garçon.

— Benjamin ! ordonna-t-elle.

Le petit la toisa. Il lui tourna le dos, pour lui montrer son mépris, avec l'intention évidente de s'acharner sur la construction qu'il venait de saccager. Il avait déjà la jambe levée, prête à frapper.

— Benjamin ! Si tu fais cela, je te fiche dehors !

Cette menace était aussi un moyen de le sonder, pour le diagnostic. Le garçon hésita, puis son corps se détendit lentement. Il renonçait à son attitude agressive. Il laissa retomber sa jambe. Mais il refusait toujours de regarder le docteur en face.

— Benjamin ! Viens ici ! répéta-t-elle.

Hésitant, à contrecœur, la tête baissée pour éviter de croiser son regard, le garçon s'avança. Quand il fut près d'elle, elle recula, sans un mot, et il suivit le mouvement. Ils firent ainsi quelques pas, puis elle tendit le bras et arracha la casquette de base-ball qu'il avait encore sur la tête. Instinctivement, il recula d'un mouvement vif pour l'éviter. Mais il se contenta de prendre la casquette qu'elle lui tendait et la serra contre lui pendant tout le temps qu'ils mirent à franchir le couloir.

Ils passèrent devant une salle d'examen, deux salles de réunion et les bureaux privés de plusieurs psychiatres qui officiaient dans l'établissement. Ils arrivèrent devant la porte dont une belle plaque métallique fixée au mur identifiait l'occupante : « Docteur Corinne Wallace ».

Pour une institution aussi modeste que le Centre pour la protection de l'enfance, c'était un bureau de bonne taille, qui trahissait son statut de chef du service des Enfants maltraités. La pièce semblait plus petite qu'en réalité, à cause des livres, des dossiers et des autres traités de médecine qui débordaient des étagères et finissaient par s'entasser par terre. C'était un de ces bureaux dont le locataire répète à qui veut l'entendre : « Il va falloir que je mette de l'ordre dans cette pièce. »

Le docteur Wallace fit signe à Benjamin d'entrer dans le bureau. Il obéit, l'air buté. Elle lui montra un siège. Il s'assit, les doigts crispés sur sa précieuse casquette toute sale. Pour essayer de créer une atmosphère plus amicale, moins professionnelle, elle ne s'installa pas à son bureau, mais prit la chaise qui se trouvait devant lui.

Ils se dévisagèrent.

Elle se dit que son nouveau patient était plus près de neuf ans que de huit. Peut-être même avait-il dix ans. Des yeux bleu clair, mis en valeur par son teint pâle. Un visage crispé. Fréquent, chez un enfant victime de mauvais traitements. Mais il ne montrait aucun signe visible de violence, pas de plaie, de cicatrice ni d'ecchymose. Evidemment, la plupart des gens qui abusent des enfants s'en tiennent aux parties du corps qui n'attirent pas l'attention ou la curiosité d'un instituteur ou d'une infirmière scolaire. Dès le premier examen approfondi, Corinne Wallace saurait ce qu'il en était avec celui-ci. Si les traces de violence étaient trop bien dissimulées, le docteur Simon Freedman, le pédiatre de l'hôpital attaché au centre, les découvrirait.

Mis à part l'hostilité du garçon, si évidente qu'elle en était presque suspecte, elle le trouvait très mignon.

Et son point de vue à lui ? Il observait prudemment cette femme sévère et autoritaire. Il devait admettre qu'elle n'était pas mal. Des cheveux blonds, comme ces vedettes qu'on voit à la télé. Mais elle est mieux coiffée. Je déteste tous ces cheveux en désordre. Et elle a l'air moins grande, quand elle est assise, que tout à l'heure. Elle était vachement autoritaire. Elle se croit peut-être coriace. Mais attends un peu. Ouais, la vieille. Attends, tu verras.

— Benjamin...

Il la coupa immédiatement :

— Benjie !

— D'accord, fit-elle pour le mettre à l'aise. Benjie. Bon, dis-moi, Benjie, tu veux bien me dire comment tu t'appelles ?

— Jackson.

Puis, d'un air de défi :

— Benjie Jackson !

— Benjie, est-ce que tu sais pourquoi ta maman t'a amené ici ?

Il la corrigea à nouveau :

— Pas ma mère !

— La dame qui est là, dehors...

— Pas ma mère ! coupa-t-il.

— Qui c'est, alors ?

— Tante...

11

– Ta tante, répéta le docteur en prenant note. Comment elle s'appelle ?

– Sophie.

– Tante Sophie, répéta le docteur. Benjie, ta maman est malade ?

– Non !

– Elle est à son travail, alors ? poursuivit le docteur.

– Non ! fit Benjie.

Il était évident que ce jeune rebelle n'allait pas l'aider en lui donnant spontanément des informations.

– Peux-tu me dire pourquoi ce n'est pas ta maman qui t'a amené, Benjie ?

– Sais pas.

Manifestement, il mentait. Elle ne savait pas encore s'il mentait par esprit de contradiction ou pour dissimuler la véritable raison. Mais il fallait qu'elle le découvre avant d'aller plus loin.

Les quelques questions qui suivirent lui fournirent peu d'informations. Mais elle découvrit un certain nombre de symptômes intéressants d'un point de vue médical. Elle le conduisit dans l'une des petites salles d'examen. Elle l'invita à s'occuper avec les jouets et les livres qui lui plaisaient, tandis qu'elle essaierait d'en savoir plus en parlant avec tante Sophie.

Dès qu'elle fut de retour dans son bureau, elle alla droit au but – mais pas trop brusquement tout de même, pour ne pas intimider la femme qui était assise devant elle.

– Bien, tante Sophie. Pouvez-vous me dire votre nom, s'il vous plaît ?

– Ecoutez... Je ne voudrais pas être plus impliquée dans cette affaire que je ne le suis déjà. Ed n'était pas d'accord, depuis le début... Il ne voudrait pas que notre nom soit mêlé à cette affaire.

– Je suppose que Ed est votre mari. Je comprends parfaitement qu'il ne veuille pas être impliqué. Mais vous, vous l'êtes déjà. C'est pourquoi j'ai besoin de connaître votre nom.

Après avoir hésité – le docteur comprit à quel point cette femme avait peur de son mari –, elle répondit, presque en chuchotant :

– Stancyk. Sophie Stancyk.

– Madame Stancyk, pourquoi est-ce vous qui avez amené Benjie ici ?

Sophie était tellement terrifiée qu'elle se méprit sur la question du docteur. Elle lâcha, d'une voix triste :

– On ne peut rien en tirer. On a essayé. Personne ne peut dire qu'on n'a pas essayé. Je veux dire, quand on a compris... Quand l'assistante sociale envoyée par la Sécurité sociale a dit que la meilleure chose à faire c'était de placer Benjie en famille d'accueil, ma sœur... Lissa, quand elle est venue chez moi en pleurant, elle ne voulait pas que Benjie aille chez des étrangers... Eh bien, j'en ai parlé à Ed... Et ce n'était pas... Vous savez, ce n'est pas un mauvais homme, il n'est pas sévère, mais il travaille dur et les journées sont longues. Alors quand il rentre le soir, il ne veut pas de problèmes. Mais je dois dire en sa faveur que quand je lui demande quelque chose, en général il fait comme je veux.

C'était là beaucoup plus de détails que ce que Corinne Wallace attendait. Mais elle la laissa continuer, dans l'espoir de glaner des informations qui lui seraient peut-être utiles par la suite.

– Alors Ed a dit oui. Je dois vous avouer quelque chose... Parfois, Ed a une manière de dire oui qui vous fait regretter qu'il l'ait dit. Mais cette fois-là... Je dirais, en sa faveur... Cette fois-là, il a essayé. Quand il rentrait de son travail, il tentait de parler à Benjie. Surtout de sport. C'est surtout de cela qu'il parle, Ed. De sport. Le week-end, il emmenait le gosse au parc pour taper dans le ballon. Et il l'emmenait à des matches. Bon, en fait, à *un* match. L'autre dimanche, quand les Jets de New York étaient ici. Vous voyez, au collège, Ed était la vedette de l'équipe de football. Ce que je veux expliquer, c'est que nous avons essayé, tous les deux, de donner un foyer au gosse. Mais ça n'a servi à rien. Il ne se conduisait pas mieux avec nous qu'avec Lissa. Et Dieu sait qu'elle a eu assez d'ennuis pour une seule vie...

Sophie Stancyk s'interrompit brusquement. Elle se rendait compte qu'elle en avait trop dit.

– Quel genre d'ennuis, exactement ?

Sophie reprit, mais plus lentement, en pesant ses mots :

– Avec Bert. Son mari. Il est parti. Comme ça. Je devrais peut-être dire qu'il a « déserté ».

– C'est arrivé quand ?

– Il y a deux ans, dit Sophie.

– Alors ça veut dire que depuis deux ans, Benjie n'a pas vraiment de père.

– Eh bien... Pas vraiment. C'est-à-dire... Bert n'était pas le père de Benjie. C'est un des problèmes. Bert a épousé Lissa alors qu'elle avait déjà un môme. Et puis le môme est devenu un vrai problème. C'était bizarre. Personne ne s'y attendait...

– Qu'est-ce qui était bizarre ? demanda le docteur Wallace.

– Voilà un petit garçon, un môme mignon comme tout, aussi gentil que possible. Et tout à coup... Je veux dire, presque du jour au lendemain... Il est devenu si difficile.

14

Il n'en fait qu'à sa tête. On le renvoie de l'école deux ou trois fois par semaine. Et chez lui, ce n'est pas mieux. Il sort quand il en a envie. Il rentre quand ça lui chante. Un gamin de cet âge-là... Il se bagarre avec ses copains, il casse leurs affaires. Il vole. Oui, il vole. Personne... Je veux dire, personne n'est capable de contrôler ce garçon. Voilà pourquoi je vous l'ai amené.

— Sa mère sait-elle que vous l'avez amené ici ? demanda le docteur Wallace.

— Oui, je le lui ai dit.

— Et que vous a-t-elle répondu ?

— Elle a eu l'air... Comment dire ? Soulagée. Ouais, je crois que c'est ça. Soulagée.

— Vous savez sans doute que nous ne pouvons pas travailler... Nous ne pouvons pas accepter Benjie ici sans la permission de sa mère.

— Ça veut dire que vous devez voir Lissa ? demanda Sophie.

— En tant que mère, elle a la responsabilité légale de son enfant. Alors, oui, nous devons la voir. Avant de faire quoi que ce soit.

— Vous voulez dire que je dois le ramener chez nous ?

— Oui, fit le docteur Wallace. Mais avant de partir, prenez un rendez-vous pour la mère de Benjie, il faut qu'elle vienne me voir.

— Oui, d'accord.

Sophie se dirigea vers la porte, puis s'arrêta, comme si elle voulait dire quelque chose. Mais elle se ravisa. Le docteur comprit que Sophie Stancyk était venue dans l'espoir de se décharger du problème sur le centre et d'en être débarrassée. Elle ne s'attendait pas à devoir ramener le garçon chez elle et à affronter son mari impatient.

Pendant que Sophie Stancyk passait à la réception pour prendre un rendez-vous, le docteur Wallace retourna à la salle d'examen. Benjie Jackson avait sorti les livres des étagères pour les entasser sur le sol. Il en avait fait une pile plus haute que lui. En entendant la porte s'ouvrir, il donna un coup de pied au bas de la pile. Les livres s'effondrèrent dans le plus grand désordre.

Il fixa effrontément Corinne Wallace, fier de son nouveau méfait.

— Benjie, tu vas rentrer chez toi avec ta tante Sophie.

Pour la première fois, un sourire se dessina sur les lèvres de l'enfant. Un sourire de triomphe. Il avait gagné la bataille.

— Mais tu reviendras, l'avertit Corinne Wallace.

— Vous croyez ? Allez vous faire foutre, docteur ! fit Benjie Jackson en sortant de la pièce à grands pas.

2

Cela avait été un jour comme les autres. Le docteur Corinne Wallace l'avait pourtant trouvé plus oppressant. Plus pesant. Plus difficile. Sans vraiment savoir pourquoi. Elle avait vu son contingent habituel de « cas ».

Il y avait eu la petite fille de quatre ans, Rosalinda.

L'endoscopie avait montré des indices suspects d'une activité inhabituelle et contre nature dans le vagin de la fillette. Ce qu'avaient confirmé les examens physiques approfondis du docteur Freedman. En tant que psychiatre attaché à ce cas, Corinne Wallace devait alerter les autorités judiciaires pour qu'elles se penchent sur l'aspect criminel de l'affaire. Et elle devrait mener de front le traitement psychiatrique et les démarches pour que les services d'assistance sociale placent l'enfant à l'abri de nouvelles menaces.

Il y avait eu aussi Hazel Jones, quatorze ans. On n'était pas sûr de savoir quel nom elle aurait dû porter, car personne ne savait vraiment qui était son père. Elle avait fait une fugue. On l'avait retrouvée six jours plus tard, cachée près d'une grande boîte à ordures, dans un centre commercial de la ville. Elle se nourrissait de ce qu'elle obtenait en faisant la manche.

Elle était dans un triste état. Avant de la confier au docteur Wallace, Sarah Robinson, de l'assistance sociale, avait dû la doucher, l'épouiller et lui passer une robe de fortune en coton qu'elle avait trouvée on ne sait où.

Avec une patience infinie, Corinne Wallace était parvenue à reconstituer l'histoire de Hazel. Elle la lui avait arrachée par petits bouts. Les détails avaient émergé l'un après l'autre pour former peu à peu un tableau terriblement familier, révélant les raisons qui avaient fait fuir l'enfant de chez elle pour se cacher.

Depuis l'âge de trois ans, Hazel avait été victime de sévices, non seulement de la part de l'homme qui était censé être son père, mais de plusieurs hommes qui avaient vécu par la suite avec sa mère. Pour Corinne Wallace, malheureusement, ce n'était pas du tout exceptionnel. Il y a des enfants qui, pour des raisons qui échappent à la psychiatrie, semblent prédisposés à subir des violences. Parfois, dans une famille de quatre ou cinq enfants, un seul est victime de mauvais traitements. Les raisons qui en font la proie naturelle des prédateurs sexuels et physiques restent une énigme. Est-ce que ces enfants incitent à la violence ? Ou est-ce dû à une sorte de faiblesse que les prédateurs sentent intuitivement ?

Mais quelles qu'en fussent les raisons, le résultat était placé sous la responsabilité du docteur Wallace.

Dans le cas de Hazel, la fuite avait été un acte salutaire. La jeune fille avait fait appel à toute sa volonté pour se révolter. La fuite était le seul moyen dont elle disposait pour appeler à l'aide.

Seul l'avenir dirait jusqu'à quel point le traitement psychiatrique lui serait utile. La psychiatrie n'est pas comme la chirurgie ou la médecine interne. Dans ces matières, dès lors que le médecin reproduit certaines techniques qui ont fait leurs preuves, la plupart des patients peuvent guérir.

Dans la spécialité de Corinne Wallace, même s'il existait des procédures autorisées, les résultats étaient individuels.

Certains patients faisaient des progrès encourageants, d'autres avaient besoin de beaucoup de temps, d'autres enfin ne guérissaient jamais.

On verrait ce qui se passerait avec Hazel. Compte tenu de l'éloignement dans le temps et de la durée des sévices, le diagnostic du docteur était, au mieux, discutable.

Les autres cas que le docteur Wallace avait examinés ce jour-là se trouvaient à des stades divers de leurs traitements respectifs. A la réflexion, en rentrant chez elle, elle ne trouvait rien qui expliquât sa déprime.

Elle habitait dans un appartement moderne. Elle vivait là depuis plus d'un an, mais elle affirmait qu'elle sentait encore l'odeur de peinture fraîche. L'immeuble se trouvait dans un quartier de la ville littéralement pris d'assaut par les promoteurs, qui construisaient des logements pour la classe moyenne. Le développement de l'hôpital, tout proche, et les nouvelles industries en expansion avaient créé une demande de logements confortables, pratiques et abordables, qui émanait des patrons de petites entreprises et des cadres moyens.

Corinne Wallace jeta sur le bureau sa serviette bourrée de documents. Elle se demanda si elle irait courir, ce soir-là. La plupart du temps, pour évacuer la fatigue et la tension nerveuse accumulées pendant ses heures de travail, il lui suffisait d'enfiler son survêtement et ses baskets et d'aller courir ses cinq kilomètres habituels. Presque chaque jour, elle remontait sa rue, qui longeait un petit jardin public, et contournait le parc attenant à une école privée. Puis elle revenait sur ses pas et achevait de s'infliger une bonne suée.

Sim Freedman, qui se préoccupait de son bien-être – parfois plus qu'elle ne l'aurait souhaité –, l'avait plus d'une fois mise en garde : « Corrie, on n'est plus en été, et il fait nuit tôt. Tu devrais peut-être acheter un de ces vélos d'appartement. Ce serait beaucoup plus prudent. »

Le bon vieux Sim. Elle l'appelait « le vieux Sim », bien qu'il n'eût que deux ans de plus qu'elle. Toujours en train de s'inquiéter pour elle. On parle des mères juives, mais les médecins juifs sont encore plus angoissés. Sim avait peut-être une bonne raison pour cela. Trois ans plus tôt, un cancer du sein lui avait enlevé sa femme, âgée de trente-deux ans.

Etaient-ce les mises en garde importunes de Sim ou l'heure tardive ? Ce soir-là, en tout cas, Corinne Wallace se décida pour un bain chaud et un dîner sur le pouce. Elle fit couler l'eau et commença à se déshabiller. Le téléphone sonna. Elle fut tentée de ne pas répondre. Mais il le fallait, elle le savait. Elle répondait toujours. Ça pouvait être urgent. Ses jeunes patients étaient enclins à se suicider ou à menacer de le faire. Elle avait pour règle absolue de ne pas faire la différence : elle savait qu'une menace de suicide ne devait jamais être prise à la légère.

– Docteur Wallace.

– Docteur Freedman, répondit Sim d'un ton faussement officiel. Corrie, être formel au bureau, c'est une chose. Chez soi, il faut se détendre. Assez longtemps en tout cas pour accepter de dîner avec moi. Il y a ce nouveau restaurant en ville, son cuistot vient d'une des meilleures adresses de New York. On devrait l'essayer.

– Désolée, Sim... Pas ce soir.

Il reprit d'une voix plus douce, pour ne pas la brusquer :

– A t'entendre, on a l'impression qu'il t'arrive de dire

20

oui. Mais ce n'est jamais le cas. Eh bien, je tiens à te prévenir, nous les juifs, nous sommes obstinés. C'est dans nos gènes. Quand Moïse nous a emmenés dans le désert, on a dû errer pendant quarante ans avant d'atteindre la Terre promise. Alors, tu sais, nous ne renonçons pas si facilement. Je te rappellerai.

— Je suis navrée, Sim. Mais ce soir... quelque chose... je ne sais pas... Ecoute, mon bain va déborder si je ne ferme pas immédiatement le robinet.

— Bien sûr. D'accord. Je comprends. Bon, au moins, tu ne fais pas de jogging. A demain, alors...

Elle raccrocha. Elle se sentait un peu coupable d'avoir refusé une fois de plus son invitation. Ce bon vieux Sim. Il avait vraiment envie de voir ce que je faisais, pour être sûr que j'étais en sécurité. Et il était vraiment rassuré, quand il a compris que je n'irais pas courir.

Elle se rua dans la salle de bains et ferma le robinet. C'était tout juste.

Elle avait trempé pendant presque une heure dans son bain parfumé. Elle avait évacué peu à peu toute la tension nerveuse de la journée. En s'essuyant, elle regarda son corps nu dans le grand miroir en pied. Elle s'arrêta un instant pour se contempler. Pas mal, pour une femme de trente-sept ans. Quoi qu'on en pense, le jogging donne des résultats.

Elle démêla ses cheveux mouillés et se fit un turban avec une serviette blanche. Quelle bonne idée de les faire couper court, se dit-elle. Avec mon emploi du temps, si je manque une de mes séances hebdomadaires au salon de beauté ou deux ou même trois, un petit shampooing et le résultat n'est pas trop mal. Non. Mieux que « pas mal ».

Devant un sandwich et un verre de vin, elle survola une des revues de psychiatrie arrivées au courrier du matin. Plus forte que le sujet de l'article qu'elle était en train de lire, l'image de Benjie Jackson, le garçon indocile, s'imposa à son esprit. L'image était si nette qu'elle sentait presque la présence de Benjie dans sa chambre.

Les yeux bleus qui l'avaient bravée étaient aussi clairs que le matin. Mais ils n'étaient ni hostiles ni arrogants. Ils semblaient implorer son aide. Elle n'avait pourtant rien décelé de tel chez lui. Il s'était montré terriblement effronté.

Peu à peu, très discrètement d'abord, puis avec une douleur sourde, mais de plus en plus insupportable, elle reconnut ces yeux bleus. Ce n'étaient pas ceux de Benjie Jackson. Non. C'était un autre petit garçon de dix ans.

Ça lui semblait si récent. Cela faisait pourtant presque quatre ans qu'elle l'avait accompagné à l'aéroport de New York. Il ne voulait pas partir.

« Ce n'est que pour deux semaines, lui avait-elle expliqué. Puis nous passerons le reste de l'été ensemble.

— Mais pourquoi dois-je y aller ?

— C'est ton papa, Douglas.

— Alors pourquoi n'est-il pas là ? Pourquoi est-il en Angleterre ? »

Elle avait essayé de le lui expliquer.

« C'est son patron qui l'a envoyé là-bas. Il voulait que tu ailles vivre avec lui. Il a même été au tribunal, pour ça.

— Le tribunal qui vous a obligés à divorcer ? » avait ricané son fils.

Avec une patience infinie, elle avait tout essayé pour lui faire comprendre. Peu importe : Douglas refusait d'admettre que leur divorce était le fait de son père, pas du tribunal. De la même façon qu'il résistait toujours à l'idée d'aller passer quelque temps avec lui. En réalité, il était profondément blessé par leur séparation, il se sentait abandonné, et il adorait ces rares visites.

L'employé de l'aéroport avait dû les rappeler à l'ordre.

« Tous les passagers ont embarqué. Nous sommes prêts à décoller.

– Vas-y, maintenant, Doug. Et amuse-toi bien avec papa. Il t'attendra à la porte de débarquement, à l'aéroport.

– Et elle, elle sera là, aussi ? avait demandé le petit.

– Je ne sais pas. »

Corinne l'avait embrassé et serré dans ses bras.

« Vas-y, maintenant. On ne peut pas retarder l'avion. »

Il s'était éloigné lentement, traînant le petit sac de voyage rouge et blanc où elle avait glissé un livre et deux ou trois jeux pour qu'il puisse se distraire pendant ce long vol. Et un casse-croûte. Pour le cas où il aurait faim entre les deux repas. Un sandwich au thon, son préféré, bien enveloppé dans une feuille de plastique.

Juste avant de disparaître dans le passage menant à l'avion, il s'était retourné vers elle et lui avait adressé un signe. Elle avait agité la main à son tour, avec un grand sourire.

Derrière la grande baie vitrée du terminal, elle avait regardé l'énorme appareil s'éloigner lentement de la porte d'accès. Elle l'avait suivi des yeux jusqu'à la piste où il avait pris sa place dans une longue file d'appareils qui attendaient l'autorisation de décoller. Puis elle l'avait perdu de vue dans l'obscurité. Les avions n'étaient plus que des formes sombres, dont on ne distinguait que les feux rouges et blancs.

Elle était rentrée à Westchester et s'était arrêtée au supermarché pour y faire quelques courses de dernière minute.

Elle était sortie de l'établissement, s'était glissée dans sa voiture et avait mis le contact. A la radio, elle avait entendu une voix masculine, angoissée : « ... peut-être un attentat terroriste, comme celui de Lockerbie, en Ecosse... Certains experts parlent d'un missile, peut-être lancé de quelque part au large... »

Elle était devenue toute molle. Ses mains s'étaient figées sur le volant. Elle s'était sentie impuissante. Incapable du moindre mouvement. Elle se répétait : « Non, pas son avion, non, c'est impossible, pas son avion... Je ne veux pas ! »

Elle était restée là, moteur en marche, les mains sur le volant, écoutant la radio. Jusqu'à ce qu'il n'y ait aucun doute. Le vol TWA 800 avait explosé pour des raisons inconnues et s'était désintégré au-dessus de l'Atlantique. Quelques secondes plus tard, le communiqué avait confirmé qu'il n'y avait aucun survivant.

Elle ne s'était pas rendu compte qu'elle pleurait. Un flic s'était soudain penché vers sa vitre.

« Tout va bien, madame ? Vous avez besoin d'aide ? »

Quelqu'un avait remarqué cette femme immobile dans sa voiture sur le parking, moteur allumé, et avait appelé la police.

« Il faut que j'aille là-bas ! s'était-elle exclamée tout à coup.

— Là-bas ? Où cela, madame ?

— Là... Où est l'avion... Mon fils était dedans... »

Le flic avait fini par comprendre ce qui se passait. Il avait appelé par radio une femme agent qui avait reçu l'ordre de la conduire à Long Island. Elle avait attendu sur la plage, en pleine nuit. Elle scrutait désespérément la surface de l'eau noire, observant les lueurs des canots de sauvetage et des embarcations de toutes sortes qui poursuivaient les lentes et interminables recherches... De temps en temps, un canot accostait sur la plage pour décharger ce qu'il avait trouvé. Ni elle ni les autres parents qui attendaient n'étaient autorisés à les examiner. Des fragments d'épave, des lambeaux de bagages. Et des morceaux de corps humains.

Cela avait été la nuit la plus longue de sa vie. La plus douloureuse, aussi. Suivie d'autres longues journées et de longues nuits de chagrin. Et, pis encore, de remords. Elle n'aurait jamais dû accepter que son fils voyage seul. Si elle avait été là, s'ils étaient morts ensemble, il ne se serait pas senti abandonné dans les dernières secondes de sa vie. Elle haïssait surtout son ex-mari. C'était sa faute. S'il ne s'était pas amouraché de cette femme, s'il n'avait pas divorcé, s'il n'était pas parti pour l'Angleterre, Doug ne se serait pas trouvé à bord de cet avion. C'était la faute de Jim.

Non, c'était sa faute à elle. Elle n'aurait pas dû le laisser voyager seul. Jamais. Certaines femmes vont en prison parce qu'elles refusent de respecter des décisions de justice en matière de visite parentale. Voilà ce qu'elle aurait dû faire. Au lieu de laisser son fils embarquer dans cet avion, elle aurait dû l'emmener, quitter l'Etat, s'enfuir quelque part où ils n'auraient jamais pu le retrouver.

Oui, c'était sa faute. C'était entièrement sa faute.

Après des jours, des semaines de chagrin et de lamentations, elle avait été autorisée, comme tous les autres parents et proches des victimes, à chercher parmi les affaires personnelles des passagers. Elle avait trouvé un lambeau de son petit sac de voyage rouge et blanc, ainsi que l'emballage, décoloré par l'eau de mer, d'un des jeux qu'elle lui avait donnés. Et, comme la mauvaise blague d'un sort cruel, toujours bien enveloppé dans son plastique protecteur, le sandwich au thon qu'elle avait glissé au fond de son sac.

Quelques mois plus tard, on avait organisé un service religieux interconfessionnel sur la plage. Elle y était allée. Jim était venu d'Angleterre pour y assister. Il avait été choqué en découvrant combien la tragédie l'avait transformée. Peu importait ce qu'il lui disait, elle le lisait dans ses yeux. Ils avaient essayé de se consoler mutuellement. Mais une sinistre évidence planait au-dessus d'eux. S'ils n'avaient pas divorcé, ce ne serait pas arrivé.

Elle ne l'avait plus revu. Et elle ne le souhaitait pas.

Elle avait voulu reprendre son travail à l'hôpital pour enfants de Westchester. Mais les décors familiers la hantaient. Surtout la maison vide. Et la chambre de Douglas. Pleine de ses jouets et de ses vêtements. Pleine de ses dessins qu'elle avait accrochés au mur avec fierté, y compris ceux qu'elle avait conservés depuis la maternelle. Finalement, le silence l'avait fait craquer. Ouvrir la porte d'entrée, le soir, et attendre le cri qui accueillait son retour : « Maman ! » Le voir descendre l'escalier quatre à quatre pour l'embrasser et lui raconter, les yeux brillants, ce qu'il avait fait dans la journée. Toujours s'attendre à le voir, en avoir besoin... Et être accueillie par le silence qui régnait dans la maison. Tout cela avait fini par avoir raison d'elle.

Ses collègues, comme elle-même, affirmaient toujours à leurs patients qu'après une perte grave ou un événement traumatisant, il fallait toujours rechercher la sécurité et le réconfort dans son environnement familier. Mais avec elle, cela n'avait pas marché. Elle avait décidé de quitter la côte Est. Elle avait accepté une des nombreuses offres qu'elle avait reçues depuis la publication de son article sur la création et la gestion d'un centre de réadaptation pour les enfants victimes de sévices.

Dès qu'elle avait été installée, professionnellement, et que les choses s'étaient mises en place, elle avait su qu'elle avait eu raison. De cette ville située au milieu du pays, le voyage n'était jamais très long pour se rendre aux réunions et aux séminaires auxquels on l'invitait. Son Centre pour la protection de l'enfance était nouveau et, par conséquent, d'importance modeste, mais elle avait exigé qu'il fût équipé du matériel le plus moderne. En outre, la ville avait décidé de donner la priorité absolue au bien-être des enfants.

L'intensité de ses activités professionnelles comblait le vide de sa vie privée.

Sauf certains jours.

Quand un patient ressemblait un peu trop à son propre petit Douglas.

Dès qu'elle eut fini son dîner frugal, elle interrompit sa lecture pour débarrasser la table. Elle se dirigea vers son bureau et ouvrit le tiroir du bas, d'où elle sortit une petite boîte de cuir noir. Elle débloqua le fermoir et souleva le couvercle.

Elle en sortit deux petits objets. Un lambeau de plastique rouge qui avait appartenu à un sac de voyage. Et le fragment décoloré du couvercle de l'emballage d'un jeu qui avait porté l'étiquette « Pour enfants de neuf à onze ans ».

Cela se passait toujours de la même manière. Elle eut un chagrin infini en pensant à son fils, terrifié pendant le laps de temps, bref – c'est ce qu'on lui avait affirmé –, qui avait précédé sa mort. Ces terribles vingt dernières secondes où il avait dû hurler : « Maman ! Ma maman ! ». Elle n'avait pas été là pour le serrer dans ses bras, pour le protéger, même pas pour lui parler.

Elle se mit à pleurer.

Mais cela ne dura pas. Le lendemain, comme les autres jours, elle aurait beaucoup de travail. Il fallait qu'elle se repose. Elle s'endormit en pensant à Douglas. Et puis à Benjamin Jackson.

Il fallait qu'elle se surveille. Si ce garçon devenait son patient, elle devait éviter à tout prix de former des jugements qui pourraient influer sur ses idées. Soit contre lui, parce qu'elle lui en voulait de lui faire revivre le traumatisme de la mort de son fils. Soit pour lui, à cause de leurs yeux bleus, si semblables.

Un psychiatre qui soigne des enfants doit garder l'esprit absolument ouvert. Surtout à l'étape préliminaire de l'évaluation du cas.

Durant la semaine qui suivit, elle fut soulagée de constater que le petit Benjamin Jackson ne revenait pas. Elle doutait d'avoir l'objectivité professionnelle suffisante pour s'occuper de lui.

3

Le docteur Wallace avait des obligations de toutes sortes. Une de celles qu'elle appréciait le moins, c'était de devoir témoigner en justice – au tribunal des affaires familiales, en correctionnelle ou devant toute cour ayant autorité sur les affaires qui impliquaient des enfants en situation de détresse. Quelles que soient leurs intentions, les juges et les commissaires manquaient du savoir et de la compétence nécessaires pour s'occuper des enfants perturbés ou traumatisés.

Elle n'avait pas très envie de témoigner devant le juge Gustav Engelhardt du tribunal des affaires familiales, qui passait pour l'un des magistrats les plus arbitraires de la ville. L'affaire jugée ce jour-là concernait Claire Renzler. La question était de savoir si cette adolescente de quinze ans devait rester dans le service de pédiatrie de l'hôpital, sous la responsabilité du docteur Wallace, ou si elle devait être renvoyée chez elle.

Pendant le témoignage des parents, de l'assistante sociale et de la femme agent de police attachée à l'affaire, Engelhardt n'avait pas cessé de tambouriner impatiemment sur son bureau. Puis Corinne Wallace vint à la barre.

Elle fit une déclaration très laconique, avec un minimum de termes techniques, pour communiquer à la cour ce qu'elle savait de l'affaire. Lorsque Claire avait été confiée à ses soins, c'était une fillette de douze ans, timide et apeurée. L'enquête avait révélé que de la maternelle à la cinquième, elle avait été une excellente élève. Puis ses résultats scolaires avaient commencé à chuter de façon spectaculaire. La fillette, qui s'exprimait parfaitement bien, toujours prête à réciter en classe, s'était isolée. Désormais, elle se portait rarement volontaire pour répondre aux questions des professeurs. Elle avait abandonné le sport, renoncé à toutes les activités de groupe et s'était de plus en plus isolée. C'est par des voies détournées qu'elle était devenue une patiente du Centre pour la protection de l'enfance.

Un des garçons de sa classe avait déclaré qu'il avait égaré son couteau de scout, ou qu'on le lui avait volé. Après une enquête rapide, on avait retrouvé le couteau dans le sac à dos de Claire.

Interrogée par la directrice de l'école, celle-ci avait avoué qu'elle l'avait volé. La directrice ne voulait pas en rester là et avait poursuivi son interrogatoire. Pourquoi la fillette avait-elle dérobé un objet dont elle n'avait aucun usage ? Pas du tout satisfaite par les réponses de Claire, cette femme expérimentée, à l'intuition remarquable, avait pris tout à coup les deux mains de l'enfant dans les siennes. Elle avait tourné les paumes vers le haut, relevé les manches de son corsage blanc et découvert, à hauteur des poignets, deux longues lignes rouges. La fillette avait volé le couteau pour se taillader les veines.

La directrice avait appelé sur-le-champ le docteur Wallace au centre.

Ce n'est qu'à l'issue de deux longs entretiens que Corinne Wallace avait commencé à découvrir l'origine des tendances autodestructrices de Claire. Elle était en sixième quand ses parents avaient divorcé. Sa mère s'était remariée. Et depuis

30

cette période, Claire avait été victime de sévices sexuels de la part de son beau-père. C'est alors que ses notes avaient commencé à baisser, sa personnalité à se modifier et qu'une nouvelle Claire, terrifiée et solitaire, avait émergé.

Le fait de se taillader les poignets n'était pas une tentative de suicide, mais un appel à l'aide.

Le docteur Wallace et l'assistance publique avaient porté l'affaire en justice.

Après avoir exposé les faits et rapporté les résultats de son analyse psychiatrique, Corinne Wallace conclut :

— En conséquence, Votre Honneur, nous pensons que, pour sa sécurité, cette enfant doit rester sous notre responsabilité jusqu'à ce que nous lui trouvions un foyer d'accueil sûr, qui satisfasse tout le monde.

— Et alors ? demanda le juge Engelhardt.

Pendant un instant, la réponse la laissa sans voix.

— Et alors, répliqua-t-elle, cette cour n'a qu'une chose à faire. Accepter notre motion !

— Comme ça, tout simplement ! répliqua le juge d'un ton sarcastique. Vous savez sans doute que la mère et le beau-père de cette enfant ont déposé une motion inverse, pour que la fillette soit renvoyée chez elle ?

— Oui, Votre Honneur.

L'idée que le juge envisage de faire droit à la motion de la mère mettait Corinne Wallace dans un tel état qu'elle ne put se retenir :

— C'est la pire chose que vous puissiez faire ! Ce serait un scandale !

— Oh ! rétorqua le juge, un scandale, hein ? Vous demandez que cette enfant soit flanquée dans un environnement qu'elle ne connaît pas, qu'elle soit confiée à la garde d'étrangers, c'est cela ? De plus, êtes-vous en train d'insinuer que renvoyer l'enfant chez sa mère, pour qu'elle vive dans son environnement familial, constituerait un...

— Un scandale ! Oui ! Un scandale. Un déni de justice !

— Alors nous commettons un déni de justice, c'est cela ?

Le juge était furieux. Moins que le docteur Wallace, qui reprit, encore plus énergiquement :

— Pour un enfant, aucun endroit n'est pire que cette maison. Une mère incapable de protéger sa fille d'un prédateur sexuel...

— La mère est parfaitement consciente de la situation, désormais, et elle a promis à cette cour...

— Peu importe ce que la mère a promis à cette cour ! Le fait est que les sévices durent depuis des années, Votre Honneur. Où était la mère pendant tout ce temps ?

— Elle ne savait pas. Elle n'était pas au courant, répliqua Engelhardt.

— Si elle n'était pas au courant, eh bien, elle n'est pas digne d'avoir la garde de son enfant ! Maintenant, ce n'est plus une suggestion, Votre Honneur. En qualité de psychiatre responsable de l'enfant, j'exige que vous ordonniez qu'elle me soit confiée, quoi que dise la mère !

— En avez-vous terminé, docteur ? demanda le juge.

— Oui, Votre Honneur !

— Par la présente décision, cette cour ordonne que l'enfant, Claire Renzler, soit remise à la garde de sa mère. Et nous ordonnons qu'une assistante sociale continue de suivre cette affaire de très près !

Engelhardt frappa du marteau sur son bureau. Pour lui, l'affaire était close.

Mais pas pour le docteur Corinne Wallace.

— Votre Honneur, je tiens à vous informer que j'userai

de tous les moyens légaux à ma disposition pour faire casser votre décision !

– Et moi, docteur, hurla le juge, je tiens à *vous* informer que si vous prononcez un mot de plus, j'userai des moyens dont *je* dispose pour vous inculper d'outrage à la cour !

Elle le toisait avec un air de défi. Agitant un index noueux déformé par l'arthrite, le juge lui fit signe de le suivre. Il se laissa glisser de son fauteuil et se dirigea vers la porte qui se trouvait au bout de la salle. Elle le suivit dans la petite pièce qui lui servait de bureau privé et de vestiaire. Sans un mot, il bourra et alluma sa vieille pipe de bruyère.

– Maintenant, ma petite, je vais vous expliquer comment fonctionne notre système judiciaire. Une partie de ce que je dis et de ce que je fais n'est destinée qu'au procès-verbal. Une autre partie sert à rendre un peu de justice sommaire. Cela dit, je sais aussi bien que vous que cette enfant ne devrait pas retourner chez elle.

– Alors, pourquoi...

– Bon sang, docteur, vous avez la détestable habitude d'interrompre les gens. Pouvez-vous vous taire et me laisser parler ? Je tenais à ce que mon verdict figure au procès-verbal. J'ai une excellente raison à cela. Le tribunal des affaires familiales de cet Etat est en partie financé par le gouvernement fédéral. Je dois donc observer ses règles. Sachez que dans le cahier des charges de ce financement une clause prévoit que les juges doivent faire tout ce qui est en leur pouvoir pour préserver l'unité de la famille.

» C'est leur truc, maintenant, au Congrès : l'unité de la famille. Quand ces crétins, là-haut, font une fixation sur un de ces slogans édifiants, pas moyen de les arrêter. En ce moment précis, je viole la loi fédérale, parce que je m'accorde un instant de détente en fumant ma pipe dans un immeuble public. Le Congrès me l'interdit. Mais je peux le faire, tant qu'il ne le sait pas. C'est la même chose avec l'unité de la famille. Qui vient tout droit de cette histoire absurde des « valeurs familiales ».

» De mon temps, on ne parlait pas des valeurs familiales. Ce n'était pas la peine. Nous n'avions pas de mots pour cela. Tout simplement, nous *avions* des valeurs familiales. Mais chacun des partis de ce foutu Congrès veut paraître plus pontifiant que les autres, et ils se sont crus obligés de voter une loi et de mettre ça sur la place publique. Alors voilà. C'est dans le projet de loi des finances. On doit s'efforcer de maintenir l'unité familiale. Eh bien, je veux que ça figure au procès-verbal. J'ai essayé. Car si nous ne le faisons pas, cet Etat perdra le bénéfice des fonds fédéraux.

» C'est ainsi que ce foutu Congrès nous tient : les fonds fédéraux. On doit faire semblant de se soumettre. Peu importe si ce qu'ils nous font faire est erroné ou stupide. Voilà pourquoi mon verdict officiel doit être au procès-verbal.

» Maintenant, tout à fait entre nous... nous pouvons négocier un peu. Vous avez votre prochaine séance avec cette petite. Vous revenez ici. Vous me dites que ça ne marche pas. Vous renouvelez votre requête pour la prendre en charge. Je ne vous promets pas d'accepter. Mais je ferai la moitié du chemin. J'approuverai la désignation d'un foyer d'accueil.

» Ainsi, le procès-verbal prouvera que j'ai essayé de préserver l'unité de la famille. Et au bout du compte, nous aurons fait ce que je crois être le mieux pour cette pauvre enfant. D'accord ?

– Tout, plutôt que de la renvoyer chez elle, admit Corinne Wallace à contrecœur.

– Parfait ! Et la prochaine fois, ne discutez pas en public avec la cour ! Ou je vous inculpe pour outrage. Avec une peine de prison à la clé !

Cela avait été une des audiences de justice les plus stressantes, mais aussi les plus instructives auxquelles elle eût jamais participé. En sortant du tribunal, Corinne Wallace était soulagée et se réjouissait qu'on lui eût donné en partie raison. A la porte, un planton l'arrêta.

– Docteur, quelqu'un vous demande.

Il fit signe d'approcher à un officier de police qui se trouvait là. Il la présenta :

– Voici le docteur Wallace.

– Docteur, je suis l'inspecteur Driscoll. Je dois vous demander de m'accompagner au commissariat central.

– Ecoutez, je suis très en retard. Mes patients m'attendent. L'audience a été beaucoup plus longue que prévu.

– Nous avons un garçon de neuf ans, pris en flagrant délit de vol dans un véhicule qu'il avait fracturé. D'après le règlement, nous devrions transmettre l'affaire au centre de détention pour mineurs. Mais sa tante prétend que vous êtes son médecin...

– Comment s'appelle-t-il ?

– Benjamin Jackson. Il tient à ce qu'on l'appelle Benjie, le petit salopard.

– Oui, je l'ai vu. Une seule fois. Il n'est pas exactement mon patient. Et je vous prie de ne pas le traiter de petit salopard.

– Oh ! je vois ! gloussa l'inspecteur Driscoll. Peut-être que si vous saviez ce qu'il a fait...

– Eh bien, inspecteur, quel est le prétendu crime dont on l'accuse ?

– Le prétendu crime ! Vous parlez comme un de ces

avocats marrons. Ce n'est pas un prétendu crime. Nous avons des témoins. Ce gosse, ce sale... Il a eu le culot de jeter un pavé dans le pare-brise d'une Cadillac toute neuve. Vous savez la force qu'il faut pour défoncer un pare-brise en Securit ? Puis il s'est glissé dans l'auto et a volé une serviette en cuir. J'en ai rencontré, des mômes insolents, mais celui-ci est le plus fort. Sur River Street, en plein jour ! Vous avez un criminel en herbe sur les bras, doc.

— Je vous l'ai dit, il n'est pas mon patient.

— En tout cas, quelqu'un ferait bien de venir le chercher. Sa tante prétend qu'elle ne peut pas. Sa mère dit qu'elle est incapable de le contrôler.

Corinne Wallace n'hésita qu'un instant.

— Je vais envoyer quelqu'un pour le prendre en charge.

— Doc, je dois vous prévenir. Ce n'est que le début. Ça n'empêchera pas les suites judiciaires. Le propriétaire de la Cadillac ne veut pas se contenter d'engager des poursuites. Il est furieux. Il dit qu'il en a marre de tous ces gamins qu'on laisse dans la nature. De ces parasites des services sociaux qui se pointent et vous interdisent de toucher à ces petits criminels. Si on ne l'arrête pas maintenant, Dieu sait ce qu'il fera quand il sera grand. Le plaignant a pris sa décision. Il veut faire un exemple. Pour tous ceux qui auraient dans l'idée de faire comme ce môme.

— Inspecteur, je sais exactement ce qu'il ressent. Je vais envoyer quelqu'un s'occuper de lui... Non, reprit-elle, je vais y aller moi-même.

Ce que le policier appelait un crime effronté, qui justifiait qu'on envoie un gamin en maison de correction, était tout autre chose aux yeux du docteur Wallace. Ce qu'il avait fait, c'était un appel à l'aide désespéré. Cela ne différait pas, même si c'était plus excessif, de ses tentatives autodestructrices précédentes. Enfermer un garçon comme celui-ci en maison de correction, à cette période de sa vie, pouvait lui faire beaucoup de mal. Peut-être de manière irréparable.

Il ne fut pas facile de convaincre le sergent de service de remettre le jeune Benjie Jackson à la garde du docteur Wallace. Quand ils sortirent enfin du commissariat, la voix furieuse du sergent les poursuivit :

– Si ce gosse commet un autre délit, docteur, vous en porterez la responsabilité !

De retour au centre, le docteur s'était résignée à ce que Benjie Jackson soit désormais son patient. Son premier devoir était de s'entretenir avec sa mère. Elle envoya une assistante sociale chez Benjie Jackson, avec une convocation pour le lendemain à dix heures du matin.

L'audience au tribunal et le détour par le commissariat avaient mis en retard le docteur Wallace, de sorte que le reste de sa journée fut particulièrement chargé. Quatre patients. Deux autres entretiens. Tout cela prit beaucoup de temps. Il ne fallait jamais donner l'impression qu'on se dépêchait. Surtout avec ses patients, tous très jaloux du temps qu'elle passait avec eux.

Elle sauta le déjeuner, ce qui ne l'empêcha pas de rentrer chez elle avec deux heures de retard. Elle eut à peine le temps de prendre une douche rapide avant que Sim Freedman passe la prendre. C'était la première fois qu'ils dîneraient ensemble à l'extérieur. Elle était à moitié habillée quand elle entendit la sonnette. Elle vint lui ouvrir en peignoir.

– Excuse-moi, je suis en retard. Il y a du chardonnay au frais. Sers-toi. Je me dépêche.

Ils poursuivirent leur conversation de part et d'autre de la cloison. Elle lui demanda s'il avait trouvé dans le bar tout ce dont il avait besoin. Il la rassura, lui dit qu'ils n'étaient pas pressés.

— J'ai appris ce qui s'est passé, lui lança-t-il depuis le salon.

— Qu'est-ce que tu as appris ?

Elle était en train d'enfiler un fourreau noir tout simple – ce qu'elle avait de plus adapté aux soirées en ville. Elle l'avait depuis cinq ans, ce qui montrait bien qu'elle avait peu d'occasions de le porter. Le fait qu'il lui aille toujours en disait long sur sa condition physique.

— Ta prise de bec avec le juge au tribunal des affaires familiales. Tu es en train de te forger une réputation.

— Je l'espère bien, répliqua-t-elle un peu sèchement. « Maintenir la cohésion de la famille... » Ils n'ont que ça à la bouche, ces juges. On dirait un mantra.

— Il se trouve que c'est la loi, avança Freedman.

— Le Congrès n'a aucune idée de la manière dont il faut agir avec les familles en dysfonctionnement ! s'exclama-t-elle.

— L'ignorance ne l'a jamais empêché de voter des lois.

Elle venait d'entrer dans le salon et s'efforçait d'accrocher une boucle dorée à son oreille gauche.

— Une fille de treize ans, victime des sévices sexuels de son beau-père, et ce juge décrète qu'elle doit rentrer chez elle. Je ne pouvais pas laisser passer cela sans rien dire.

— C'est ce que j'ai appris, dit Sim en lui tendant un verre de vin blanc. En fait, tout le palais de justice est au courant.

— Je me suis peut-être un peu emportée, admit-elle.

— Au point que le juge t'a menacée de t'inculper pour outrage à la cour.

– Oh ! tu sais cela aussi !

– Outrage à la cour. Ça pourrait te valoir une amende et de la prison ferme.

– Ne t'en fais pas. En privé, un peu plus tard, le juge Engelhardt s'est montré très chic.

– Engelhardt ? Il a la réputation de détester les femmes arrogantes. Ça inclut celles qui osent élever la voix.

– Plus maintenant, répondit-elle.

Sim leva son verre. Ils trinquèrent et burent une gorgée.

– D'une certaine manière, reprit Sim, je regrette qu'Engelhardt ne t'ait pas arrêtée pour outrage. Je me délectais en imaginant un fantasme délicieux. Tu es en prison. Désespérément accrochée à tes barreaux, comme au cinéma. C'est alors que j'interviens. J'essaie de te faire passer en douce une scie à métaux, comme dans les films, dans une miche de pain ou un gâteau. Pour que tu t'échappes. Mais ce n'est pas facile. Planquer une longue lame dans un bagel, c'est un vrai casse-tête.

– Qu'est-ce que tu essaies de me faire comprendre, Sim ?

– Simplement que tu devrais être un tout petit peu plus, comment dire... un peu plus prudente dans tes rapports avec la justice. Nous vivons à une époque où les juges ont pris le contrôle du monde. Ils se croient habilités à statuer sur tout et tout le monde. Ce qui les rend arbitraires, capricieux, voire purement et simplement enclins à régler leurs comptes. Et si tu dois aller en appel, où vas-tu le faire ? Auprès d'un autre groupe de juges. Ces salauds se serrent les coudes. Ils sont capables de ruiner ta carrière. Alors, Corrie, fais gaffe. D'accord ?

– D'accord, d'accord ! acquiesça-t-elle précipitamment car il s'était mépris sur sa question. Sim, je parlais de ton allusion au bagel.

– Au bagel ? répéta-t-il, perplexe. C'était une blague, sans plus. Le gag du type qui essaie de plier une égoïne pour qu'elle rentre dans un petit bagel tout rond. C'est tout.

– Tu en es sûr ? demanda-t-elle.

– Pourquoi ? A quoi pensais-tu ?

Elle avançait sur un terrain très sensible. Alors elle parla doucement, en choisissant ses mots avec soin.

– Sim, nous ne sommes pas des collégiens. Nous savons tous les deux que nous nous plaisons. Oui, je sais que tu penses que je suis très... très réservée... très froide à ce sujet. Beaucoup plus qu'une femme adulte ne le devrait. Je veux que tu sois sûr d'une chose : la religion n'a rien à y voir.

Il avait l'air à moitié surpris, à moitié amusé.

– Tu as cru que l'allusion au bagel était une sorte de test ethnique ? Pour savoir si tu acceptais le fait que je suis juif ? Oh non ! ma chère Corrie, non. Je comprends parfaitement pourquoi tu es, comme tu dis, « réservée et froide » quand il s'agit de nous deux. Je le comprends parce que nous sommes pareils. Nous sommes tous les deux des vétérans de l'armée des survivants. Chacun souffre de ses blessures. Chacun vit avec ses souvenirs et son chagrin, incapable encore de s'en débarrasser.

Il lui prit la main.

– Corrie, je ne veux pas te presser. Ni t'obliger à faire quoi que ce soit. Parce que je ne me sens pas encore assez fort pour oublier le passé. Même si je sais que toi-même, en tant que psychiatre, tu me donnerais une bonne centaine de raisons de le faire. Tout comme moi je te trouverais cent raisons. Le problème, c'est que, dans notre situation, nous ne sommes pas les médecins. Nous sommes les patients. Et nous savons, toi et moi, qu'il est plus facile de donner

40

des conseils que de les suivre. Allons-y doucement...
Apprécions le fait d'être ensemble quand l'occasion se présente. Faisons des choses simples. Déjeunons ensemble
quand nous trouvons le temps pour cela. Dînons ensemble
de temps à autre. Allons au théâtre ou au concert. Et puis,
de temps en temps, essayons de parler du passé. Toi, de
ton petit Douglas. Moi, de Julia. Cela pourrait nous faire
du bien.

— Peut-être, en effet.

Elle était soulagée de constater qu'elle était d'accord avec
lui.

Ce n'est qu'à la fin du dîner, alors qu'ils dégustaient leur
café, qu'elle eut l'occasion de l'examiner à loisir. Il regardait
en l'air, sans doute parce que c'était plus facile pour parler
de lui-même.

Il est plutôt bel homme, se dit-elle, mais pas trop. C'est
rassurant. Des cheveux noirs bien coupés, avec un soupçon
de gris avant l'âge. Pas étonnant, vu ce qu'il a traversé. Et
il émane de lui une telle passion... Plus que d'habitude dans
sa profession.

— Je ne sais pas ce que tu en penses... Tu sais ce qui me
manque le plus ? A la fin de la journée. Quand on rentre
chez soi. Non pas rentrer à la maison ou à l'appartement.
Non. Rentrer *chez soi*. Retrouver quelqu'un qui veut savoir
comment s'est passée ta journée. Et toi, tu veux savoir
comment s'est passée la sienne. Parler de choses banales.
Comme de la couleur du fauteuil du salon que tu veux
faire refaire. Du dîner du mardi suivant, des gens qui seront
là. De ce fait divers bizarre entendu à la radio sur le chemin
du retour. De toutes ces histoires sans intérêt qui deviennent importantes parce qu'on en parle avec quelqu'un
qu'on aime.

Il tourna la tête vers elle, si brusquement qu'il surprit son regard posé sur lui.

– Corrie, je dois te prévenir. J'ai une idée derrière la tête. Je ne suis pas un de ces types qui courent après des « relations ». En fait, je déteste ce mot. Les « relations », c'est bon pour les gens qui ne savent pas ce qu'ils veulent. Ou qui ont peur. Ce n'est pas mon cas. Ça doit venir de mon enfance malheureuse. Très traumatisante. Voyez-vous, docteur, ma mère et mon père s'aimaient. Ils ont eu une vie formidable. Cela m'a gâté. Je ne peux pas me satisfaire de moins que cela. Alors je veux me marier. Je veux des enfants. S'occuper des enfants des autres, c'est intéressant. Mais avoir les siens, c'est beaucoup mieux.

Sa déclaration avait été si soudaine qu'ils en furent tous les deux surpris. Elle en resta sans voix. Il était embarrassé.

Mon Dieu, se dit-elle, il rougit. Un homme adulte qui rougit.

– Je crois que j'en ai trop dit, et que j'ai parlé trop vite, s'excusa-t-il. Sans doute parce que nous avons trop rarement l'occasion de parler vraiment. Je n'avais pas l'intention de te dire cela. Pas encore. Pardonne-moi.

– Tu n'as pas à t'excuser, Sim. Je sais ce que tu veux dire. Je connais la différence, moi aussi, entre être de retour et rentrer *chez soi*.

4

Melissa Jackson faisait face au docteur Wallace, dans le bureau de cette dernière. Visiblement mal à l'aise, elle tira sur sa minijupe en jean, pour lui donner l'air plus longue qu'elle n'était. Le docteur vit dans ce geste un indice supplémentaire de la bizarrerie d'une femme de vingt-sept ans qui essayait d'en paraître dix-huit. Par contraste, son corsage s'efforçait, mais en pure perte, d'être plus sage. Bien qu'il fût coupé dans un tissu bleu très simple, il mettait exagérément ses seins en valeur. Corinne Wallace se dit que c'était sans doute le corsage le plus classique que cette femme possédât. Le parfum bon marché dont l'odeur se répandait dans le bureau contredisait la simplicité apparente de son maquillage. Cette femme était une anomalie vivante. Naturellement voluptueuse, mais essayant de surmonter cette apparence.

De toute évidence, elle avait transmis à son fils sa beauté sombre et ses yeux bleus. Elle était loin d'être laide.

La séance commença par des excuses. Sans laisser le temps au docteur de lui poser une question, Melissa prit la parole :

— J'ai réfléchi à tout cela, docteur. J'ai beaucoup réfléchi. A Benjie, je veux dire, qui est devenu tout à coup tellement insupportable. Et ça pourrait être... Je ne sais pas... Mais je lis des choses là-dessus tout le temps... Et je regarde la télévision. La télévision, c'est terrible, à beaucoup de points de vue. Mais si vous êtes capable de choisir et de prendre ce qui est bon, il y a à apprendre. D'ailleurs, je regarde toujours la chaîne publique.

Comme si elle s'attendait à ce que cette information provoque une réaction, elle marqua une pause.

— Même dans les émissions du matin, parfois, avec les interviews, on peut apprendre des choses si on écoute bien. Un jour, j'ai entendu un docteur dans une émission, qui disait que quand les femmes font certaines choses pendant leur grossesse, comme fumer ou boire un verre de temps en temps... même boire trop de café, ça peut avoir des conséquences, vous saviez ça ?

Le docteur ne répondit pas. Elle se contenta de hocher légèrement la tête pour l'encourager à continuer. Tout ce que cette femme disait semblait n'avoir aucun rapport direct avec le problème de Benjie, mais elle pouvait révéler par mégarde une information importante qu'elle aurait eu intérêt à dissimuler.

— J'avoue qu'il m'est arrivé de boire un verre ou deux quand j'étais enceinte de Benjie, continuait Melissa. Oh ! pas beaucoup ! Mais si vous sortez un soir, et si tout le monde boit, les autres trouvent bizarre que vous ne fassiez pas comme eux. Surtout si vous... Surtout si vous ne faites pas de manières avec votre grossesse, et que vous n'en parlez pas. Au point qu'ils ne sont pas au courant. On ne sait pas trop pourquoi, dans un groupe, quand une femme est enceinte, ça devient tout de suite le sujet principal de toutes les conversations. Vous voyez ce que je veux dire ? Alors je ne voulais pas en faire une histoire. Surtout qu'à l'époque, on n'avait pas encore décidé de se marier. Je vous parle de Ray. Alors je buvais un coup de temps en temps, juste pour les accompagner.

— C'est après la naissance de Benjie que vous avez décidé de vous marier ? demanda Corinne Wallace.

— Ça, c'est la partie pas marrante, docteur. Juste avant la naissance de Benjie... Vous savez, Ray était routier, il passait son temps en vadrouille. Et une nuit, il y a eu une tempête de neige... Ça s'est passé sur la I-80, à l'ouest de la ville. Son camion a quitté la route. Il s'est mis en travers. Ray a été écrasé dans sa cabine. Sans ça, on se serait mariés... Mais je m'éloigne du sujet. Parce que ça me travaille pas mal, depuis quelque temps. Je veux dire, depuis que Benjie a toutes ces histoires et qu'il vient ici, j'y pense beaucoup. C'est peut-être ma faute. Je fumais... Je fume encore. Mais beaucoup moins. A cause du cancer, j'essaie de diminuer. Et je buvais, aussi. Pas beaucoup. Juste pour faire plaisir aux amis. Surtout de la vodka. Je ne supporte pas le scotch et le bourbon. Alors je voudrais bien savoir : ce qui ne colle pas, avec Benjie, ça pourrait être ma faute ?

Elle se donnait beaucoup de mal pour avoir l'air désolé. Son monologue, d'ailleurs, en apprit moins à Corinne Wallace sur Benjie que sur elle-même.

— Il est trop tôt pour en être sûr, madame Jackson, répondit le docteur. Mais je crois que je peux vous rassurer. Si, comme vous le dites, vous fumiez et buviez modérément, cela a pu avoir un léger effet sur Benjie *in utero*. Mais ça n'explique pas les problèmes qu'il connaît aujourd'hui.

— Eh bien, si je peux vous aider d'une manière ou d'une autre... Rien ne m'est plus précieux que mon Benjie. Ce garçon, c'était un ange. Je n'exagère pas, docteur. Un ange. Radieux. Toujours prêt à faire plaisir. Vous pouvez demander à tous mes voisins ou mes amis. A l'époque, quand j'allais à l'aide sociale, je demandais à un ami ou à un voisin de s'occuper de Benjie. Ils étaient toujours ravis, c'était un tel plaisir. Et puis, du jour au lendemain, le voilà qui devient... Eh bien, un vrai petit monstre. Je ne comprends pas. Personne ne comprend, d'ailleurs. Je me suis bien occupée de lui. Je ne suis pas comme ces femmes progressistes, qui disent qu'un enfant doit faire ce qu'il désire et que si vous l'en empêchez, vous allez l'inhiber, ou d'autres idioties du même genre. Je dis que si un enfant fait des bêtises, c'est le devoir de sa mère de le corriger. Et un enfant bien élevé doit apprendre à s'excuser. Il le faisait, d'ailleurs. Jusqu'à il y a pas longtemps.

— Madame Jackson, est-ce que Benjie a été nourri au sein ?

— Oh oui ! répondit celle-ci sans hésiter. Je sais qu'il y a des femmes qui sont trop coquettes pour ça. Elles croient que ça peut leur abîmer la poitrine. Qu'elle va pendouiller ou je ne sais quoi. Pas moi. Peu importe l'effet que ça peut avoir sur mes seins, mon enfant vient en premier.

— Quand il était tout petit, demanda Corinne Wallace, et qu'il vous arrivait de le confier à d'autres personnes... Quand vous le rameniez chez vous, avez-vous remarqué des bleus, des zébrures, des marques quelconques sur son corps ?

— Non.

— Est-ce qu'il arrivait, quand vous le laissiez à une personne en particulier, parent ou ami, qu'il se mette à pleurer ou qu'il refuse d'y aller ?

— Oh ! il pleurait toujours quand je le laissais ! Il était tellement attaché à moi. Ce qui est naturel, puisque je suis sa mère.

– Mais pas de refus particulier de rester chez telle ou telle personne ?

– Non, je n'ai jamais remarqué.

Corinne Wallace aborda un sujet plus délicat.

– Madame Jackson, je crois savoir que depuis la naissance de votre fils, il y a eu plusieurs hommes dans votre vie.

– Ouais. Ouais, c'est vrai, fit-elle d'un air triste. Je ne sais pas pourquoi. J'essaie de leur plaire. Je fais de mon mieux. Mais quelque chose... Je ne sais pas ce qui se passe. Est-ce que c'est moi ? Ou eux ? Tyler, par exemple. Quand il s'est installé chez moi, c'était l'homme le plus gentil du monde. Mais il n'a pas fallu longtemps pour qu'il devienne comme les autres. Il ne tenait pas en place, et puis un jour, il a pris ses cliques et ses claques. Je crois qu'il ne s'est jamais habitué à ce qu'il y ait un gosse à la maison. Quelle que soit la raison, il est parti. Sans un message, sans un mot. Même Bert, après à peine deux ans de mariage. Lui, je crois que c'est parce qu'il n'a jamais compris. Toujours à répéter que je passais trop de temps avec Benjie. Le premier devoir d'une mère est de veiller sur son enfant. N'est-ce pas, docteur, vous n'êtes pas d'accord avec moi ?

Au lieu de répondre, Corinne Wallace posa une autre question :

– A part cet agacement, avez-vous jamais remarqué que Bert était en colère contre Benjie ? Est-ce que vous l'avez vu en train de faire quelque chose à Benjie ? Quelque chose de méchant ou qui fasse mal ?

– Non, sauf...

– Sauf quoi ? insista le docteur.

– Eh bien, est-ce que brailler ça fait partie de ce que vous dites ?

– Brailler... ?

– Eh bien, Bert avait un drôle de caractère. Je veux dire, le plus petit truc pouvait le mettre hors de lui, vous voyez ? Et il... Bon, quand il était vraiment mauvais, il pouvait jeter des choses.

– Sur Benjie ?

– Oh, non, jamais ! Juste contre le mur. Ou dans la poubelle. Comme le jour où je lui ai servi du jarret de porc aux choux. Est-ce que vous connaissez un homme capable de péter les plombs pour si peu ? La plupart des hommes que je connais aiment le jarret de porc. Et c'était une recette que j'avais prise dans un magazine qu'on distribue au supermarché. Mais jeter quelque chose sur Benjie, non, ça jamais. C'est sûr que Benjie se mettait à pleurer quand ce genre de chose arrivait. Après tout, même un chien ou un chat sont perturbés quand quelqu'un hurle dans une maison. Mais peut-on appeler ça des sévices ?

Le docteur Wallace sursauta en entendant Melissa employer ce mot. Personne ne l'avait prononcé depuis le début de l'entretien. Est-ce qu'elle voulait protéger quelqu'un ? Mais puisque le sujet avait été mentionné, elle se dit qu'il valait mieux l'aborder de front.

– Madame Jackson, est-ce que quelqu'un, à votre connaissance, un parent, un ami ou une personne ayant été régulièrement en contact avec Benjie, lui aurait fait ou aurait fait avec lui quelque chose que vous considérez comme sortant de l'ordinaire ?

– Si vous voulez dire le frapper, le brûler ou l'enfermer dans une pièce sans lumière, comme on entend au journal télévisé, eh bien, non. Si quelqu'un osait faire ça à Benjie, je le tuerais !

– Alors il n'y a personne... commença le docteur.

48

Melissa Jackson la coupa :

— Si, il y a bien quelqu'un...

— Qui cela ?

Corinne Wallace espérait découvrir des faits jusqu'alors gardés secrets, qui pourraient l'aider à établir un diagnostic.

— Je n'aime pas dire cela. Surtout à propos d'un mort.

Elle fit une pause, attendant que le docteur, croyant qu'elle hésitait, la relance.

— Il s'agit de mon grand-père. Depuis la naissance de Benjie, il ne pouvait pas s'empêcher de tripoter cet enfant. Toujours à le serrer dans ses bras et à l'embrasser. Partout. Bon, c'est sans doute parce que Benjie était son seul arrière-petit-fils. Mais il y avait quelque chose dans sa manière... Je ne sais pas. Quelque chose qui me mettait, comment dire... Vous savez bien... Mal à l'aise.

— Avez-vous remarqué quelque chose qui, pour vous, aurait relevé d'un comportement anormal de la part de votre grand-père à l'égard de Benjie ?

— Non. Je vous ai dit, simplement trop d'embrassades et de bisous...

Puis, comme si ça lui revenait après coup :

— Il était toujours le premier à vouloir le changer. Ou à lui faire prendre son bain. C'était... comment dire ? Pas très naturel.

— Ça a duré combien de temps ?

— Aussi longtemps qu'il a été valide.

— Valide ?

— Grand-père a eu une attaque. Mauvaise. C'est ça qui l'a tué.

— C'est arrivé quand ?

— Voyons... Benjie avait un an... un an et demi... Oui, c'est plus ou moins ça. Quand Benjie avait un an et demi.

– Je vois, répondit Corinne Wallace.

Elle sentit que cette piste ne la mènerait nulle part, car le genre de sévices qu'elle soupçonnait devaient avoir été perpétrés plus tard et pendant un laps de temps plus long.

– Madame Jackson, votre aide m'a été très précieuse. Pendant le traitement de Benjie, il faudra que nous ayons de temps en temps d'autres conversations.

La jeune femme semblait déçue de ne pas avoir été très utile.

– Je suis désolée, j'ai fait de mon mieux. Je vous ai dit tout ce que je savais. Si je me rappelle autre chose... Ou si un détail me vient à l'esprit, je peux vous appeler ?

– Bien sûr, l'encouragea le docteur Wallace. Quand vous voulez.

Melissa Jackson était à la porte. Elle s'arrêta, indécise, puis se retourna pour lui faire face.

– Peut-être que son père... dit-elle.

– Vous m'avez dit qu'il s'était tué. Qu'il n'a pas vécu assez longtemps pour voir son fils, lui rappela Corinne Wallace.

– Ouais. Je pensais à la génétique.

– La génétique ? demanda le docteur.

– Ouais. J'ai entendu ça à la télévision. Tout le monde a ce truc, l'ADN. Ça se transmet de père en fils. Une sorte d'héritage. Eh bien, peut-être que Benjie a hérité ça de Ray. Ray avait mauvais caractère. Je ne sais pas pourquoi, mais je tombe toujours dans les pattes d'hommes qui ont mauvais caractère. Tyler. Puis Ray. Je me dis que Ray a passé ça à Benjie. C'est ce que j'ai entendu à la télévision. La génétique. Qu'est-ce que vous en pensez, docteur ?

Corinne Wallace se retint de lui répondre : « Si la télévision n'est pas fichue de rendre compte sérieusement de l'actualité, au lieu de tromper de pauvres gens de votre genre, elle ferait mieux de ne pas en parler du tout. »

Jour après jour, le docteur Wallace, comme des milliers de médecins dans tout le pays, était harcelée par des patients qui appelaient pour l'interroger sur telle ou telle découverte dont la télévision avait parlé la veille au soir, une découverte capable de leur sauver la vie, de soulager leur douleur ou de les aider à perdre du poids sans effort.

Mais Corinne Wallace résista à la tentation. Elle répondit simplement :

— Madame Jackson, il est hautement improbable que le problème de Benjie trouve sa cause dans son patrimoine génétique. Surtout pour des actes comme ceux dont nous avons été témoins récemment.

— Oui, mais s'il y a quelque chose avec cet ADN, est-ce qu'on ne devrait pas chercher de ce côté-là ? Au lieu d'attendre vingt ans. Qui sait ce qu'il sera capable de faire d'ici là ? Peut-être finira-t-il par tuer quelqu'un. Je veux dire, on voit ça tous les jours à la télévision. Un type est en prison depuis vingt-cinq ans, et grâce à un fragment d'ADN, on découvre qu'il est innocent. Eh bien, si on découvrait que c'est à cause de l'ADN de son père que Benjie se met en colère et qu'il risque de devenir dangereux, on pourrait prévoir ce qu'il pourrait faire dans des années, comme tuer quelqu'un, et l'en empêcher.

— Madame Jackson, je ne crois pas que l'ADN ait la moindre importance dans ce qui arrive à Benjie. Nous devons simplement essayer de comprendre ce qui se passe, en trouver la cause et puis un remède.

— Je me disais, comme on en parle à la télévision...

— Non. Je ne pense pas que nous trouvions la réponse à la télévision, dit le docteur pour mettre fin à la discussion.

Il faut que vous me rameniez Benjie dès demain. Ma secrétaire vous appellera pour vous dire à quelle heure.

– Bien, docteur.

Elle ferma la porte très doucement, comme si elle ne voulait pas simplement s'en aller, mais disparaître sans laisser de trace.

Le docteur Wallace prit le temps de faire le point sur ce que l'entretien lui avait appris. Cette femme n'était pas très cultivée. Elle avait un vocabulaire limité et quelques idées mal digérées, qu'elle avait glanées à la télévision. Ce qui la rendait plus inculte que vraiment informée. Elle vivait de l'aide sociale. Elle avait eu une série d'aventures malheureuses avec plusieurs hommes. Un mariage qui n'avait pas duré. Tout cela avait créé dans son foyer une confusion et une instabilité permanentes. Cela pouvait affecter gravement n'importe quel enfant entre trois et dix ans. Mais n'expliquait en rien le comportement actuel de Benjamin Jackson.

Grâce à ce que sa mère lui avait appris sur ses antécédents, Corinne Wallace était prête à mener son premier entretien de fond avec son nouveau patient.

Ses relations antérieures avec Benjie l'obligeraient à faire très attention. Elle devait se conformer au protocole défini par sa profession, concernant les entretiens avec les enfants. D'abord et surtout, elle devait faire de son mieux pour garder une objectivité totale. Réduire au minimum et ignorer tous les préjugés éventuels dus à son expérience précédente avec lui.

Tous les thérapeutes le savent : commencer un traitement avec des idées préconçues sur la cause d'un problème, ou avoir déjà envisagé un diagnostic, encourage le médecin à vérifier sa théorie plutôt qu'à en apprendre le plus possible sur son patient avant de formuler le moindre jugement.

Deuxièmement, et c'est aussi important, Corinne Wallace devait s'efforcer, pendant l'entretien, de réduire le risque de traumatisme. Ne pas dominer le dialogue. Tout faire au contraire pour permettre au jeune garçon de s'exprimer aussi librement qu'il le pouvait, ou qu'il le voulait, sans lui suggérer ses réponses.

Tout encouragement risquerait de fausser le processus, et les informations ainsi obtenues pourraient être trompeuses ou inutiles à d'autres services comme l'assistance sociale, la protection de l'enfance, voire le bureau du procureur dans le cas où une procédure judiciaire s'imposerait. L'avocat de l'accusé, s'il y en avait un, pourrait arguer qu'on avait suggéré à Benjie ses déclarations accusatoires.

Car le docteur Wallace devait mener l'entretien non seulement pour son propre compte, mais aussi dans l'intérêt des autres services. Toute action subséquente devait reposer sur l'honnêteté avec laquelle elle serait parvenue à faire parler Benjie librement, explicitement et avec le minimum de suggestions.

Elle demanda à sa secrétaire, Evie Sanderson, de réserver la salle de réunion. Cette pièce était conçue spécifiquement pour les entretiens. Une isolation sonore parfaite arrêtait tous les bruits gênants. Pour éviter les interruptions importunes, il n'y avait pas de téléphone. L'isolement avant tout. Ensuite, une atmosphère dépourvue de tensions. Tout était prévu pour que l'enfant se sente à l'aise et qu'il le reste tout au long de l'entretien. Les tensions et le stress susceptibles de surgir ne pouvaient venir que de Benjie lui-même.

Le plancher était recouvert d'un tapis, non seulement pour accroître l'isolation, mais pour permettre à l'enfant de se détendre pendant l'entretien, s'il avait envie de s'asseoir ou de s'allonger par terre.

Le mobilier était simple, élémentaire. Quelques chaises. Une table. Il n'y avait aucun jouet, aucun livre, rien qui puisse être une source de distraction ou donner à l'enfant la possibilité de fuir la conversation si elle devenait trop difficile ou trop déplaisante. Les seuls éléments insolites étaient les chaises. Il y avait des chaises de tailles différentes. Un enfant, quel que fût son âge, pouvait y trouver un siège à sa mesure. Mettre le patient à l'aise était le but premier de l'aménagement de la salle.

Deux autres caractéristiques la distinguaient des pièces voisines. Un grand miroir occupait une des cloisons. L'enfant pouvait y voir son reflet. Mais le plus important, c'était ce qu'il *ne voyait pas* : les gens qui l'observaient de l'autre côté de ce miroir sans tain. Le but n'était pas de l'épier à son insu, mais de le protéger. Dans l'hypothèse d'une intervention ultérieure de l'assistance sociale, de la protection de l'enfance, de la police ou des services du procureur, on proposait à des représentants de ces services d'assister à l'entretien. On protégeait ainsi l'enfant contre une multiplication traumatisante de telles séances.

En outre, la salle de réunion était placée sous la surveillance discrète de deux caméras vidéo. Un micro, dissimulé sous une grille, au plafond, enregistrait ce qui se disait. Micro et caméras permettaient de disposer à tout moment d'une copie complète des entretiens pour une utilisation future. Ce document servait de pièce à conviction, si besoin était, dans une éventuelle procédure judiciaire, criminelle ou civile.

Pour respecter à la lettre la procédure agréée par le Centre pour la protection de l'enfance, Corinne Wallace aurait dû faire venir dans la salle une assistante sociale ou un policier. Mais la pratique lui avait prouvé que la présence de deux personnes pendant l'entretien pouvait distraire le jeune patient, même si l'une d'elles gardait le silence tout au long de la réunion. Plusieurs expériences pénibles lui avaient montré qu'un travailleur social offensif pouvait intervenir dans l'entretien en essayant de rivaliser avec elle. Avec des conséquences dramatiques. Subir l'interrogatoire de deux personnes est toujours un facteur de perturbation pour un enfant. Cela bloque parfois le processus de la mémoire ou l'empêche de parler librement.

Un garçon aussi malin que Benjie pouvait aussi se servir de la seconde personne pour détourner ou éluder une question de Corinne Wallace. Un enfant précoce possédait ce genre d'aptitude.

Non, décida-t-elle, pas d'assistante sociale, pas de policier. Aucun témoin ne sera invité à se trouver avec moi dans la salle, ce jour-là, ni de l'autre côté du miroir.

Elle était prête pour sa première véritable exploration de l'esprit du petit Benjie Jackson.

5

Quand Benjie entra dans la salle de réunion, Corinne Wallace nota qu'il portait un jean fraîchement lavé et repassé. Son tee-shirt était d'un blanc immaculé. Même ses baskets avaient été passées à la machine. Ses lacets blancs étaient dénoués, comme c'était la mode. Sa mère, c'était évident, tenait à ce qu'il fasse bonne impression.

C'était au moins la preuve qu'elle se souciait de son fils. Le seul vestige de son ancienne tenue était la vieille casquette de base-ball râpée, qu'il tenait à la main.

— Mets-toi à l'aise. Prends la chaise que tu préfères.

Il passa la pièce en revue. Il examina les chaises l'une après l'autre. Il repoussa les plus petites avec une moue de mépris — « C'est pour les mômes ! » — et choisit l'une des deux plus grandes. Il allait s'y laisser tomber lorsqu'elle l'arrêta :

— Peux-tu déplacer ta chaise, s'il te plaît, et la mettre ici, au centre de la pièce ?

— Pourquoi ?

— Pour deux raisons.

Elle lui montra sa propre chaise.

— D'abord, pour que tu sois plus près de moi. Ensuite, pour que tu te trouves dans le champ des caméras vidéo.

— Vidéo ?

Son visage s'éclaira.

– Hé ! ça veut dire que je vais passer à la télévision ?

Il regarda autour de lui, examina les murs et le plafond. Comme il ne voyait rien qui ressemblait à l'idée qu'il se faisait d'une caméra de télévision, il lui jeta un regard furieux.

– Vous me racontez des craques, m'dame ? Y a pas de télévision ici. Ecoutez, tout ça ne me plaît pas. Je me tire.

– Il y a des caméras. Deux, précisément.

– Ah ouais ? gloussa-t-il.

– Ouais ! fit-elle en le singeant.

Elle s'approcha du mur. Tout en haut, une caméra était si soigneusement camouflée dans la moulure qu'il fallait y regarder de près pour la voir.

– En voici une, fit-elle.

Elle se tourna vers l'autre mur et désigna la seconde caméra, placée de telle sorte que son champ recoupait celui de la première. Les deux appareils couvraient aussi bien l'interviewé que la personne qui l'interrogeait.

– Tu vois ? Si tu approches ta chaise, tu seras à la télévision. Et il n'y a pas une seule caméra, mais deux.

Il hésita une seconde. Puis, admettant sa défaite de mauvaise grâce, il déplaça sa chaise jusqu'à l'endroit que lui montrait Corinne Wallace. Dès qu'il fut assis, serrant sa casquette de base-ball, les deux mains posées agressivement sur ses genoux, elle lui dit :

– Maintenant, regarde au-dessus de toi.

Il lui répugnait d'obéir non seulement aux ordres, mais à une simple suggestion. Il finit tout de même par lever la tête et fixa le plafond.

– Tu vois cette grille ?

– Une grille ? rétorqua-t-il.

Il était évident qu'il ne savait pas de quoi elle parlait.

– Tu vois ce cercle avec ces croisillons blancs ?

Il hocha la tête.

– Eh bien, c'est un micro.

– Ah ouais ? Et à quoi ça sert ?

Il était de nouveau soupçonneux.

– A enregistrer tout ce que je dirai et tout ce que tu diras.

– Pourquoi ?

– Parce que tout ce que nous disons ici est important. Et nous voulons en garder une trace.

– Hé ! vous bossez avec la police, avec ce fils de pute de sergent ?

Il s'était brusquement levé de sa chaise et se dirigeait vers la porte.

– Arrête ! Reste ici ! ordonna-t-elle.

Il s'immobilisa, mais ne se retourna pas. Elle attendit. Il refusait de lui faire face.

– Si je travaillais avec la police, pourquoi serais-je allée te chercher au poste pour te ramener chez toi ? Pourquoi ne t'aurais-je pas laissé là-bas ?

Il lui jeta un regard accusateur.

– Parce que vous êtes comme ces types, dans ces émissions de télévision, où les flics mettent un type dans une pièce et essaient de le faire parler. Parfois, ils le passent à tabac. J'ai vu ça mille fois à la télévision. Ils sont toujours deux. Et y en a un qui prend le pauvre mec en le tenant par la gorge et qui le colle contre le mur en gueulant : « Parle ! Si tu ne parles pas, je t'arrache les mots de la gueule ! » Des trucs comme ça. Eh bien, peu importe ce que vous allez me faire, mais je ne parlerai pas ! D'accord ? J'ai rien à dire !

Brusquement, il comprit :

– Ces caméras, elles tournent, pour le moment ?

– Oui, répondit-elle.

Il leva les yeux vers un des emplacements qu'elle lui avait montrés. Il pointa le doigt et parla directement à l'objectif :

– Vous avez entendu ? J'ai rien à avouer. Vous pouvez me battre à mort. Je ne parlerai pas !

Elle laissa passer ce petit éclat. Puis elle reprit :

– Il y a autre chose que tu dois savoir. Tu vois ce grand miroir, sur le mur, là ?

– Ouais, répondit-il d'un air las.

Une idée lui vint.

– Hé ! Ne me dites pas que c'est une de ces glaces comme dans *La Loi et l'Ordre*, où on peut me voir sans que je sache qui est derrière !

– C'est exactement ça, Benjie, répliqua-t-elle.

– Qui est là ? Qui est derrière ? Maman ?

– Non, Benjie. Il n'y a personne.

Il lui sembla qu'il se détendait un peu.

– Et si ta maman était là ? demanda Corinne Wallace.

Pas de réponse.

– Hein ? Et si elle était là, derrière le miroir, si elle te regardait et t'écoutait ?

Ignorant la question, il tourna le dos au miroir, tapa du pied sur le tapis, puis recula de quelques pas. Il s'éloigna de la porte pour montrer qu'il avait renoncé à l'idée de s'en aller. Il se mit à tourner autour de la salle, lentement, rasant les murs et s'efforçant surtout de ne pas la regarder. Elle attendait. Il finit par reprendre la parole.

– Elle est toujours sur mon dos. Il faudrait que je sois parfait. Je dois être le premier à l'école, dans toutes les matières.

Il s'interrompit, puis décida de lui faire un aveu.

59

– Vous savez, c'est pour ça qu'il m'arrive de ne pas y aller. Parce qu'elle me demande toujours ce que je fais.

Il imita sa mère.

– « *Eh bien, qu'avons-nous appris à l'école aujourd'hui ?* » Des choses comme ça. Toujours « nous ». Comme si elle y allait avec moi. Alors je lui dis. Sûr, quand je n'y vais pas, j'invente n'importe quoi. Et elle me demande tout le temps : « *Est-ce que nous avons des examens, aujourd'hui ?* » Et je dis oui, d'habitude. Même si ce n'est pas vrai. Parce que je sais qu'elle va demander : « *Et nous avons eu une bonne note ?* » Je dis oui, oui, dix sur dix. Ça lui fait plaisir.

Il continuait à tourner autour de la pièce. Corinne Wallace comprit qu'il essayait d'éviter les caméras.

– Bon, viens t'asseoir.

Comme il avait commencé à parler, il était moins enclin à résister. Il prit la chaise qu'il avait choisie. Il resta un moment sans rien dire. Elle insista, doucement.

– Tu parlais de ta mère.

– Ouais... Elle essaie... Ça a été dur, mais elle essaie. Vous lui parlez beaucoup ?

– Un peu, dit Corinne Wallace.

– Elle vous a dit, pour moi ?

– Pour toi ?

– Je suis un bâtard, vous savez.

– Ah bon ?

Elle ne voulait pas faire de commentaires, pour ne pas imposer une direction à ses pensées.

– Ouais. Maman dit qu'il s'est tué dans un accident de camion. Mais ce n'est pas vrai.

– Non ?

– Non. J'ai entendu ma grand-mère en parler, il y a des années.

Venant d'un garçon si jeune, la précision était bizarre.

– Les gens pensent que les enfants sont cons. Qu'ils n'entendent pas. Qu'ils ne comprennent pas. Ils croyaient que je dormais sur le canapé, mais j'ai entendu. Grand-mère, elle engueulait maman pour de bon. C'était à l'époque où Tyson vivait avec nous. Elle lui a dit : « S'il tient vraiment à toi, eh bien demande-lui. Pourquoi il ne t'épouse pas ? » Puis elle a continué : « Ou bien ça finira comme avec ce bon à rien de fils de pute de Ray. Il te baise pendant des mois et des mois, et il te laisse avec un bâtard. C'est de ça que tu as besoin, d'un autre petit dans les pattes ? » Voilà, doc. Je ne suis pas con. J'entends les choses. Et je m'en souviens. C'est pour ça que je suis bon à l'école. Même si je manque souvent. Même si je ne fiche rien. J'ai de bonnes notes. Parce que je me souviens de tout ce que j'entends. Ouais, je m'en souviens jusqu'au dernier mot.

Il se tut de nouveau.

– Qui est Tyson ?

– Un mec qui s'est installé chez nous. Il est resté des semaines, des mois. Et ils... Ils font...

Benjie ne pouvait se résoudre à le dire franchement.

– La nuit, je les entends. J'entends leur lit. Et je les entends. Je l'entends, elle. La nuit, parfois, je l'entends, elle rit. D'autres fois, je l'entends qui pleure. Je ne sais pas ce qu'il lui dit, ce qu'il lui fait... Mais elle pleure. Et puis ils recommencent... Ils font... cette chose...

Le silence, de nouveau. Corinne Wallace prit note de la différence entre ce qu'on lui avait dit à propos du père biologique de Benjie et la vérité. Et le conflit que cela avait provoqué en lui. Elle tenta de le relancer :

– Tu l'aimais bien, Tyson ?

– Je le détestais. Avec ce qu'il faisait à ma mère... Et ce n'est pas tout.

Il se tut, encore une fois.

– Est-ce que Tyson t'a fait quelque chose, *à toi* ?

– Non !

Il niait avec une telle véhémence que Corinne Wallace se dit qu'il cachait quelque chose. Elle attendit. Elle savait que cela viendrait.

– S'il me refait ça, je le tue ! s'écria soudain Benjie.

Etait-ce la brèche qu'elle avait flairée ? Elle décida de ne rien anticiper, de ne pas l'encourager. Ce serait beaucoup plus utile si ça venait spontanément, sans qu'elle l'ait sollicité.

Il restait là en silence, les yeux fixés devant lui, évitant son regard. Elle le regardait attentivement. Elle observait ses yeux. Ses yeux bleus, si intenses. Elle ne pouvait s'empêcher de penser à Douglas. Son regard avait la même intensité lorsqu'il parlait de son père, à qui il avait toujours reproché de l'avoir abandonné.

Au bout d'un moment, elle le relança :

– Tyson...

– S'il me touche encore une fois...

Cette fois, il n'alla pas jusqu'au bout de sa menace.

– Elle lui a dit : « Si tu touches encore une fois à mon fils, je te tue. » Voilà ce qu'elle lui a dit. Je... J'aimais bien comme elle disait « mon fils ». D'habitude, elle ne parlait pas comme ça.

Corinne Wallace sut qu'elle devait intervenir.

– Quand Tyson t'a touché, qu'est-ce qu'il a fait ?

– Il...

– *Où* est-ce qu'il t'a touché ?

A sa grande surprise, Benjie montra son visage. Il frotta sa joue.

— Et qu'est-ce qu'il a fait, quand il a touché ton visage ?

— Il m'a frappé, dit Benjie.

— Il t'a *frappé* ? répéta Corinne Wallace, qui s'attendait à une autre réponse.

Cela lui rappela qu'il fallait laisser l'entretien suivre son cours, sans essayer d'anticiper la suite. Elle s'était dit que Tyson lui avait très probablement infligé des sévices sexuels.

— Ouais, reprit Benjie. Il était en train de brailler contre maman. Vraiment dingue. J'ai cru qu'il allait la frapper. Je me suis approché, et je lui ai dit : « Si tu la frappes, je te tue ! » Alors il m'a balancé un coup à travers la mâchoire. Et... j'ai valsé par terre. En pleurant. Je ne voulais pas pleurer. Pas devant lui. Ni devant personne. C'est là qu'elle a dit : « Si tu touches encore une fois à mon fils, je te tue. » Après ça il est parti. Pour de bon. Le fils de pute a foutu le camp. Une bonne chose. On n'avait plus besoin de lui.

Sa colère à l'égard de Tyson tomba peu à peu. Il reprit, d'un ton radouci :

— C'est cette fois-là qu'elle m'a pris dans ses bras et emmené au lavabo pour laver ma figure qui était toute rouge et qui me faisait mal, à cause de la gifle. Puis elle a essuyé mes yeux et m'a dit qu'il ne fallait plus pleurer.

Il en parlait comme s'il s'agissait d'un de ses plus chers souvenirs.

Corinne Wallace se dit qu'elle avait été à deux doigts de mettre au jour un souvenir traumatique, un événement ou des événements de son passé capables d'expliquer sa conduite récente, agressive et belliqueuse. Mais rien de ce qu'il avait révélé jusqu'alors ne suffisait à l'expliquer.

— Est-ce que quelqu'un d'autre t'a battu ?

— Non... Oh ! si. Un garçon. Fatso Linehan. A l'école. Un des plus grands. Je lui disais : « Hé ! le gros, fais voir si tu cours vite ! » Et il me courait après. Il soufflait, il haletait ! Mais il était nul à la course. Ça finissait toujours pareil : je me moquais de lui et le gros, en sueur, me traitait de sale petit con. Une fois, il m'a attrapé. J'avais marché sur mes lacets, et je suis tombé. Il a eu vite fait de m'arriver dessus. Ce gros fils de pute s'est assis sur moi, et je ne pouvais plus bouger, tellement il est lourd. Il s'est mis à me tabasser. Il était plus fort que je croyais. J'ai saigné du nez. Il m'a fichu les deux yeux au beurre noir. Mais c'est la seule fois. En tout cas avec Fatso. Evidemment, quand je suis rentré à la maison, maman s'est affolée. « Qu'est-ce qui s'est passé ? Qui a fait ça ? » Elle était prête à aller se plaindre à l'école. Je ne voulais surtout pas ça. Parce que je n'étais pas allé à l'école ce jour-là. Je lui ai raconté un bobard, que des garçons m'avaient cassé la figure pour me piquer l'argent qu'elle m'avait donné pour déjeuner. Du coup, elle a redémarré ! Puisque je n'avais pas déjeuné, elle allait me préparer quelque chose tout de suite. Alors j'ai dû avaler un second repas, et ma bouche me faisait encore mal à cause des coups. Mais elle s'inquiète toujours pour moi. Je dois la rassurer. Alors je mange. Voilà, c'est tout.

Son récit achevé, il prit un air qui voulait dire que pour ce qui le concernait, l'entretien était terminé.

— Il t'arrive souvent de te battre avec des garçons plus grands que toi ?

— Ouais, parfois, dit-il avec fierté. Ils peuvent être plus grands que moi, mais je suis plus malin qu'eux. Et plus rapide. Et puis c'est pas drôle de s'en prendre aux petits.

— A part Fatso, il est arrivé que des grands t'attrapent ?

– Ouais, parfois.

– Et ?

– Ils me cassaient la figure, avoua-t-il.

Il se mit à fanfaronner.

– Mais aucun n'est jamais arrivé à me faire pleurer. Aucun ! Ils croyaient bien qu'ils y arriveraient. Mais ils n'y sont pas arrivés. Jamais. Personne ne me fait pleurer.

Il se tut, jouissant de sa rodomontade.

Elle attendit, respectant son silence. Puis elle l'aiguillonna :

– Qu'est-ce que tu ressens quand quelqu'un te traite de bâtard ? Tu as envie de pleurer ?

– Je viens de vous dire que je ne pleure jamais.

– Je t'ai demandé si tu avais *envie* de pleurer ?

– Non.

– Mais qu'est-ce que tu *ressens* ?

– Je ne ressens rien du tout. Maman dit que je suis aussi bien que n'importe qui. Meilleur, même. C'est parce que je suis plus intelligent.

C'était son ultime refuge : son intelligence. Il s'en servait pour dissimuler son chagrin. Sa honte. Sa vie familiale lamentable. Mais avant tout, l'incapacité de sa mère à assumer son rôle.

Il garda le silence un moment. Corinne Wallace savait qu'elle n'avait pas été capable, cette fois, d'abattre la moindre barrière. Il faudrait pour cela d'autres entretiens ou un traitement plus intensif. Ce qu'elle aurait du mal à lui offrir, faute de temps. Une heure par semaine ne suffirait pas.

– Est-ce qu'il y a quelque chose que tu voudrais me dire ?

– Non.

Mais il ne bougeait pas. Il restait là, les yeux dans le

vague, comme s'il était plongé dans un monde qui n'appartenait qu'à lui. Elle contempla ses yeux bleus. Ils semblaient regarder loin, à l'infini. Elle aurait donné tout ce qu'elle possédait pour savoir ce qu'il pensait, ce qu'il ressentait en cet instant précis. Mais ses défenses étaient trop serrées, trop profondément implantées pour permettre à quiconque de pénétrer dans son jardin secret.

La prochaine fois, se promit-elle. La prochaine fois. Quand j'aurai étudié le film et les bandes magnétiques.

— Ce sera tout pour aujourd'hui.

Il ne semblait pas pressé de partir. Mais il se laissa glisser de la chaise trop large pour lui. Avant de s'en aller, il lui demanda tout de même :

— Pour aujourd'hui ? Ça veut dire qu'il va falloir recommencer ?

— Oui.

— Pourquoi ?

— Parce qu'il y a des choses que tu as envie de me dire.

— Je vous ai tout dit, protesta-t-il.

— Tu auras une semaine pour essayer de te rappeler autre chose.

Elle espérait qu'il aurait le temps de se rafraîchir la mémoire et que cela l'aiderait, elle, à forcer ses défenses.

— Mlle Eckert, à l'accueil, donnera à ta mère l'heure de ton prochain rendez-vous.

6

La journée avait été interminable. On lui avait présenté deux autres enfants en détresse. Deux cas qui s'ajoutaient à la liste déjà longue de ses patients. Epuisée, elle s'enferma dans son bureau et introduisit dans le lecteur la cassette dont l'étiquette portait le nom : Jackson, Benjamin.

Parmi tous les problèmes de la journée, ce qui l'avait le plus perturbée, c'était de n'avoir pas progressé avec le petit Benjie. Ce qu'il lui avait dit à propos de lui-même n'avait expliqué que très partiellement les raisons de son comportement violent. C'était très insuffisant pour comprendre pourquoi le garçon doux et gentil que tout le monde décrivait était devenu le gamin agressif et hostile qu'elle connaissait.

Un examen attentif des cassettes lui permettrait peut-être d'apercevoir des détails qui lui avaient échappé. Un mot escamoté, une grimace révélatrice, une réaction visible dans ses yeux, un indice qu'elle n'aurait pas remarqué. Elle s'avoua qu'elle pensait peut-être trop à Douglas pour être la froide analyste qu'elle était censée être.

Elle visionna la cassette vidéo de l'entretien. Puis elle écouta l'enregistrement de leur conversation. Elle faisait souvent cela, car l'expérience lui avait appris que quand l'oreille n'est pas distraite par le visuel, elle peut offrir une nouvelle interprétation de ce qui s'est dit. Mais dans le cas de Benjie, elle ne trouva rien, ni dans l'image ni dans le son. Elle devait admettre son échec. A part les mensonges de Mme Jackson à propos du père naturel de Benjie et l'extrême émotion de l'enfant à l'idée d'être le fruit d'une des liaisons éphémères de sa mère, Corinne Wallace n'avait rien appris de très intéressant. Bien peu, en tout cas, pour expliquer le problème fondamental du garçon.

Elle avait une théorie. Mais ce n'était qu'une théorie, qu'aucune preuve ne venait étayer. Elle n'avait donc aucune valeur et ne pouvait servir de fondement à une thérapie.

Benjie devait venir au centre la semaine suivante. Elle demanderait à Sim Freedman de lui faire un bilan complet. Connaître l'état de santé d'un patient en traitement psychiatrique peut être très utile, surtout s'il est jeune.

Non, se dit-elle. Pourquoi attendre une semaine ? Ce serait une perte de temps inutile. Elle ferait venir Benjie le lendemain. Elle appela le cabinet de Sim. Elle demanda à la secrétaire d'appeler la mère de Benjie et d'organiser le bilan.

Mais ce ne fut pas aussi simple que prévu. En arrivant le lendemain matin à la première heure, Corinne Wallace constata que Mme Jackson ne s'était pas présentée au cabinet du docteur Freedman. La mère de Benjie se trouvait dans la salle d'attente du Centre pour la protection de l'enfance.

— Docteur Wallace !

— Madame Jackson, je crois que vous vous êtes trompée. Vous étiez censée amener Benjie, mais pas ici. A l'hôpital, de l'autre côté de la rue. Au cinquième étage. Au cabinet du docteur Freedman.

— Je ne me suis pas trompée, docteur. C'est à *vous* que je veux parler.

68

– Madame Jackson, avant d'aller plus loin, il faut que Benjie se soumette à un examen médical com...

Melissa l'interrompit.

– Docteur, je suis la mère de cet enfant. Si quelque chose ne va pas, s'il est malade, je devrais être la première à le savoir. Avant que vous ne décidiez de l'envoyer chez d'autres docteurs. Je veux connaître la vérité. Est-ce que vous avez trouvé quelque chose, hier ?

– Je préfère que nous allions dans mon bureau, insista Corinne Wallace.

Dès qu'elles se furent isolées, elle reprit :

– Madame Jackson, je veux aider Benjie à surmonter son agressivité, et je veux y parvenir avant qu'il ne commette des actes dangereux pour lui-même ou pour son entourage. Je dois pour cela disposer d'un rapport complet sur sa santé physique. C'est ce dont j'ai chargé le docteur Freedman. Je dois essayer de découvrir si son problème a des causes physiques.

– Ecoutez... S'il est malade, ou même si vous pensez qu'il est malade, j'ai le droit de le savoir.

Corinne Wallace n'avait pas le choix :

– Si je découvre quelque chose, je vous le dirai. Je vous le promets.

Cela sembla apaiser les angoisses de Melissa.

– D'accord. Je vous l'amènerai.

Simon Freedman était le conseiller médical du Centre pour la protection de l'enfance depuis son inauguration sous la direction du docteur Wallace. Son cabinet était équipé pour faire des endoscopies. Après avoir achevé le bilan et envoyé au laboratoire un échantillon sanguin pour analyse, il soumit Benjie à l'endoscopie. Il fit agrandir les clichés, avec une attention particulière pour les organes génitaux. Puis, toujours perplexe, il envoya l'enfant en radiologie, pour une IRM du cerveau.

Muni des résultats et de ses propres conclusions, il était prêt pour sa consultation avec Corinne Wallace.

— Mes examens montrent que sa tension est élevée pour un enfant de son âge. Et son cœur bat un peu trop vite. Autant de symptômes, nous le savons tous les deux, qu'on retrouve fréquemment chez des enfants victimes de mauvais traitements. Mais l'endoscopie ne montre aucun signe de violence sexuelle, comme tu peux le constater.

Il étala ses clichés.

— Maintenant, les analyses du laboratoire mettent en évidence un excès de cortisol dans son cerveau. Ce qui est aussi symptomatique. Alors j'ai décidé de demander une IRM.

Il lui montra le rapport du service de radiologie.

— Remarque l'hémisphère gauche, les synapses légèrement affaiblies. Dommages à peine perceptibles au niveau de l'hippocampe.

— Cela pourrait expliquer son incapacité à contrôler ses réactions émotionnelles, dit Corinne.

— Mais d'un autre côté, cela n'explique pas son aptitude à se concentrer en classe au point qu'il n'a même pas besoin d'étudier pour obtenir de bons résultats. Son comportement ne témoigne pas du syndrome de déficit de l'attention et hyperactivité, le TDA/H.

Il a raison, se dit-elle.

— Avec ces résultats, on devrait avoir un TDA/H. Une anomalie, c'est évident. En tout cas, ils confirment ma théorie. Notre Benjie est une victime. Cette IRM révèle qu'il y a eu des violences.

Corinne examina une fois de plus l'IRM. Elle montrait clairement que les synapses – ces connexions naturelles entre les neurones, qui se forment pendant les premières années de la vie et la petite enfance – étaient légèrement déformées dans certaines zones du cerveau de Benjie Jackson.

– Il est pourtant d'une intelligence supérieure à la normale, protesta-t-elle comme si elle voulait prendre la défense de son patient.

– Ce n'est pas la seule anomalie, fit Freedman en désignant d'autres clichés. J'ai prescrit un scanner complet. Pas de trace d'anciennes fractures d'os longs. Aucun signe non plus de sévices corporels. L'endoscopie ne révèle aucune violence sexuelle. Ni génitale ni anale. Rien. La seule chose que j'ai trouvée, c'est la présence d'une irritation urétrale. Il n'est pas rare qu'un garçon de son âge, désireux d'explorer sa sexualité, joue un peu avec son corps.

– Bizarre, en effet, dit Corinne. Je dois avoir avec lui un autre entretien de fond. Peut-être sera-t-il plus communicatif que la première fois.

Il fallut d'abord régler le problème de la mère. Il ne servait à rien d'essayer de lui expliquer ce que sont les synapses et le TDA/H. D'autre part, même si Corinne Wallace savait ce qui, dans le passé de Benjie, pouvait constituer la source de ses ennuis, il valait mieux, au regard des règles de la psychiatrie, que lui-même le lui révèle. Plutôt que de le mettre face au problème avant qu'il ne soit prêt.

Corinne Wallace savait qu'elle avait un devoir de loyauté envers son patient, pas envers sa mère ni personne d'autre. Elle ne dirait à Melissa Jackson que ce qui était nécessaire pour que Benjie revienne pour un second entretien, plus approfondi que le précédent. Ses suggestions et ses questions seraient peut-être plus constructives, cette fois.

Pour s'assurer de la justesse de ses conclusions, elle repassa une fois de plus les cassettes vidéo et audio du premier entretien. Elle était prête.

– C'est le docteur Wallace, madame Jackson, fit-elle au téléphone.

– Est-ce que le docteur Freedman a trouvé quelque chose ? demanda immédiatement la mère de Benjie. Je veux savoir !

– Tout d'abord, Benjie n'est pas malade. Pas de maladie. Pas de fièvre. Rien qui s'oppose à ce qu'il mène une vie normale. Il peut aller à l'école. Se livrer à toutes ses activités habituelles. Manger normalement. Par la suite, je pourrai lui prescrire un léger traitement. Mais c'est tout.

Dans le cadre de ce qu'elle savait, c'était la vérité. Des recherches approfondies montreraient peut-être que ce n'était pas *toute* la vérité. Mais ça restait à découvrir.

– Je veux que vous me le rameniez mercredi. A quatre heures, précisa-t-elle.

Elle le convoquait en fin de journée pour pouvoir prolonger l'entretien, si nécessaire.

– Pourquoi ? demanda Mme Jackson.

– Pourquoi quoi ?

– S'il va bien, pourquoi voulez-vous que je vous le ramène ?

– Madame Jackson, je vous ai dit qu'il allait bien *physiquement*. Mais il a peut-être d'autres problèmes. Rappelez-vous pourquoi on l'a amené ici la première fois. Vous le trouviez difficile, impossible à contrôler.

– Mais c'est tout à fait différent, maintenant. Il se conduit parfaitement bien. Très bien. Alors je ne vois pas pourquoi...

Le docteur Wallace l'interrompit :

— Madame Jackson, s'il y a le moindre problème financier, je pense que nous pourrons le résoudre. Car je crois que vous recevez l'aide sociale.

— Vous n'avez pas le droit de parler de ça ! s'écria Mme Jackson, indignée. Je fais de mon mieux. J'accepte des boulots minables. Je fais des ménages ! Le problème, c'est que de nos jours, ce que gagne une honnête femme ne lui suffit pas pour joindre les deux bouts.

— Je voulais simplement vous dire que si c'est nécessaire, nous trouverons une solution pour prendre cela en charge. L'important, c'est de savoir que Benjie a besoin d'aide. Nous pouvons l'aider. Mais il doit venir ici quand je le demande. Je veux le voir mercredi après-midi, à quatre heures. Faites en sorte qu'il soit là.

— Bien, docteur.

Mercredi. Il était un peu plus de trois heures et demie. Le docteur Wallace avait vu sa dernière patiente de la journée. Une fillette de sept ans, dont la mère avait découvert que son frère aîné la molestait depuis l'âge de deux ans. Corinne Wallace soignait le frère et la sœur depuis plus d'un an. L'un et l'autre faisaient des progrès. Mais c'était très lent. Il s'agissait pour la fillette d'une épreuve extrêmement douloureuse, avec des séquelles physiques inexpliquées, des maux d'estomac, des insomnies. Le docteur pouvait tenter de prescrire un traitement médical. Cela ferait peut-être plus de mal que de bien. Le seul vrai remède, c'était le temps. Il fallait du temps, beaucoup de temps, pour surmonter les conséquences des sévices.

Elle n'avait plus qu'une chose à faire avant le rendez-vous de quatre heures : inspecter la salle de réunion, s'assurer que les caméras et le magnétophone contenaient des cassettes vierges. Puis elle retourna dans son bureau. En passant devant la réception, elle dit à la secrétaire :

– Dès que Benjie Jackson arrive, appelez-moi. Où que je sois.

Elle s'arrêta encore pour parler d'un autre patient avec une de ses assistantes. En ouvrant la porte de son bureau, elle entendit sonner le téléphone. Apparemment, Benjie était un peu en avance. Elle décrocha.

– Faites-le entrer.

Mais ce fut une voix de femme affolée.

– Docteur... J'ai essayé... J'ai voulu faire comme promis, mais il n'était pas là. Il n'était pas à l'école. Il n'était nulle part. Personne ne l'a vu !

Melissa Jackson éclata en sanglots.

– Madame Jackson ? Madame Jackson...

Une autre femme vint au téléphone.

– Ce petit salaud ne vaut pas la peine qu'on s'occupe de lui. Il ne mérite même pas l'air qu'il respire.

– Qui êtes-vous ? demanda Corinne Wallace. Qui est à l'appareil ?

– Je suis la grand-mère. Ce gamin est en train de tuer ma pauvre fille, ni plus ni moins.

– Voulez-vous me repasser votre fille, s'il vous plaît ?

– Elle n'a rien d'autre à vous dire. Il a fichu le camp. Et ce n'est pas la première fois.

La femme semblait en veine de confidences.

– Exactement comme son père. Quand il n'avait pas envie de faire face, il fichait le camp. Comme ça. Il laissait tomber ma Lissa, avec ça !

— J'insiste, fit Corinne Wallace, je veux parler à votre fille !

— Je vais voir si elle est en état de prendre le téléphone.

Pendant quelques instants, le docteur Wallace entendit les bribes d'une conversation étouffée entre la mère et la fille. Puis Melissa Jackson revint en ligne. Entre deux sanglots, elle parvint à prononcer :

— Oui, docteur ?

— Je veux que vous me racontiez tout ce qui s'est passé avant la disparition de Benjie.

— Pas grand-chose. Hier soir, je lui ai dit que je passerais le prendre après l'école pour le conduire chez vous.

— Comment a-t-il réagi ?

— C'est ça qui est bizarre, docteur. Il a dit : « D'accord. » Comme s'il voulait vous voir. Alors tout à l'heure, je vais le chercher à l'école. Il n'y est pas. Je me renseigne, on me dit que personne ne l'a vu de la journée. Il est absent. Et personne ne sait où il se trouve. Personne...

Elle se remit à pleurer.

— Madame Jackson, il a peut-être changé d'avis et décidé de ne pas venir au rendez-vous. Cela arrive parfois à nos patients. Je suis sûre qu'il va réapparaître. Quand ce sera le cas, demandez-lui de m'appeler. Qu'il m'appelle.

— J'espère que vous avez raison, docteur. J'espère que vous avez raison, fit la mère éplorée.

Le docteur Wallace raccrocha. Deux pensées occupaient son esprit. La première était optimiste. L'autre beaucoup plus inquiétante.

Il est vrai qu'il arrive que des patients, surtout lorsqu'ils sont sur le point de faire une découverte capitale sur eux-mêmes, s'effraient des conséquences de cette révélation. Ils n'ont pas le courage d'y faire face. Au regard de la disparition de Benjie, c'était une perspective encourageante.

Mais si on les oblige à faire face à une vérité insupportable, certains, peu nombreux, Dieu merci, choisissent une autre issue. Une issue qui met fin à leurs peurs et à leurs doutes. Pour toujours.

Benjie Jackson, capable d'impulsions violentes et irrépressibles, pouvait parfaitement appartenir à cette catégorie.

7

Il était tard. Benjie Jackson était allé jusqu'au quartier commercial de la ville, juste après l'école primaire 311, celle-là même où il allait en cours. Il connaissait le quartier. Il savait qu'il n'y risquait rien, hors des heures d'ouverture. Il connaissait tous les magasins, car il y venait parfois avec ses copains. Il y entrait mine de rien, jetait un coup d'œil alentour, piquait des fruits ou quelques confiseries qu'il dissimulait sous son sweater avant de prendre le large. Plusieurs fois, il avait volé des paquets de piles pour transistor qu'il revendait à d'autres gamins.

Il savait qu'il trouverait facilement de quoi se nourrir dans les restes que les supermarchés, les boulangeries et les autres magasins d'alimentation jetaient à l'heure de la fermeture. Du pain rassis, des petits pains au sucre si vieux que leur glaçage avait fini par se fendiller, mais encore comestibles. Parfait pour un môme affamé. Parfois des tomates trop mûres et des biscuits, derrière la pâtisserie. Le truc, c'était d'arriver avant les éboueurs.

Mais, aussi affamé fût-il, il était bien décidé à ne jamais retourner là-bas. Surtout s'il devait revoir ce docteur. Il ne voulait plus jamais lui parler. Il lui en avait déjà beaucoup trop dit. Il voulait y arriver tout seul. Sans l'aide de personne. Et surtout pas celle de cette bonne femme.

Il était en train de fouiller dans les ordures, derrière le supermarché, quand une voix le fit sursauter :

– J't'ai vu, fiston !

Terrifié, il fit demi-tour pour s'enfuir. Mais il se trouva nez à nez avec un homme de haute taille. Il ne portait pas l'uniforme de la police, comme Benjie s'y attendait, mais un blouson et un jean. L'homme se mit à rire. S'il espérait mettre Benjie à l'aise, il avait manqué son coup. Car le petit garçon trouva ce rire mauvais, menaçant.

– T'as faim, fiston ?

Benjie hésita avant de répondre.

– Oui.

– Qu'est-ce que tu dirais d'un hamburger frites, au lieu de ces saloperies ?

– Ouais, c'est sûr. Ce serait mieux, répondit Benjie, très vite.

– Eh bien, allons-y, fiston !

Voyant son hésitation, l'homme eut un grand sourire :

– Allons-y, avant qu'on crève de faim tous les deux !

Benjie s'approcha de lui lentement. Quand il fut assez près de l'homme, celui-ci lui passa un bras autour des épaules et ils se mirent en route.

Il ne savait pas pourquoi, mais le bras de cet homme sur ses épaules, ça lui faisait du bien. Une sensation d'intimité, d'amitié. Comme le bras d'un père autour des épaules de son fils, peut-être.

Ils allèrent dans un fast-food ouvert toute la nuit. L'homme choisit une banquette en coin, le plus loin possible du comptoir. Dès que Benjie fut installé, il alla passer la commande. Il revint avec un plateau chargé de trois hamburgers doubles, deux grandes parts de frites et deux grands milk-shakes.

Benjie attaqua sa part avec avidité. L'homme mangeait plus lentement et en profitait pour l'interroger. Il lui demanda comment il s'appelait. Où il habitait. Quelle école il fréquentait. Quelle équipe de base-ball il soutenait. Qui était son quarterback préféré. Et, enfin :

— Qu'est-ce qu'un garçon comme toi peut bien faire tout seul aussi tard ?

Entre deux bouchées de hamburger et de frites trempées dans le ketchup, Benjie avait répondu à chacune des questions. Jusqu'à la dernière. L'homme attendit sa réponse. Il insista :

— Alors ?

— Je me débrouille tout seul, dit Benjie d'un air effronté.

— Tu es en fuite, hein ?

— Je suis parti, dit Benjie, en utilisant délibérément le passé pour bien montrer qu'il avait pris une décision irrévocable.

— Tu sais où aller ? fit l'inconnu.

— Pas encore décidé.

— Malin. Très malin, ça, le môme.

L'homme poussa un second hamburger dans sa direction.

— On n'est jamais trop prudent. Surtout à ton âge. Tu as la vie devant toi. Fais gaffe de bien choisir tes amis.

Ils mastiquèrent en silence pendant un moment. L'homme observait Benjie très attentivement. Jusqu'à ce que ce dernier s'en rendît compte. Il examina l'homme qui se trouvait devant lui. Pour la première fois, il se dit que c'était peut-être un de ces types dont on lui avait parlé. Ces hommes qui courent après les petits garçons pour leur imposer des relations sexuelles contre nature. Il eut peur. Il chercha la porte des yeux, se demanda comment il pourrait s'enfuir : justement, l'homme se trouvait entre lui et la porte. Le mieux serait peut-être de se mettre à hurler. « Ne me touchez pas avec vos sales pattes ! » Quelque chose pour attirer l'attention et faire peur à cet homme, qui s'enfuirait en courant.

Il s'apprêtait à passer à l'acte quand le type reprit :

– Hé ! le môme, est-ce que tu aimerais gagner cinquante balles ?

Benjie n'avait plus aucun doute sur les intentions de cet homme. Au point que l'autre déchiffra ses pensées. Il éclata de rire.

– Ce n'est pas ce que tu crois, Benjie. Finis ton milk-shake et nous irons nous promener et discuter un peu.

– Ouais, d'accord, s'empressa-t-il d'acquiescer.

Il savait qu'une fois dehors, il pourrait lui échapper s'il en avait envie. S'il y a quelque chose dont je suis capable, se dit-il, c'est de courir vite. Très vite.

Ils s'éloignèrent. L'homme évitait le côté éclairé de la rue.

– Tu as l'air assez costaud. Mince. Nerveux. La taille parfaite. Et malin. Le genre de jeune homme avec qui je pourrais m'associer. Ton rôle est facile. Sans aucun risque. Voilà ce que tu aurais à faire : je te soulève à hauteur de la conduite d'aération du supermarché. Elle est fermée par un couvercle souple. Tu grimpes là-dedans, tu es assez mince pour t'y glisser. Puis tu rampes dans la gaine de climatisation, qui mène droit dans le magasin.

– Ouais ? Et puis ? demanda Benjie, qui commençait à être intrigué.

– Voilà le moment où ta cervelle est importante. J'ai repéré l'endroit. Juste à l'entrée du bureau, il y a une grande armoire à fusibles. La porte est fermée, mais jamais à clé. Tu l'ouvres. Tu cherches le fusible marqué « Alarme ». Et tu le coupes. De gauche à droite. C'est tout ce que tu as à faire.

– C'est tout ? demanda Benjie, sceptique. J'aurai cinquante dollars rien que pour faire ça ?

– Exact. Dès que l'alarme est morte, j'entre. Je fais ce que j'ai à faire. Et nous fichons le camp. Tu prends tes cinquante biftons. Et tu es libre comme l'air.

L'homme fit une pause, puis reprit :

– ... A moins que je ne décide que nous pouvons faire équipe. Si tu t'en sors comme il faut cette fois-ci, on peut recommencer dans toute la ville. Puis dans une autre ville, et encore une autre. Nous pourrions former une sacrée équipe. Si tu joues correctement ton rôle. Tu crois que t'en es capable ?

Benjie réfléchissait. L'homme s'empressa d'ajouter :

– Il n'y a aucun danger, petit. Pour toi, en tout cas. Je prends tous les risques. Même s'ils t'attrapent, tu n'auras rien sur toi qui leur permettra de t'accuser de vol. Tu leur diras simplement que tu étais aux toilettes quand ils ont fermé le magasin, et que tu t'es retrouvé enfermé pour la nuit. Ça arrive. Ça arrive tout le temps.

Benjie réfléchit à la proposition. Si ça marchait – et il était persuadé qu'il en était capable –, il ne serait plus jamais obligé de voir ce docteur. Il serait libre. Libre !

– D'accord, monsieur...

Benjie laissa sa phrase en suspens, en espérant que l'homme lui dirait son nom.

Mais il se contenta de lui dire :

– Allons quelque part où nous pourrons répéter.

Il était minuit passé. Benjie Jackson entra dans l'allée derrière le supermarché. Il regarda autour de lui pour s'assurer que personne ne l'observait. Puis il se glissa dans l'obscurité et se rendit à un point situé à mi-chemin. Il attendit que l'inconnu, qui venait de l'autre bout de l'allée, le rejoigne.

En s'éclairant avec une petite lampe de poche, l'homme trouva l'ouverture de la conduite. Il souleva Benjie et le hissa sur ses épaules.

– Vas-y. Tends le bras. Le plus haut possible.

Benjie obéit. Il trouva l'ouverture.

– Je l'ai.

– Parfait. Maintenant, accroche-toi. Hisse-toi. Entre là-dedans.

Benjie tira de toutes ses forces pour se glisser dans l'ouverture. C'était plus étroit qu'il ne s'y attendait. Il dut se tortiller en tous sens. Dès qu'il fut dans la conduite, il vit qu'il était assez facile d'y ramper.

– Ça y est. J'y suis ! cria-t-il à son nouveau mentor.

– Tais-toi ! Avance ! Et en silence.

Benjie progressait lentement, mais régulièrement, dans la conduite en plastique. Il commençait à se demander si ce serait encore long. Il finit par apercevoir une grille. Ça lui rappelait celle que le docteur Wallace lui avait montrée, qui dissimulait un micro. Il l'atteignit. Il ne s'attendait pas à trouver un tel obstacle, mais il agita son bras et frappa. Elle ne bougea pas. Pas la première fois. Ni la deuxième. Au troisième coup de poing, elle s'écarta un peu. Au sixième coup, il l'avait sortie de son logement.

Il ne lui restait plus qu'à se laisser tomber au sol, à trouver l'entrée du bureau, à ouvrir l'armoire aux fusibles et à tourner le bouton. Il se cramponna à l'ouverture de la grille, jeta un coup d'œil vers le bas pour estimer la hauteur. Puis il s'arc-bouta, se lâcha et sauta.

Il longea l'allée vers le fond du magasin, là où devait se situer le bureau. Il le trouva sans peine. Il chercha à droite de la porte. Oui, elle était là. L'armoire à fusibles. Il devait repérer celui qui était marqué « Alarme » et le couper.

Il lui fallut rassembler toutes ses forces pour ouvrir la lourde porte métallique. Il comprit pourquoi, quand il vit ce qu'il y avait à l'intérieur. Il lui sembla qu'il y en avait des centaines : « Eclairage », « Climatisation », « Caisses », « Eclairage avant », « Vitrines », « Eclairage arrière », « Congélateurs 1-6 », « Congélateurs 7-12 », etc.

Benjie lut une rangée, puis une deuxième, passa à la troisième. Il trouva enfin le fusible « Alarme ». Il essaya de le tourner. C'était beaucoup plus dur qu'il ne l'aurait cru. Il essaya de la main droite. Puis de la gauche. Il était incapable de le faire bouger. Il commençait à transpirer. Il venait de réaliser que si l'homme n'entrait pas dans le magasin il n'aurait, lui, aucun moyen d'en sortir.

En s'y prenant des deux mains, il parvint à faire bouger très légèrement le fusible. Pas assez pour passer sur la position *off*. Mais il avait bougé. Il essaya à nouveau. Et encore. Enfin, il parvint à le déplacer et à le bloquer sur *off*.

Mais au lieu de débrancher l'alarme, son intervention provoqua une explosion de bruits, une cacophonie de sonneries qui envahit tout le magasin. Abasourdi, Benjie essaya de foncer vers la grille par laquelle il était arrivé et qui était restée ouverte. Il redescendit l'allée, en remonta une autre. Les sonneries semblaient hurler de plus en plus fort. Il trouva enfin la grille. Il sauta aussi haut qu'il put, mais ça ne suffit pas : il ne réussit pas à l'atteindre.

Dans les minutes qui suivirent, trois voitures de police s'arrêtèrent devant le magasin, toutes sirènes hurlantes. Les faisceaux des projecteurs fouillèrent l'intérieur du magasin. Quelques minutes plus tard, le directeur arriva avec les clés.

Dissimulé derrière un des grands congélateurs, Benjie Jackson vit entrer dans le magasin une armée de flics, arme au poing.

— Jetez vos armes et sortez, les mains sur la tête ! cria le sergent qui les commandait.

Il attendit. Comme personne ne réagissait, il répéta :

— Armes sur le sol. Mains derrière la tête. Sortez de là !

Une autre pause. Cette fois, il se fit menaçant :

— Sortez, ou nous enfilons les allées, et nous tirons sans préavis !

Timidement, en tremblant, Benjie Jackson serra ses mains derrière sa tête et s'avança dans l'allée des produits surgelés. Dès qu'il l'aperçut, le sergent lui ordonna :

— Hé ! petit, mets-toi de côté ! Nous voulons les autres ! Allez, sortez !

Quand il fut évident que personne d'autre n'allait se montrer, il ordonna à ses hommes :

— Chacun prend une allée ! Prêts à tirer !

Les policiers se répandirent dans les allées à la recherche d'autres intrus, tenant leur arme à deux mains. Ils comprirent bientôt qu'il n'y avait personne d'autre. Le sergent héla Benjie :

— Hé, petit ! Viens ici !

Benjie se dirigea vers lui. Ce faisant, il commença à débiter les explications qu'on lui avait dictées :

— J'étais aux toilettes, et on m'a enfermé. Quand je suis sorti, tout le monde était parti.

— Ouais, c'est des choses qui arrivent, fit le sergent. Mais pas cette fois. Comment es-tu entré là-dedans ?

– Je vous l'ai dit... commença Benjie.

– Et une fois qu'on t'a « enfermé », pourquoi t'es allé à l'armoire à fusibles ?

– Je... Je... Je ne sais pas, articula Benjie.

Un des policiers s'approcha, avec la grille cassée.

– J'ai trouvé ça par terre, sergent.

Le sergent examina l'objet avec précaution. Ce pouvait être une pièce à conviction.

– Très bien, petit. Nous savons comment tu es entré. Maintenant, dis-nous qui t'a aidé.

Benjie garda le silence.

– Fouillez les lieux, ordonna le sergent à ses hommes. Je vais embarquer ce dangereux monte-en-l'air pour interrogatoire. Ils ne vont pas lui faire de cadeaux. Mais il l'aura voulu.

Ces mots eurent sur Benjie l'effet recherché. L'idée d'un interrogatoire musclé, mené par deux durs de la police, le fit changer d'avis :

– D'accord. Je vais tout vous dire.

Il leur fit un récit complet de son aventure avec l'inconnu.

– Comment tu m'as dit qu'il s'appelait ? lui demanda le sergent dès qu'il eut fini.

– Il ne m'a pas dit son nom.

– Tu dis qu'il est grand. Grand comment ? Comme Spence, là-bas ? fit le sergent en montrant le plus grand de ses hommes, un Noir d'un mètre quatre-vingt-huit.

– Plus grand.

– De quoi a-t-il l'air ?

– Je ne sais pas.

– Tu dis que tu as passé plus d'une heure avec lui. De

quoi a-t-il l'air ? Il est rasé de près ? Il a une moustache ?
Une barbe ? Il est blanc ? Noir ? Hispanique ?

— Je ne sais pas... Je ne sais pas... Je ne sais pas, hoqueta
Benjie, avant d'éclater en sanglots.

— Finissons-en ici, les gars. J'emmène ce jeune homme
avec moi.

Ils le gardèrent assez longtemps au commissariat pour
lui arracher son nom, celui de sa mère et leur adresse.
Moins d'une heure plus tard, Melissa Jackson se présentait
pour le récupérer. La grand-mère était venue aussi. Benjie
détestait cela. Surtout lorsqu'il l'entendit maugréer : « Je le
savais. Je le savais depuis le début. »

Le lendemain, Benjamin Jackson fut déféré devant le
tribunal pour enfants. Il était défendu par un avocat fourni
par les services sociaux. Pour éviter que le juge lui accorde
un traitement de faveur en raison de son âge, un sergent
de police vint expliquer que ce jeune voyou, non content
d'avoir pénétré par effraction dans le magasin, aggravait
son cas en protégeant ses complices, refusant de donner
leur nom ou de fournir une description correcte de
l'homme dont il avait admis la présence, en même temps
que lui, sur les lieux de son forfait.

Le juge Harry Mullins fit pivoter son fauteuil et jeta un
regard sévère au jeune Benjie Jackson :

— Un petit dur, hein ? Eh bien, nous allons voir si c'est
encore le cas après un séjour au Juvenile Hall.

L'avocat commis d'office tenta d'avancer une explication.

— Plus tard, maître, plus tard, fit le juge. Fiston, une
seule chose peut te sauver. Pas ton avocat. Pas ta mère, qui
va pleurer, naturellement. Ce dont je me soucie comme
d'une guigne. Personne ne peut t'aider. Tu vas passer des

mois au Juvenile Hall. Sauf si tu me dis qui sont les autres. Compris ?

Il attendit quelques instants.

— C'est ta dernière chance, fiston.

— Je ne sais pas, dit Benjie. Je le jure devant Dieu, je ne sais pas.

— Je suis désolé, fiston, tu peux me croire. Quel gâchis !

8

Le docteur Wallace finissait de dicter son rapport sur l'entretien préliminaire avec un nouveau patient, un garçon auquel son instituteur avait fait subir des sévices dans une école primaire de la ville. Rien de très différent, malheureusement, de la plupart des affaires qui finissaient par aboutir au centre. Il y avait tout de même un aspect encourageant. Grâce à la vigilance de la mère du garçon, on avait très vite compris ce qui se passait. Les dégâts se révélaient moins graves que dans des cas classiques, où le traumatisme était d'autant plus profond qu'il durait depuis longtemps, à cause du secret imposé par la peur ou la honte. A supposer que ce garçon participe aux séances avec assiduité, le pronostic était plutôt bon.

Corinne Wallace achevait son rapport sur cette note et s'apprêtait à attaquer le suivant lorsqu'on frappa à sa porte. Elle savait de qui il s'agissait. C'était un rythme reconnaissable entre tous. La signature de Simon Freedman.

Celui-ci jeta d'abord un coup d'œil furtif dans la pièce pour s'assurer qu'elle n'était pas avec un patient. Puis il entra, un exemplaire du journal local à la main.

– Tu as vu cela ? demanda-t-il en lui montrant une des pages intérieures.

Il avait entouré une « brève » au feutre rouge et souligné un nom.

Elle était presque contrariée par cette interruption, mais elle lut la phrase : « ... garçon s'appelle Benjie Jackson. » C'était le nom que Sim avait souligné.

Elle prit le journal. Il lui fallut quelques secondes pour lire la dépêche.

— Je ne pensais pas qu'il irait si loin, fit-elle d'un ton grave.

— Tu t'attendais à un truc de ce genre ?

— Je m'attendais à ce qu'il fasse quelque chose pour attirer l'attention sur le conflit qu'il traverse en ce moment. Le conflit entre le désir de s'épancher et sa terreur de le faire. Mais rien d'aussi grave.

— Malheureusement, ce n'est plus de ton ressort maintenant.

— Peut-être, admit-elle à contrecœur.

— Peut-être ? Tu le sais parfaitement. C'est le vieux truc de la bureaucratie. Plus ils ont d'affaires à traiter, plus il y a de papelards à remuer. Plus il y a de papelards à remuer, plus ils ont besoin de personnel. Et plus ils ont de personnel, plus ils peuvent réclamer de l'argent à l'Etat. C'est aussi vieux que la politique.

— Sim, personne ne va jouer à ces jeux stupides avec un de mes mômes !

— Corrie... Je déteste devoir te dire cela, car je sais que ça va te faire de la peine. Mais ce n'est pas « un de tes mômes ». Tu avais un enfant. Un seul. Il n'est plus là. Les autres, ce sont tes patients. Tu dois garder tes distances. Comme nous le faisons tous. Comment crois-tu que je réagisse ? J'examine un môme. Les preuves de sévices sont tellement évidentes que j'ai envie d'aller mettre la main sur le salopard qui a fait ça et de le tuer sur-le-champ. Mais je ne suis pas un parent. Ni la loi. Pour moi, ce n'est qu'un cas parmi d'autres. Je dois garder mon objectivité professionnelle. Tout ce que je peux faire, c'est témoigner au tribunal. En tant que médecin. Pas en tant que citoyen indigné. C'est mon boulot.

– Peut-être.

– Je regrette de t'avoir montré cet article, fit-il en essayant de lui reprendre le journal.

Mais elle resserra les doigts autour du papier.

– C'est un de mes mômes ! insista-t-elle.

– Corrie...

Elle l'interrompit :

– Sim, je t'en prie. J'ai encore trois rapports à dicter.

Elle avait emporté le journal chez elle. En dînant, elle avait retourné le problème dans tous les sens. Quand elle se mit au lit, sa décision était prise. Le lendemain, elle ferait quelque chose pour Benjamin Jackson.

Ce n'était pas la première fois qu'elle devait entrer en contact avec les autorités du tribunal pour enfants. Elle connaissait très bien le commissaire. Mais d'habitude, les choses se passaient dans l'autre sens. C'était la justice qui sollicitait ses conseils ou son aide. Plusieurs fois, on lui avait demandé d'expliquer au personnel de la police la manière de procéder avec de jeunes délinquants perturbés.

C'était la première fois qu'elle renversait le processus. Elle appela Rachel Walkins, le commissaire. Après lui avoir résumé l'histoire de Benjie, elle demanda que le garçon soit confié au Centre pour la protection de l'enfance.

– Docteur, répondit le commissaire Walkins, il ne s'agit pas d'une opération de comptabilité. Nous ne pointons pas un enfant sur une liste, comme une marchandise, pour le retirer de notre inventaire. Ce garçon est passé devant un juge. Qui n'y a vu qu'un gamin insolent et un témoin non coopératif. Il a ordonné que nous le gardions jusqu'au verdict final. Ça pourrait signifier au moins six mois au centre de détention pour mineurs du comté.

— Alors, il me suffit d'expliquer cette affaire au juge, répliqua Corinne Wallace.

— Je pense que c'est la seule solution, docteur.

— Qui est le juge attaché à cette affaire ?

— Mullins, répondit le commissaire.

— Oh ! Mullins...

Il avait la réputation d'être un franc partisan de la loi et de l'ordre.

— Oui. Mullins, répéta le commissaire.

Cela confirma le pronostic du docteur : la partie n'allait pas être facile.

Le juge Harry Mullins était moins rigide chez lui qu'en salle d'audience. Il était détendu, préférant rester en bras de chemise plutôt que de porter une tenue plus formelle. Il avait déboutonné son col pour permettre à son cou massif de respirer. Il n'était pas le genre d'homme à prendre au sérieux les avertissements de son médecin à propos du contrôle de son poids, de son taux de cholestérol et des autres paramètres médicaux. Il en revenait toujours au bon vieux temps, avant que les docteurs aient réponse à tout, à une époque où un homme pouvait manger à sa guise, boire ce dont il avait envie et fumer un bon cigare aussi souvent que ça lui disait. Il se fichait totalement de ce qu'il appelait les « sottises à la mode ».

Le fait de recevoir le docteur Wallace chez lui était à ses yeux une concession importante. Il espérait donc en finir au plus vite avec cette affaire.

— Eh bien, docteur. Dites-moi ce qui vous amène, fit-il avec brusquerie. Et que ça ne nous prenne pas la journée.

— Votre Honneur, vous détenez un jeune garçon... Il s'agit d'un de mes patients. Et il se trouve à un stade très délicat de son traitement.

— Comment s'appelle-t-il ?

— Benjamin Jackson.

— Ah ! celui-là ! fit Mullins. Si vous avez quelque chose à dire à son sujet, dites-le-moi. Parce qu'à mon avis, c'est un sale petit voyou qui se prépare une vie de criminel. Le genre qui s'imagine que la loyauté envers ses complices fait de lui un héros. Eh bien, mon boulot consiste à lui prouver qu'il n'est pas un héros.

— Ce n'est sûrement pas un héros. C'est un garçon perturbé, qui a un secret terrible. C'est un souvenir dangereux, et il s'y accroche désespérément. Parce qu'il croit que s'il le révèle, tout son monde s'écroulera.

— Et quel est ce terrible secret ? demanda le juge.

— Je ne sais pas, avoua-t-elle.

— Mais vous savez qu'il est terrible. Dangereux, hein ? Et que s'il le révèle son monde s'écroulera. Comment le savez-vous ? Que savez-vous donc qui soit assez important pour m'obliger à vous confier ce gosse ?

— Je crois que je connais son problème. Mais je ne peux l'aider si ce n'est pas lui qui me le dit.

— Et comment avez-vous l'intention de vous y prendre, s'il ne veut pas parler ? Par l'hypnose ? Des drogues ? Quoi ? Pour moi, c'est la même chose que les détecteurs de mensonge. Des conneries scientifiques.

Voilà ce qu'il pense des médications et des protocoles, se dit Corinne Wallace. Comment réagira-t-il quand j'essaierai de lui expliquer ce qu'est le syndrome infantile d'accommodation aux violences sexuelles ?

Mais elle n'avait pas le choix. C'était son seul argument.

— Votre Honneur, des études ont été faites par des psychiatres réputés dans le domaine de l'enfance maltraitée...

— Oh ! c'est donc ça ! explosa Mullins. Ce pauvre petit est victime de violences ! Il appartient à une bande qui rentre dans les magasins par effraction pour les cambrioler, et c'est lui qui est la victime ! J'ai déjà entendu cela quelque part. Trop souvent. Quelqu'un, une mère, un pasteur, un curé, un assistant social vient me faire des sermons. Ce garçon a été maltraité. Il souffre de la pauvreté. Un milieu social néfaste. Il a été élevé dans un taudis. Il a été privé de tout. Il n'a pas eu de père. Il n'avait pas de modèle à imiter. Si j'entends encore une seule fois cette histoire de modèle à imiter, je crois que je vais vomir. Pour ce qui concerne ce tribunal, rien de ce qui est arrivé à ce garçon quand il était petit ne justifie qu'il commette des crimes ! Si vous voulez mon avis, un gosse de son âge qui traîne avec une bande est déjà allé beaucoup trop loin pour qu'on espère le sauver !

— Votre Honneur, l'article que j'ai lu ne mentionnait pas l'existence d'une bande.

— C'est normal ! Quand un môme me raconte une histoire à dormir debout... Un homme qu'il n'a jamais vu l'aurait incité à entrer par effraction dans un supermarché ! Un homme qu'il n'est pas fichu d'identifier ni même de décrire... Je connais le topo. Il est en train de prouver à sa bande qu'il est un petit dur. Qu'il est capable de se taire. Maintenant, si vous avez quelque chose à dire pour sa défense, quelque chose qui ait du sens, allez-y, dites-le. Sinon, ne me faites pas perdre mon temps !

– Abandonnez les poursuites et confiez-moi le garçon... commença-t-elle.

– Dites-moi, l'interrompit Mullins, comment se fait-il que vous sachiez tant de choses à son sujet ?

Aussi succinctement que possible, Corinne Wallace lui raconta son expérience avec le garçon. Quand elle eut fini, elle se dit qu'elle avait affaibli sa position, car le juge lui répondit :

– Vous aviez le môme chez vous. Vous vous occupiez de lui. Mais il a fugué, et il a commis un crime. Comment savez-vous qu'il ne recommencera pas ?

– Cette fois-ci, promit-elle, au lieu de le renvoyer chez lui, je vais le faire garder à l'hôpital.

Le juge fit pivoter son fauteuil pour éviter son regard pendant qu'il réfléchissait.

– Ces recherches dont vous parliez... Vous pensez qu'il y a quelque chose, là-dedans ?

– Elles sont le fait d'un auteur qui possède d'excellentes références.

Elle sauta sur l'occasion pour entrer dans les détails.

– Il a découvert que tous les enfants victimes de violences sexuelles passent par cinq phases. Un : le secret entoure les sévices. Deux : l'enfant se sent impuissant, incapable de résister. Il n'a personne à qui parler, personne à qui demander de l'aide. Trois : l'enfant se sent tellement seul, tellement pris au piège, qu'il n'a d'autre solution que de s'accommoder à l'état des choses, en acceptant la situation. C'est de là que le syndrome tire son nom : syndrome infantile d'accommodation aux violences sexuelles.

– Et ce gosse... ce petit Jackson ?

– Je pense qu'il est au seuil de la phase quatre.

– C'est-à-dire ?

– La phase de l'aveu différé. Il est prêt à s'avouer ce qui s'est passé. L'étape la plus pénible. Je pense qu'il est sur le point de s'ouvrir. Mais c'est si terrible à admettre qu'il a préféré s'enfuir plutôt que d'y faire face. Ou de me faire face.

Mullins se tourna vers elle. Il semblait mal à l'aise.

– Ce môme a l'air gentil. Et brillant. J'ai vu cela dans ses yeux. Vous le connaissez. Alors vous connaissez ces yeux bleus. Très intelligents. Pour vous parler franchement, c'est ce qui m'a fait penser qu'il protégeait une bande. Vous savez, les mômes les plus brillants deviennent parfois les pires criminels. Les plus malins, qui tournent mal.

Il réfléchit une seconde.

– Et vous pensez... Vous pensez vraiment que vous êtes capable de sauver ce môme ?

– Oui, Votre Honneur, si on lui donne une chance... Je crois que j'en suis capable.

– Alors, écoutez bien. Prenez-le. Gardez-le dans cet hôpital, en sécurité. J'abandonne les poursuites. Mais que je n'entende plus parler de ce garçon !

9

– Je ne sais pas ce qui lui a pris, gémit Melissa Jackson.
J'ai tout fait pour l'élever comme il faut. Dieu sait que j'ai
été sévère avec lui. Je ne tolère aucun écart. Je suis sûre de
lui avoir appris où est la différence entre le bien et le mal.

– Madame Jackson... fit le docteur Wallace.

Mais la mère de Benjie tenait à se justifier.

– J'étais vraiment décidée, durant tout le temps que j'ai
porté cet enfant, j'étais vraiment décidée à ce que quand il
grandirait... Oui, je ne sais pas trop pourquoi, mais j'ai
toujours su que ce serait un garçon. Et s'il y a une chose
que je ne voulais surtout pas, c'était qu'il devienne comme
son père. Alors je l'ai corrigé chaque fois qu'il faisait quelque chose de mal. Et il était gentil. Très. Jusqu'à ces derniers
temps. Vous pouvez aller à son école. Demandez à ses
institutrices des petites classes. Il n'y avait pas dans toute
l'école un garçon plus mignon que lui, pas un seul qui se
conduisait mieux que lui. Mais ces derniers temps... Je ne
sais pas... Je ne sais vraiment pas...

Elle était au bord des larmes. Corinne Wallace espérait
qu'elle ne se mettrait pas à pleurer. Parce que cela ferait
couler son mascara. Le docteur détestait cela, quelle que
soit la femme à qui cela arrivait.

– Madame Jackson, je vais m'occuper de Benjie. Il sera
mon patient. Je ferai tout ce que je pourrai pour aller au

fond de son problème et je prendrai toutes les mesures nécessaires pour l'aider à être le garçon que vous voulez qu'il soit.

– Bien ! fit Melissa Jackson. J'ai confiance en vous, docteur, je sais que vous ferez de votre mieux. Quand voulez-vous que je vous l'amène ? Une fois par semaine ? Plus souvent, ce serait peut-être mieux. Cela ne me dérange pas. Ce ne sera pas facile. Mais faire le trajet ne me dérange pas. Ni attendre. Il faut faire ce qui est le mieux pour Benjie. Jusque-là, j'aimerais le ramener à la maison pour lui faire sa toilette. Il doit être dans un drôle d'état, après ces trois jours.

– Madame Jackson... Si je vous ai demandé de venir, aujourd'hui, c'est pour vous dire que Benjie ne va pas rentrer chez vous.

– Mais vous n'avez pas le droit ! C'est mon fils. Personne ne peut me l'enlever !

Elle criait de plus en plus fort et d'une voix de plus en plus aiguë.

– Madame Jackson ! Calmez-vous ! Ecoutez-moi !

Corinne Wallace avait parlé sur un ton suffisamment autoritaire pour faire taire la jeune femme, aussi perturbée fût-elle. Melissa Jackson recula sur sa chaise.

– Si la vie de votre fils vous importe... Si vous vous souciez de son avenir... Vous devez comprendre ceci. Il se trouve à un moment critique de son développement. Il peut très mal tourner. Il peut devenir destructeur, envers lui-même comme envers le monde qui l'entoure. A moins que nous n'essayions de lui donner une autre existence. Mais il y a du travail. Pour moi. Et pour vous. Votre rôle, pour le moment, c'est de nous le confier. De venir le voir de temps en temps. De l'encourager pour qu'il accepte de rester. De ne rien faire qui puisse ébranler sa confiance dans notre traitement. Ou dans ses progrès.

— Vous êtes sûre qu'il va faire des progrès, docteur ?

— Madame Jackson, dans notre domaine, nous devons rester optimistes, mais rien n'est jamais sûr. Si j'en crois mon expérience professionnelle et mon instinct, je dirais qu'il y a une chance.

— Une « bonne » chance ?

Melissa Jackson avait besoin d'être rassurée.

— Une chance, répéta le docteur. Maintenant, je voudrais que vous alliez voir Benjie. Dites-lui que vous savez qu'il reste ici. Que vous approuvez cette décision. Parce que c'est le mieux pour lui. Que vous viendrez le voir de temps en temps.

— Souvent ? fit-elle immédiatement.

— Une fois par semaine.

— Une fois par semaine ? C'est tout ? On n'a jamais été séparés si longtemps...

— Une fois par semaine. Vous n'auriez pas cela, s'il était en détention.

A contrecœur, Mme Jackson dut admettre l'argument.

— D'accord, docteur. Une fois par semaine. Puis-je le voir ?

— Bien sûr.

A l'hôpital public du comté, qui se trouvait de l'autre côté de la rue, juste en face du Centre pour la protection de l'enfance, Corinne Wallace disposait de dix chambres. Elles étaient destinées aux patients qui se trouvaient à un stade crucial de leur traitement et qui avaient besoin de plusieurs séances par semaine. Ces chambres se situaient dans le pavillon de pédiatrie. Mme Jackson retrouva son fils dans l'une d'elles. Il était assis sur le bord de son lit, l'air maussade et hostile, prêt à en découdre avec quiconque aurait l'audace d'entrer.

Dès qu'il entendit la porte s'ouvrir, il se leva et s'écria d'un ton agressif :

— Docteur, qu'est-ce que...

En voyant sa mère entrer dans la chambre, il se tut instantanément. Toute trace d'arrogance avait disparu.

— Benjie, oh ! Benjie, qu'est-ce que tu as encore fait ? s'écria-t-elle, les larmes aux yeux.

— Je n'ai rien fait !

— Sais-tu qu'ils vont te garder ici pendant des semaines ? Des semaines. Tu vas me manquer, Benjie, je te jure.

Elle le serra contre elle. Mais il était raide et distant.

— Quand tu t'enfuis comme ça, tu t'attires toujours des ennuis. Car maman n'est pas là pour t'aider et te protéger. Alors tu vas rester ici, maintenant, et te conduire comme il faut. Et si tu obéis au docteur, tu pourras rentrer à la maison dans quelques semaines. Ça ne va pas être facile. Ni pour toi ni pour moi. Mais nous y arriverons. Tu reviendras à la maison. Et ce sera comme avant. Promets-moi d'être sage. De faire tout ce qu'on te dira. Promis ?

— Je te le promets, dit Benjie.

Elle l'embrassa sur la joue et en profita pour lui murmurer à l'oreille :

— Je viendrai te voir aussi souvent que le docteur me le permettra. Ce ne sera peut-être pas très souvent, parce qu'elle est stricte. Mais je suis sûre qu'elle pense vraiment à ton bien. Même si tu imagines qu'elle cherche à te punir, je crois qu'elle veut vraiment faire au mieux. Je suis désolée de ne pas pouvoir t'aider, cette fois-ci. Mais avec les ennuis où tu t'es fourré...

Elle semblait incapable d'aller plus loin. Elle l'embrassa de nouveau et répéta :

– Je viendrai te voir aussi souvent qu'elle le voudra. Mais je penserai à toi à chaque instant. Et toi, pense à moi. Surtout quand ce sera difficile. Pense que je pense à toi. D'accord, mon chéri ?

– D'accord, dit-il.

– D'accord comment ?

– D'accord, maman.

– J'aime mieux ça.

Elle l'embrassa encore une fois et sortit furtivement de la chambre.

Il resta là, les yeux fixés sur la porte. Puis il alla à la fenêtre de sa petite chambre, regarda dans la rue, puis de l'autrè côté, vers le petit immeuble du Centre pour la protection de l'enfance. C'est là que tout a commencé, se dit-il. Si tante Sophie ne m'avait pas emmené dans cet endroit maudit, je n'aurais pas rencontré ce docteur. Et je ne serais pas ici. Mais ça ne va pas durer longtemps. Certainement pas des semaines, comme dit maman. Pas moi. Ce docteur peut bien faire ce qu'elle veut. Mais pas avec moi.

Moins d'une heure plus tard, une infirmière du service de psychiatrie, en tenue de ville, frappa à sa porte. Elle l'invita à se joindre aux autres enfants rassemblés dans la salle de jeu. C'était en fait une salle de thérapie avec des jouets, du matériel de sport, un panier de basket-ball, des jeux de construction, des livres et un téléviseur équipé d'un magnétoscope. Un endroit où les enfants pouvaient se débarrasser de leur agressivité, donner libre cours à leur curiosité ou se distraire pour oublier un moment les épuisantes séances psychiatriques quotidiennes.

Sur le plan thérapeutique, les objets les plus importants

étaient trois imposants chevalets sur lesquels étaient montés de grands blocs de papier à dessin. Une boîte de craies et de crayons de couleur était fixée sur le côté de chaque chevalet.

Presque tous les enfants victimes de mauvais traitements ou traumatisés avaient du mal à exprimer verbalement leur état. Mais dessiner, peindre, écrire des mots, voire des lettres, aussi insensé et extravagant que le résultat puisse paraître, fournissaient souvent des indices sur les blessures cachées. Dans certains cas, une silhouette, un visage, même grotesque, procuraient au docteur un point de départ pour une série de questions qui pouvaient révéler la vérité.

Quand Benjie Jackson pénétra dans la salle de jeu, onze enfants, âgés de sept à douze ans, s'y trouvaient déjà. Chacun d'eux se livrait à une activité de son choix. Sauf deux d'entre eux : une fillette de neuf ans et un garçon de six ans. Ils restaient silencieux, à l'écart des autres, et n'exprimaient ni plaisir ni chagrin. Ils étaient là, tout simplement, le regard perdu dans le vide.

Qu'est-ce que je fais ici ? se demanda Benjie. Je ne suis pas comme eux. Ils sont idiots. Complètement idiots. Je ne suis pas idiot, moi. Je vaux mieux que n'importe lequel de tous ceux-là.

Pour le prouver, il prit le ballon de basket des mains d'une fillette de onze ans nommée Wanda Waleska et commença à le lancer au panier. Il manqua le premier essai. Puis le deuxième. Après trois échecs, il jeta la balle à Wanda en s'exclamant :

– Ce panier n'est pas réglementaire !

Celle-ci reprit la balle. Elle la tint des deux mains et visa. La balle s'éleva, tourna autour du cercle métallique et tomba dans le panier.

– Ce n'est pas pour ça qu'il est réglementaire ! dit Benjie.

Il tourna le dos à Wanda et se mit en quête d'un autre passe-temps.

Il ignorait que la porte de la salle de jeu était percée d'un petit judas en forme de losange placé de telle sorte qu'un adulte pouvait observer ce qui se déroulait dans la pièce. Le docteur Wallace, qui était là pour le voir, avait assisté à sa rencontre avec la fillette.

Benjie fut soulagé quand on le pria de regagner sa chambre. Il était convaincu que cette gamine, qui l'avait ignoré, réussissait la plupart de ses balles rien que pour l'ennuyer. Il ne l'aimait pas. Il n'aimait pas cette salle de jeu. Il n'aimait pas du tout ce foutu hôpital. Surtout, il n'aimait pas le docteur qui l'y avait fait enfermer.

Il ouvrit la porte de sa chambre. Le docteur Wallace l'attendait.

– Combien de temps je vais rester ici ?

– Ça dépend.

– De quoi ?

– De tes progrès.

– Mes progrès ? Qu'est-ce que vous racontez ?

– Nous nous voyons tous les jours, et nous discutons. Jusqu'à ce que nous mettions les choses au clair et que tu te sentes mieux. Moins en colère. Moins violent. La première chose dont il faudra parler, c'est de ce qui s'est passé au supermarché.

– Ecoutez. S'ils m'ont envoyé ici pour que vous me cuisiniez afin de savoir qui est ma bande... Il n'y a pas de bande. Il y avait l'homme dont j'ai parlé. Mais je ne me rappelle pas à quoi il ressemble. Alors si c'est ça le problème, vous feriez mieux de me relâcher tout de suite. Parce que même si vous me gardez indéfiniment, je n'aurai rien de plus à dire.

— Je te crois. Il n'y avait pas de bande. Et pour cet homme aussi, je te crois.

— Vous me croyez ? demanda-t-il, surpris. Vous êtes la première...

— Je veux savoir pourquoi tu t'es enfui. Ce que tu faisais là-bas.

Il baissa les yeux, contempla ses chaussures de sport aux lacets défaits. Elles semblaient encore plus grandes que d'habitude.

— Parce que.

— Tu es heureux, chez toi ?

— Ouais !

Réponse défensive. Trop catégorique.

— Les enfants ne s'enfuient pas des foyers heureux, fit le docteur.

— Eh bien, chez moi, c'est un foyer heureux ! Vous êtes contente ?

— Dis-moi...

— Quoi ?

— Parle-moi de certains moments heureux.

— *Certains* moments ? Mais il y en a *plein* !

— Comme Noël ? Parle-moi du dernier Noël. Du sapin. Des cadeaux. Qu'est-ce que ta maman t'a offert ? Et ta grand-mère ? Et ta tante Sophie ? Qu'est-ce qu'elle t'a offert ? Un ballon de football ? Un pull Michael Jordan ? C'était un moment heureux ?

Il ne répondit pas.

— Thanksgiving, peut-être. Le grand dîner de Thanksgiving. Ou bien les matches de foot à la télévision, avec l'oncle Ed.

Comme Benjie ne réagissait pas, elle essaya autre chose :

– Ton anniversaire ! Quand ta maman a organisé un goûter pour des garçons et des filles de ta classe. Ils ont chanté des chansons d'anniversaire en ton honneur. Ou bien ta maman n'a-t-elle pas organisé de goûter ?

– Si, elle a organisé un goûter, admit-il, maussade.

– Eh bien, ce n'était pas un grand moment ?

Il secoua la tête, plus attristé qu'étonné par son impuissance à se rappeler l'événement.

Pour le docteur, il s'agissait d'une découverte un peu désolante, résultat d'un test qu'elle utilisait souvent. Les enfants qui subissaient des violences ne gardaient pas le souvenir d'événements qui, dans d'autres circonstances, auraient dû être les plus heureux de leur vie en famille. Leur esprit, habité par le chagrin et la dépression, repoussait les souvenirs des moments agréables qui avaient pu prendre place dans leur triste existence.

– Benjie, je veux que tu saches une chose. Tout ce que tu me diras à partir de maintenant restera un secret entre nous. Personne n'en saura rien. Je veux que tu te sentes libre de me dire tout ce qui te passe par la tête. Tout. Jusqu'à tes secrets les plus intimes. Ça deviendra notre secret à tous les deux.

Il ne répondit pas. Pas la moindre réaction. Il avait les yeux fixés sur ses baskets. C'était plus facile que de regarder cette femme qui affirmait qu'elle le croyait, mais qui le gardait prisonnier dans un endroit où il ne voulait pas être.

– Si je vous raconte, vous me laissez partir ?

– Me raconter quoi ? fit Corinne Wallace, soucieuse de ne pas faire de promesses en l'air.

– Tout ce qui s'est passé cette nuit, dit-il.

– Bien sûr que j'ai envie de savoir ce qui s'est passé cette nuit. Mais ce n'est pas un secret. Le juge le sait. La police le sait. Non, je parle de *vrai* secret. Quelque chose que tu es le seul à savoir. Ou bien que tu partages avec une autre personne. Ce genre de secret.

— Je n'ai pas de secret comme ça.

— Eh bien, penses-y. Ça va peut-être te revenir, suggéra-t-elle.

Elle savait qu'elle avait échoué à gagner sa confiance. Il fallait qu'il se sente assez libre pour s'épancher et révéler la source du cancer affectif qui le rongeait. Tant qu'elle n'y parviendrait pas, il en serait la victime, et ça le dévorerait lentement, mais inexorablement. Cela le priverait non seulement de son enfance, mais de son développement naturel et des capacités qu'il avait reçues à sa naissance. Il devait y avoir un moyen. Corinne Wallace disposait de peu de temps – quelques semaines – pour le découvrir.

En regagnant son bureau, elle se dit que dans son empressement à vérifier ses soupçons, elle avait peut-être agi trop hâtivement. Elle avait peut-être attaqué le problème trop directement. Elle devait lever le pied. Ne pas laisser la pression du temps influencer le traitement. Trouver des moyens. Trouver un moyen de faire parler le garçon sans le brusquer.

10

Une semaine s'était écoulée. Cinq séances avec Benjie n'avaient produit aucun résultat. Il s'était creusé un refuge mental au fond duquel il se dissimulait, et d'où il bravait toutes les tentatives du docteur Wallace pour s'assurer son concours.

Mais même ses silences pouvaient être des indices intéressants, à condition que les bonnes questions aient été posées. Ce matin-là, Corinne Wallace décida d'essayer un nouveau champ d'investigation.

– Benjie, depuis que tu es ici, loin de l'école, loin de tous tes amis, tu dois te sentir seul, non ?

– Pas vraiment, rétorqua-t-il.

– L'école ne te manque pas ?

– Je sais déjà tout ce qu'ils essaient de nous apprendre. C'est pour ça que je n'y vais pas souvent.

Ça pouvait être la réponse d'un enfant qui s'ennuie ou qui est trop brillant pour s'intéresser aux sujets habituels. Mais ça pouvait être tout à fait autre chose.

– Est-ce qu'il y a un professeur que tu aimes particulièrement, et qui t'apprend des choses que tu ne connais pas ?

– Non, pas spécialement.

– Tu sais, d'après le règlement, ta maman – comme toutes les mamans des enfants qui sont ici – a le droit de

106

te rendre visite une fois par semaine. Son jour de visite, c'est demain.

– Je sais, dit-il sans enthousiasme particulier.

– Tu seras sans doute content de la voir.

– Ouais.

– Et comme c'est moi qui fais le règlement ici, j'ai aussi le droit de faire des exceptions. Je peux en faire une pour toi, si tu veux.

– Ah bon ?

– Si tu le désires, je peux autoriser quelques visiteurs à venir te voir.

Il la regarda avec le petit sourire ironique qu'elle lui voyait si souvent. Il s'en servait pour feindre l'ennui devant des questions auxquelles il préférait ne pas répondre. Ou pour lui faire comprendre qu'il était trop intelligent, beaucoup trop intelligent pour se laisser embobiner par ses questions. En un mot, ce sourire ironique signifiait une seule chose. Il n'avait pas l'intention de lui révéler quoi que ce soit d'important.

Cette fois, elle comprit que c'était son sourire supérieur. Celui qui signifiait : « Je suis trop malin pour me laisser prendre à une promesse de pot-de-vin ou à un marchandage du style : "Si tu fais quelque chose pour moi, je te rendrai la pareille, je te dirai des tas des choses". »

– J'ai pensé que tu te sentirais moins seul si certains copains de l'école te rendaient visite.

– Ouais ? fit-il, sceptique.

– Ouais. Tu peux avoir des visites. Mais pas plus de trois.

– Trois ? Il n'y a pas trois gars, dans toute l'école, qui ne soient pas de la merde.

– Il n'est pas nécessaire qu'ils soient tes amis à l'école.

Juste des garçons du quartier avec qui tu traînes parfois. Des garçons que tu aimes bien.

– Oh ! j'ai pigé ! s'exclama Benjie.

– Qu'est-ce que tu as pigé ?

– Vous avez menti, quand vous disiez que vous croyiez qu'il n'y avait pas de bande !

– Non, Benjie, je ne mentais pas.

– C'était une manière de le savoir. Peut-être même que vous travaillez pour les flics. Mes amis se pointent, et ils se font arrêter. Il n'y a pas de bande. Et je ne veux avoir la visite de personne. De personne ! Je veux que personne ne sache que je suis ici !

Sa réponse, par sa violence précisément, était beaucoup plus révélatrice qu'il ne le souhaitait. Elle confirmait les soupçons du docteur Wallace. Toute allusion à des amis était rejetée au premier prétexte venu. Aucun des gamins de l'école n'était digne d'être son ami. Quant aux gosses du quartier, ils seraient en danger s'ils étaient ses amis. Tout cela constituait des excuses pour dissimuler un fait essentiel : en réalité, il n'avait aucun ami.

C'était un trait commun à beaucoup d'enfants victimes de sévices. Pour ne pas risquer de trahir involontairement leur terrible secret, ils préféraient ne pas avoir d'amis du tout.

Les progrès étaient lents. Le temps pressait. Corinne Wallace réalisa qu'ils arrivaient à la fin de la séance. Elle se demanda ce que leur réservait le lendemain, le jour de visite de la mère de Benjie.

Après avoir passé une heure avec son fils, Melissa Jackson se rendit au Centre pour la protection de l'enfance et demanda à voir Corinne Wallace. Résolue à rencontrer le docteur, elle attendit, impassible, le temps de deux séances complètes avec des patients.

– Docteur, commença-t-elle, Benjie a mauvaise mine, et je n'aime pas cela. Il n'a pas l'air de manger très bien. Il me dit qu'il ne dort pas bien, non plus. Il veut rentrer à la maison.

– Madame Jackson, vous savez bien que Benjie a besoin d'un traitement.

– Mais vous allez l'enfermer ici pendant combien de temps ?

– Madame Jackson ! fit Corinne Wallace d'un ton courroucé, soit Benjie reste ici, soit je suis obligée de le remettre aux autorités judiciaires !

Elle comprit qu'elle avait cédé à la colère d'une manière bien peu professionnelle. Elle marqua une pause, le temps de retrouver son calme et son impartialité.

– Madame Jackson, Benjie est dans un état encore plus instable que je ne le croyais. Le mieux que vous puissiez faire pour lui, c'est de ne pas vous mêler de son traitement.

– Un traitement qui ne sert à rien, selon lui. Vous ne faites que parler. Ça, je le sais bien, on le dit assez à la télévision. Vous, les psychiatres, c'est tout ce que vous faites : parler. Mais Benjie dit qu'il perd son temps. Il veut rentrer à la maison.

– Il ne peut pas rentrer à la maison ! déclara Corinne Wallace avec fermeté.

Mme Jackson secoua tristement la tête.

– Si une mère ne peut plus décider pour son propre enfant... où va ce pays ?

Mais il était clair qu'elle se sentait obligée de se soumettre à la décision du docteur. Elle avait montré à quel point elle s'opposait à l'internement de son fils. Et encore plus à son traitement. Elle semblait farouchement résolue à résister aux deux.

Aux yeux du docteur Wallace, c'était un autre indice. Un de plus. Comme une perle qu'on ajoute à un rang. Sauf que, contrairement aux perles, les indices n'apparaissent pas dans un ordre parfait, par tailles et par couleurs. Les indices sont des fragments parfois très gros, parfois plus petits, très importants ou à peine discernables.

Ce jour-là, elle en avait trouvé deux. Seul l'avenir dirait s'ils étaient importants. Benjie n'avait pas d'amis. Et il avait une mère hyperanxieuse. Ces deux faits avaient peut-être un rapport. Mais pas nécessairement. Il en faudrait plus. Beaucoup plus.

Mais la dernière perle, c'était celle qu'elle trouverait quand elle aurait brisé cette coquille si dure que Benjie avait fabriquée au fond de lui-même. Cela pourrait demander beaucoup de temps.

La procédure thérapeutique prévoyait la rencontre de plusieurs jeunes patients à l'occasion de séances collectives. Le fait de se trouver au milieu de camarades du même âge, dans une atmosphère informelle, encourageait les enfants à avoir des conversations qui pouvaient amener des révélations qu'ils rechignaient à exprimer dans leurs tête-à-tête avec les médecins.

Corinne Wallace décida qu'un garçon aussi agressif et tourmenté que Benjie pouvait tirer profit de ces séances collectives. Elle suggéra qu'il se joigne au groupe. Tout d'abord, il se montra soupçonneux. Puis il posa des questions.

— Qu'est-ce que je devrai faire ?

– Ecouter, c'est tout. Ou bien, si tu en as envie, participer.

– Je n'ai rien à dire, répliqua Benjie.

Il imita inconsciemment les durs à cuire qu'il avait vus des milliers de fois au cinéma et à la télévision.

– Dans ce cas, promit Corinne Wallace, personne ne t'obligera à parler.

– D'accord.

Les séances avaient lieu dans la salle de jeu. Tout l'équipement en avait été ôté. Un cercle formé de onze petites chaises occupait le centre de la pièce. Plus une chaise de taille normale pour le docteur Emma Rankin, l'assistante de Corinne Wallace, spécialiste des séances de groupe.

Quand Benjie Jackson arriva, dix des petites chaises étaient déjà occupées. La seule libre se trouvait à côté du docteur Rankin. D'emblée, l'idée d'être trop près d'elle le mit en colère. Ignorant que chaque enfant choisissait son siège, il crut que c'était une ruse pour le placer au centre de l'attention collective. Puisque tout le monde regardait naturellement le docteur, se disait-il, il était évident qu'ils auraient tous les yeux fixés sur lui.

Cette garce de docteur Wallace, c'est elle qui a manigancé tout cela. Pour me piéger. Eh bien, je ne parlerai pas ! A personne ! Je ne dirai rien ! Ils peuvent se débrouiller sans moi ! Bande d'imbéciles !

Le docteur ouvrit la séance. Elle parlait d'un ton amical.

– Eh bien, nous voilà à nouveau réunis. Je suis sûre que vous avez remarqué que Barbara Hemmings n'est pas là. Vous vous demandez peut-être pourquoi. Eh bien, je vais vous le dire. Bonne nouvelle. Nous lui avons trouvé une famille d'accueil. Une famille où elle sera très heureuse, nous le savons. Alors nous pourrions peut-être lui dessiner une grande carte d'adieu sur une de ces feuilles de papier. Puis nous signerons tous pour lui souhaiter bonne chance.

Tout le monde accueillit cette proposition par des hochements de tête et des exclamations d'approbation. Tout le monde, sauf Benjie Jackson.

Quelle connerie ! Bon pour les gosses ! Bon pour des mômes de huit ou neuf ans. Même pour cette fille qui passe son temps à essayer de faire des paniers. Elle a plus de neuf ans, pourtant. Plus de dix. Elle a peut-être bien onze ans. Je me demande pourquoi elle est là. Qu'est-ce qu'elle a fait ? On s'en fout. Reste calme. Ne tombe pas dans le piège, ne parle pas. Tout ça, ce n'est rien d'autre qu'un piège. Pour me faire parler. Moi ? Parler ? Des conneries ! Ce docteur Wallace, elle sait pas à qui elle a affaire.

Ouvrir la séance sur le départ de Barbara avait pour but d'inciter les participants à parler de leur expérience personnelle en famille d'accueil. Expérience malheureuse, en général, parfois même à l'origine des problèmes qui les avaient amenés là. Des confidences qui pouvaient susciter d'autres révélations, encore plus intimes.

Le sentiment de camaraderie jouait dans ce processus un rôle essentiel. Seule une victime pouvait comprendre la douleur subie par une autre victime. Cela encourageait un enfant à parler, à s'épancher. Surtout des victimes aussi jeunes, déjà terrifiées par la manière dont la vie les avait traitées.

La proposition du docteur Rankin suscita immédiatement un flot de suggestions sur ce que devrait exprimer la carte collective. Certains des enfants, aiguillonnés par leur expérience désastreuse, voulaient conseiller à Barbara de faire attention. D'autres propositions trahissaient l'envie de ceux qui auraient voulu avoir un endroit qu'ils puissent qualifier de foyer et étaient impatients de trouver à leur tour des parents adoptifs.

Deux d'entre eux refusèrent de participer. Benjie, raide et distant. Et Wanda Waleska, la fille dont le goût pour le basket-ball l'énervait tant.

Le docteur Rankin tenta de la motiver :

— Wanda ? Tu ne veux rien ajouter à la carte de Barbara ?

Depuis le début de la séance, Wanda tortillait des mèches de ses cheveux blonds. Quand Emma Rankin s'adressa directement à elle, elle cessa sur-le-champ. Ses yeux affichèrent une expression maussade, puis douloureuse. Presque aussitôt, des larmes coulèrent sur ses joues pâles. Brusquement, elle se leva de sa chaise. Elle courut vers un coin de la salle et se tourna pour cacher son visage contre le mur.

A la manière dont son dos était secoué par les convulsions, Benjie comprit qu'elle sanglotait. En silence. Comme si la faiblesse était un crime. Comme si les larmes devaient rester secrètes.

Benjie Jackson essaya de repousser cette pensée. Ah ! les filles ! Mais il était beaucoup plus affecté qu'il ne voulait l'admettre.

— Wanda... fit le docteur Rankin.

La fillette continua à fixer le mur, comme pour effacer le reste du monde.

Le docteur Rankin l'appela encore une fois, d'une voix plus douce.

— Wanda ?

Comme la fillette ne répondait toujours pas, le docteur regarda les enfants, l'un après l'autre, en espérant que l'un

113

d'eux se jetterait à l'eau. Ce serait excellent pour tout le monde.

Elle scruta les visages, passant de l'un à l'autre, suscitant des sentiments de compassion pour Wanda. Mais personne ne se porta volontaire. Elle acheva son tour d'horizon en regardant Benjie, qui se trouvait à sa droite.

Il évita son regard, les yeux baissés sur ses lacets défaits. Mais le silence le força à la regarder en face. Comme si elle lui avait ordonné de le faire, il s'exclama d'une voix forte :

– Bon, d'accord... d'accord...

Il se leva. Il marqua une pause, ostensiblement, pour bien faire comprendre au docteur qu'en s'acquittant de cette mission, il ne renonçait pas à son droit de se rebeller. Il traversa la pièce, vers le coin où Wanda, le dos tourné, essuyait ses larmes avec sa main.

Il articula, mal à l'aise :

– Wanda...

Elle ne réagit pas. Il essaya à nouveau.

– Wanda ?

Elle refusait toujours de se tourner vers lui. Il tendit le bras pour lui toucher l'épaule, très doucement, la frôlant à peine.

Elle recula en hurlant :

– Ne me touche pas !

Elle éclata en sanglots, répétant la même phrase au milieu de ses larmes :

– Ne me touche pas ! Ne me touche pas ! Ne me touche pas, ne me touche pas !

Sa voix s'effaça peu à peu. Bientôt, il n'y eut plus que le bruit de ses sanglots.

Epouvanté, Benjie s'écarta d'elle, la main toujours à mi-hauteur.

Cela sembla durer une éternité. Wanda pleura encore pendant quelques minutes. Elle soupira plusieurs fois, puis s'excusa.

— Pas toi..., dit-elle à Benjie. Non, ce n'était pas toi.

— Qui était-ce ? demanda le docteur Rankin, très doucement.

— Lui.

— Qui ça, lui, Wanda ?

A contrecœur, elle finit par murmurer :

— Willem.

Elle se couvrit les lèvres de la main, comme pour s'interdire d'aller plus loin. Mais ce qui était dit n'avait pas besoin d'être répété.

Une plaie vive s'était ouverte. Le docteur Rankin ne pouvait pas laisser passer l'occasion.

— Tu veux dire William ?

— Willem, répéta la fillette.

— Qui est Willem, Wanda ?

Elle continua à fixer le mur, en secouant la tête énergiquement.

— Ton père adoptif ?

— Non, fit Wanda.

— Quelqu'un dans la maison ?

Wanda refusait de répondre. Cela pouvait passer pour un aveu.

— Wanda, regarde-moi ! l'implora Emma Rankin.

La fillette hésita. Puis, très lentement, car il lui fallait beaucoup de courage pour cela, elle se retourna pour faire face à Rankin et à tous ses camarades de souffrance.

— Wanda, il faut me le dire, sans quoi je ne pourrai pas t'aider. Aucun de nous ne pourra t'aider. Qui est Willem ?

– Je le déteste, je le déteste, je le déteste ! s'écria la fillette.

– Qui est-ce, Wanda ?

Ses lèvres tremblaient. Une fois encore, elle tourna le dos au docteur et à tous les autres. Par peur de leur réaction, elle devait gommer ces visages accusateurs avant d'être enfin capable de rassembler ses mots.

– Le fils...

Elle attendit, comme un prévenu qui attend la sentence, car dans son jeune esprit tourmenté, c'était elle, la coupable.

– Bien. Très bien, Wanda... Dès que nous commencerons à travailler là-dessus, tu te sentiras mieux. Et bientôt, beaucoup mieux... lui assura le docteur Rankin.

– On ne va pas me renvoyer là-bas, hein ? demanda-t-elle. Pas là-bas ?

– Non, Wanda. On ne te renverra pas là-bas.

La séance était finie. C'était l'heure du déjeuner.

Après le repas, il y eut une nouvelle période de jeu.

Chaque membre du groupe retourna à son activité favorite. Wanda essaya de faire quelques paniers. Mais l'épuisement nerveux dû à l'incident du matin l'avait privée de toute capacité de concentration. Après avoir manqué cinq fois de suite, elle renonça. Elle s'apprêtait à laisser rouler la balle dans le coin, quand elle vit Benjie. Elle lui passa la balle. Il la fit rebondir trois fois, comme il avait vu des professionnels le faire avant de tenter une feinte. Puis il lança. La balle frappa le panneau arrière, fit deux fois le tour du cercle métallique et tomba dans le filet.

– Bien, très bien..., fit Wanda. Ce n'était pas toi. Je veux dire, ce n'est pas ta main qui me touchait, tout à l'heure. C'est la sienne.

– Pas de problème, dit Benjie.

– Je ne voulais pas que tu penses...

– Je sais. Je sais comment c'est.

– Toi aussi ? demanda-t-elle.

– Non, non ! dit-il brusquement. Mais j'imagine comment c'est.

A l'issue d'une longue discussion autour du chevalet à propos de la carte d'adieu à Barbara, un des garçons commença à tracer en grandes lettres rouges, sur une feuille de papier, le message commun. « Chère Barbara, nous t'aimons beaucoup. Nous ne t'oublierons jamais. Bonne chance. »

Les lettres étaient de taille variable et diminuaient en arrivant en bout de ligne. Mais le sentiment général était sincère et approuvé par tous.

Le marqueur rouge passa de main en main. Chaque enfant, à son tour, écrivit son nom, avec un petit mot simple, comme « Amuse-toi bien » ou « Bonne chance ! ».

Sept d'entre eux avaient déjà inscrit leur nom. Le garçon qui venait de signer tendit le marqueur à Benjie. Le docteur Rankin attendait qu'il complète la carte. Le garçon tendait toujours le marqueur. Benjie ne montra aucun désir de le prendre ou de se lever de sa chaise.

– Benjie ? demanda le docteur Rankin.

Il se retourna pour éviter son regard.

– Benjie ? insista-t-elle.

– Je ne la connais même pas, cette Machinchose...

– Son nom est sur la carte : Barbara.

– Je ne la connais pas, répéta-t-il.

– Il ne t'est jamais arrivé de dire quelque chose de gentil à quelqu'un que tu ne connais pas ? « Comment allez-vous ? » ou « Bonne journée ! » ou « Quel beau vélo ! » Ou bien tu vois un garçon tirer au but, dans le parc, et tu t'exclames : « Joli tir ! » Tu n'as jamais rien dit de pareil ?

– Ce n'est pas la même chose.

Tous les autres le regardaient. Il sentit le sang lui monter au visage. Il détestait rougir. Pour lui, c'était un signe de faiblesse. Les garçons ne doivent pas montrer leur faiblesse. Surtout devant les filles. Les petites, ça n'a pas d'importance. Mais Wanda, elle, était plus grande.

Si ce docteur décide encore à ma place ce que je dois faire – rien qu'une fois – elle va le regretter. Elle va *vraiment* le regretter.

Ignorant ce qui traversait l'esprit de Benjie, Emma Rankin essaya de calmer la tension qu'elle sentait monter en lui.

– Tu n'es pas obligé d'écrire quelque chose. Signe au moins de ton nom...

Comme Benjie ne réagissait toujours pas, elle le pressa :

– Tu fais partie du groupe. Si ton nom n'apparaît pas, il manquera quelque chose.

Maintenant, j'en ai marre ! Merde ! J'en ai marre !

Benjie arracha le marqueur des mains du garçon qui attendait toujours. Il se dirigea vers le chevalet. Il se mit à tracer rageusement de longs traits rouges épais.

Malgré les cris de surprise et de protestation des autres enfants, malgré les ordres du docteur Rankin – Benjie ! Arrête, Benjie ! Arrête immédiatement ! –, il continua à barbouiller la feuille en tous sens, jusqu'à ce qu'il eût quasiment recouvert ce que les autres avaient eu tant de mal à écrire.

Cela fait, il jeta violemment contre le mur le marqueur, qui explosa littéralement. Une grande tache rouge apparut sur le mur blanc et l'encre se mit à couler.

– Alors ? s'écria Benjie Jackson. On est contente ?

Il sortit de la salle la tête haute.

11

Quelques heures plus tard, en plein après-midi, au moment où l'emploi du temps de Corinne Wallace était le plus chargé, le docteur Simon Freedman profita d'un répit entre deux patients. Il frappa à sa porte, selon le code habituel.

Oh non ! pas aujourd'hui ! se dit-elle. Pas cet après-midi ! J'ai à peine le temps de m'occuper de mes patients, encore moins de bavarder avec Sim. Mais elle n'eut pas l'occasion de lui répondre. Il avait déjà ouvert la porte et passé la tête dans l'entrebâillement. Sans cesser de griffonner des notes sur la fiche du dernier patient, elle agita la main gauche dans sa direction.

— Pas maintenant, Sim. C'est une de ces journées où rien ne va comme il faudrait.

— Je voulais simplement savoir si tu avais besoin de moi. Si tu avais besoin de médicaments. Ou d'autre chose...

— De médicaments pour lui ?

— Ne me dis pas que tu n'es pas au courant ?

— Au courant de quoi ? fit-elle en pivotant vers lui.

— Ton patient, le petit Jackson.

— Qu'est-ce qu'il a fait ? demanda-t-elle, soudain alarmée. Il s'est enfui ?

— Cela aurait peut-être mieux valu.

— Simon... ?

Il lui fallait une explication, et elle lui en voulait de jouer aux devinettes.

Il lui raconta ce qu'Emma Rankin lui avait dit un peu plus tôt en lui amenant un patient pour un bilan de santé.

— Rankin était dans tous ses états... Elle n'avait jamais rien vu de tel. Un cas placé sous sa responsabilité, qui pète les plombs de cette façon.

— Quand elle sera dans le circuit depuis aussi longtemps que moi...

Cela l'irritait toujours d'entendre que les jeunes psychiatres prenaient les écarts de leurs patients pour le reflet de leur incompétence.

— Tu n'es pas dans le circuit depuis si longtemps que ça ! remarqua Sim. Tu en as l'impression parce que tu travailles trop dur.

— Pas de sermon, Sim. Je n'ai pas le temps. Je dois voir ce gosse.

— Je ne pense pas que tu devrais le voir seule.

— Pourquoi ? Qu'est-ce que tu crois ? Qu'il va m'agresser ?

— Il a montré qu'il pouvait être violent.

— Ce môme lutte pour repousser quiconque essaiera de découvrir le secret qui le ronge.

— Et qui est ce « quiconque », selon toi ?

— Ce que tu prends pour une menace, je le vois comme un signe encourageant. Plus ses réactions sont violentes, plus je suis convaincue que j'approche du cœur du problème. Alors, si tu veux bien...

Elle se leva brusquement. Il s'écarta pour la laisser passer.

— Si tu as besoin de moi..., dit-il. Si son état exige la mise en œuvre de contraintes physiques ou des médicaments, je serai dans mon bureau. Je ne partirai pas avant d'avoir eu de tes nouvelles. Quelles qu'elles soient.

– Sim, tu exagères ce...

– Ah bon ? Et l'autre fois, avec le petit Tekulsky ?

– Je t'en prie, Sim. Pas besoin de me rappeler cette histoire.

Il la regarda s'éloigner à grands pas dans le couloir. Il avait un peu peur pour elle, mais il l'admirait. Peu de psychiatres auraient été capables de surmonter l'histoire qu'elle avait vécue avec le petit Tekulsky. Quand il était passé à travers la fenêtre de la salle de soins après en avoir fracassé la vitre, Corinne l'avait rattrapé par les mains et retenu de toutes ses forces pour l'empêcher de tomber. Mais le garçon s'était débattu trop violemment. Il avait glissé entre ses mains moites et s'était écrasé trois étages plus bas.

Il avait survécu. Mais il resterait dans un fauteuil roulant jusqu'à la fin de sa vie.

Simon Freedman était persuadé que Corinne avait revécu mentalement des milliers de fois cette terrible journée. Presque aussi souvent qu'elle avait revécu cette nuit atroce sur la plage de Long Island.

L'infirmière de service montra au docteur Wallace le spectacle à l'intérieur de la salle de jeu. Le grand cahier de papier à dessin barbouillé, toujours en place. Le mur couvert d'encre rouge. L'encre qui avait coulé sur le sol. Corinne Wallace vit le seau d'eau, la brosse et la lessive, prêts à être utilisés.

– Nous avons décidé de ne toucher à rien avant que vous ne constatiez vous-même les dégâts, lui dit l'infirmière.

Elle la précéda vers la chambre de Benjie, au bout du couloir, tout en lui donnant des explications.

– Il n'est pas sorti. Ni à l'heure du goûter ni à aucun

autre moment. Quand j'ai frappé à sa porte, il n'a pas répondu. Il s'agit malheureusement d'une chambre que l'on peut verrouiller de l'intérieur.

– Est-ce que quelqu'un d'autre a essayé d'y entrer ?

– Nous n'avons pas voulu entrer de force sans en avoir reçu l'ordre.

Devant la porte de la chambre, l'infirmière ajouta :

– Si vous avez besoin d'aide, nous avons un garçon de salle disponible en permanence.

– Je verrai.

Dès que l'infirmière fut repartie dans le couloir, Corinne Wallace frappa à la porte. Elle attendit. Pas de réponse. Elle frappa encore. Toujours rien.

– Benjie ! C'est le docteur Wallace.

Seul le silence lui répondit. Elle actionna la poignée. La porte était fermée à clé.

– Benjie ! insista-t-elle. Ouvre !

L'ironie de la situation la frappa brusquement. C'était bien le dernier ordre que le garçon voulait ou avait envie d'entendre.

Elle se pencha contre la porte et reprit, d'une voix plus basse :

– Benjie, je sais ce que tu ressens. Ce que tu as fait, tu l'as fait sous le coup de la colère. Et maintenant, tu regrettes. Tu crois qu'il est trop tard. Que tu ne peux plus regarder personne en face. Ni les garçons et les filles qui étaient là. Ni le docteur Rankin. Ni personne d'autre. Eh bien, moi, tu peux me regarder en face. Nous pouvons parler. Nous pourrons toujours parler. Ou si tu préfères, au lieu de parler, nous pouvons retourner dans la salle de jeu. Tu pourras nettoyer toute cette encre sur le mur jusqu'à ce que ce soit impeccable, comme s'il ne s'était rien passé. Tu n'as pas envie ?

Pour la première fois, elle entendit du mouvement dans la chambre. Puis la voix de Benjie, cette fois moins hostile qu'apeurée :

– Ils seront là ? demanda-t-il.

– Qui cela ?

– Les autres. Surtout cette fille.

– Quelle fille ?

– Wanda.

– Il n'y aura personne. Rien que nous deux.

Elle attendit encore. Puis elle entendit enfin le déclic quand il déverrouilla la porte. Il ne dit mot. Mais il prit le couloir, vers la salle de jeu. Elle le suivit.

Il n'entra pas dans la pièce. Debout dans l'entrée, il contempla le mur qu'il avait souillé. Le papier à dessin qu'il avait maculé avec le marqueur. Il semblait consterné par les dégâts qu'il avait provoqués.

– Merde...

– Au travail, Benjie.

En le voyant se mettre à l'ouvrage, verser la lessive dans l'eau et faire mousser le mélange avec la brosse, elle comprit qu'il était rodé à ce genre de tâches. Sa mère disait qu'elle était à cheval sur la discipline. Quand Benjie faisait des bêtises, il était toujours puni. Il était évident que ses crises de rage n'étaient pas rares, et qu'il avait l'habitude de réparer les dégâts.

Corinne Wallace se dit que l'activité physique et la concentration pouvaient affaiblir ses défenses. Elle décida de l'interroger.

– A quoi pensais-tu, Benjie, quand tu as fait cela ?

– A rien.

– Tu avais bien une raison.

– Elle m'embêtait. Ce sale docteur je ne sais plus comment...

– Tu connais son nom, Benjie.

– Ouais... Hankin... Rankin... Quelque chose comme ça. En tout cas, elle m'embêtait pour que je signe cette connerie. Elle appelle ça une carte. Tout le monde sait que c'est pas une carte. C'est bien trop grand !

– Toutes les cartes n'ont pas la même taille.

– Mais pourquoi veut-elle m'obliger à la signer ? Je ne la connais pas, cette fille. Barbie... ou Barbara... Je ne l'ai même jamais vue. Pourquoi je devrais mettre mon nom sur sa carte ?

– Peut-être parce que c'est gentil de faire ça pour quelqu'un, suggéra Corinne Wallace.

– Moi, personne ne m'a jamais...

Il s'interrompit brusquement.

– ... N'a jamais été gentil avec toi ?

Il se concentra sur son travail, s'efforçant de faire disparaître la grande tache rouge sur le mur. C'était plus facile que de répondre.

– Benjie... Pourquoi cette carte ? Pourquoi tous les autres enfants ont-ils accepté de la signer ?

– Cette fille... cette Barbara. Elle est partie dans une sorte de... maison.

– Quelle genre de maison, Benjie ?

– Une sorte de... une sorte de maison.

– Tu sais comment ça s'appelle ?

– Ouais. Je crois. Une famille d'accueil. C'est ça. Une famille d'accueil.

– Tu sais ce que c'est ? Tu sais à quoi ça ressemble ?

– Non. Sauf que quand maman avait tous ces problèmes

avec moi... Je me rappelle que ma grand-mère lui disait :
« Vaudrait mieux le mettre dans une famille d'accueil. »
C'est à ce moment-là qu'on m'a envoyé chez ma tante
Sophie. Et ce n'était pas la joie.

– Alors une famille d'accueil aurait peut-être été mieux ?
demanda Corinne Wallace.

– Ça pouvait pas être pire, admit-il. Tout à l'heure, les
enfants disaient « Bonne chance », des trucs comme ça.
Comme si c'était si bien que ça d'aller dans une famille
d'accueil.

– Alors tu te dis que tu aimerais bien aller dans une
famille d'accueil, mais personne ne te l'a proposé. Benjie,
est-il possible que tu aies refusé de signer cette carte...

– Ce n'est pas une carte !

– Est-il possible que tu aies refusé de signer cette carte
parce que tu étais jaloux de Barbara ?

– Comment je pourrais être jaloux d'une fille que je ne
connais même pas ?

– Tu peux te promener dans la rue et croiser un garçon
avec une paire de Nike toutes neuves. Tu ne le connais pas,
ce garçon. Mais tu es jaloux parce qu'il possède quelque
chose que toi, tu n'as pas.

– C'est pas pareil !

Il s'éloigna du mur, désormais parfaitement propre, pour
s'attaquer au sol.

– Benjie, est-ce que tu penses que tu serais mieux dans
une famille d'accueil que chez toi ?

Il ne répondit pas. Il frottait furieusement les taches qui
résistaient encore sur le plancher.

– Pourquoi préférerais-tu une famille d'accueil, Benjie ?

– Je n'ai jamais dit ça ! répondit-il d'une voix furieuse,

la tête à demi tournée vers elle, sans oser la regarder vraiment en face.

Il continuait à frotter. Sauf qu'il n'y avait plus de tache, et qu'il était en train de polir le sol.

— D'accord, Benjie. Tu n'as pas besoin de répondre à cette question.

Soulagé, il cessa de frotter, jeta la brosse dans le seau et regarda autour de lui, en quête d'un endroit où il pourrait le vider.

— Comment fais-tu, chez toi ? reprit-elle.

— Comment je fais ? demanda-t-il d'un air soupçonneux.

— Chez toi, quand tu as fini une corvée comme celle-ci, que fais-tu du seau ?

— Je le vide.

— Où cela ?

— Aux toilettes.

— Eh bien allons-y.

Il dut s'y prendre à deux mains, car le seau était très lourd. Il la précéda dans le couloir et se dirigea vers sa chambre. Il ouvrit la porte du cabinet de toilette, leva le seau, le vida, tira la chasse.

— Demain, quand tu retourneras à la salle de jeu, ce sera propre et net, et personne ne se rappellera ce qui s'est passé.

— Si, ils s'en souviendront. Surtout cette fille, Wanda.

— Pourquoi ?

— Pourquoi quoi ?

— Pourquoi Wanda s'en souviendra-t-elle ? demanda le docteur.

Il s'abstint de répondre. Elle n'insista pas.

— A demain, Benjie, à la même heure que d'habitude.

Il leva les yeux vers elle. Un regard circonspect. Soupçonneux. Un peu apeuré, aussi.

– Benjie ?

– C'est... C'est tout ?

– A quoi tu t'attendais, Benjie ?

– J'ai fait... ce que j'ai fait, et... et vous n'allez pas...

– Te punir, c'est cela ?

– Chaque fois que je fais une bêtise... Et c'est presque tout le temps, tellement elle est sévère. Quoi que je fasse, elle est en colère.

– Qui cela ?

– Maman.

– Et quand elle est en colère, qu'est-ce qui se passe ? Que fait-elle ? Benjie ?

– D'abord elle se met vraiment en colère. Elle pète les plombs. Puis quand j'ai nettoyé ou ramassé les affaires que j'ai jetées dans tous les sens...

Corinne Wallace l'interrompit :

– Cela t'arrive souvent de jeter des choses ?

– Ouais. Parfois.

– Et alors ?

– Quand j'ai rangé, elle n'est plus en colère. Elle me dit que je suis un bon garçon. Et que je suis beau. Et intelligent. Elle dit toujours ça... *Après*...

Il prenait plaisir à répéter le mot :

– Intelligent. Elle dit aussi que quand je serai grand, toutes les filles seront amoureuses de moi. Tellement je suis beau. Et intelligent.

Corinne Wallace pensa qu'il se livrait peut-être à ce genre d'actions violentes parce que c'était la seule manière d'entendre sa mère lui faire des compliments. Etait-ce un truc, une situation de dépendance qu'il avait développée ? Etait-ce la source de sa conduite erratique, de sa violence et de son indocilité ?

– Bon, elle te dit toutes ces choses gentilles ? Et puis ? Benjie ? Et après ?

En l'écoutant parler, elle vit les changements qui s'opéraient sur son visage. Ses yeux bleus qui s'étaient éclairés à l'évocation des compliments maternels exprimèrent sa timidité, puis sa peur. Il détourna le regard.

Tout en étudiant ses réactions, elle commença à rassembler les fragments du puzzle. Elle pouvait ajouter quelques perles. Une mère très stricte. De son propre aveu, elle le corrigeait « chaque fois qu'il se conduisait mal ». Elle ne laissait « rien passer ». Benjie lui-même avait dit : « Chaque fois que je fais une bêtise... Et c'est presque tout le temps, tellement elle est sévère... » Le processus était toujours le même. Il la provoquait. Elle se mettait en colère. Mais dès qu'il se repentait, elle devenait affectueuse et prodigue de compliments. Elle lui répétait qu'il était intelligent. Et beau. Que les filles l'adoreraient quand il serait grand.

Pour Corinne Wallace, une chose était claire, désormais.

Cette femme pratique une sorte de rituel, se dit-elle. D'abord, elle condamne son fils pour la moindre infraction aux règles innombrables qu'elle a elle-même édictées. Puis elle lui pardonne. Enfin, elle lui offre réconciliation et compliments. L'un et l'autre sont au moins d'accord sur un point : tout cela arrive souvent. « Chaque fois qu'il se conduisait mal... je ne laissais rien passer... » « Chaque fois que je fais une bêtise... Et c'est presque tout le temps... »

Il était évident que les choses se déroulaient de la même façon. Souvent. Très souvent.

Corinne Wallace se dit qu'il y avait une autre chose, plus importante encore. Par sa conduite, le fils devait apparaître comme l'instigateur du processus. Or, dans leurs relations, la mère était la personnalité dominante. L'événement devait donc se produire quand elle le désirait. Il était évident que cette femme aimait cela.

Corinne Wallace était tentée de continuer à creuser, tant que son jeune patient se trouvait dans un état de forte tension émotionnelle et restait vulnérable. Mais elle savait parfaitement que c'était risqué. Amener le garçon à s'épancher serait une erreur. Laisser prise au soupçon qu'elle lui avait suggéré certaines pensées ou certains mots ne servirait qu'à discréditer les propos tenus par Benjie. N'importe qui pourrait les attaquer et les invalider, plus tard, pour peu qu'une procédure judiciaire soit lancée.

Un examen d'une telle importance devait se tenir dans la salle de réunion, sous l'œil des caméras vidéo. Et, pour se conformer à ses propres règles, elle devait demander aux services sociaux de dépêcher un observateur, tout comme à la police ou au bureau du procureur. Car elle avait le sentiment, désormais, que l'affaire prenait une tournure inquiétante.

Elle devait envisager deux possibilités. Elle pouvait continuer de sonder un patient qui était peut-être sur le point de lui faire un aveu crucial. Ou bien suivre un procédé qui relevait plus de la routine judiciaire que de la psychiatrie. Elle décida de se conduire d'abord en médecin, et d'affronter ultérieurement les problèmes techniques et juridiques.

Elle prit son bip dans sa poche et appela sa secrétaire.

— Est-ce que la salle de réunion est libre, Evie ? Assurez-vous qu'il y a des cassettes vierges dans les caméras, ajouta-t-elle après avoir reçu une réponse affirmative.

— Benjie, nous allons retourner au centre.

— Pourquoi ?

— Je pense que tu as peut-être des choses à me dire.

— Vous allez me faire faire quelque chose ?

La question la prit de court.

– Non, Benjie. Personne ne veut te faire faire quelque chose.

– D'accord, dit-il.

Mais il était sur ses gardes.

– Benjie, quand ta mère te dit que tu es beau... Que les filles seront toutes amoureuses de toi quand tu seras grand, est-ce qu'elle dit ou fait autre chose ?

Il répliqua d'un ton vif :

– Non ! Rien !

Corinne Wallace comprit qu'elle n'avait devant elle qu'un petit garçon terrifié. Il tremblait comme une feuille.

– Benjie, il ne t'arrivera rien si tu me parles.

– Je n'ai rien à vous dire.

– Benjie, viens ici, essaya-t-elle.

Il la fixa, mais ne bougea pas d'un pouce.

Elle tendit le bras vers lui. Il eut un mouvement de recul. Sans se rendre compte qu'il réagissait exactement comme Wanda quand il lui avait touché l'épaule.

– Benjie, quand ta maman te dit que tu es beau... que les filles seront amoureuses de toi quand tu seras grand... est-ce qu'elle t'embrasse ?

– Non ! Non ! Elle n'a jamais fait ça ! Jamais !

– Que fait-elle ? Benjie ?

– Rien !

– Benjie ?

– Je ne peux pas...

– Pourquoi, tu ne peux pas ? Tu peux me le dire. Je ne le répéterai à personne.

Son visage tourmenté, ses yeux bleus révélaient qu'il était en train de soupeser sa promesse. Finalement, il secoua la tête.

– Que se passera-t-il si tu me le dis ? Que fera ta maman ? Elle te punira ?

Comme il ne répondait toujours pas, elle évoqua une des menaces classiques dont se servent les parents pour imposer le silence à leurs enfants.

– Est-ce qu'elle a dit qu'elle te tuerait si tu en parlais à quelqu'un ?

Il secoua la tête. Mais il paraissait plus agité qu'avant.

– Benjie, est-ce que ta maman t'a dit : « Si tu en parles à quelqu'un, tu ne me reverras jamais » ?

Cette fois, il ne nia pas. Elle lut dans ses yeux bleus que c'était bien cette menace qui était suspendue au-dessus de sa tête.

– Benjie, est-ce qu'elle t'a dit pourquoi tu ne la reverrais jamais ?

– Je ne veux pas qu'elle aille en prison, parvint-il à dire, d'une voix si basse et si douce que Corinne Wallace dut se concentrer pour entendre.

– Est-ce qu'elle a dit qu'elle pourrait aller en prison ?

– Non ! répliqua-t-il, avec une telle force qu'elle comprit qu'il était sur la défensive.

– Benjie, je crois que nous devrions aller au centre et continuer à bavarder là-bas.

12

Elle avait fermé la porte. A clé. En entendant le bruit du loquet, Benjie s'était retourné vivement et lui avait jeté un regard de défi.

– Je veux être sûre que personne ne nous interrompra, expliqua-t-elle. Ainsi, personne n'entendra ce que tu me diras. Sauf moi.

Benjie sembla peser le pour et le contre. Puis il hocha prudemment la tête.

– Benjie, tu te rappelles, la première fois, je t'ai expliqué qu'il y avait une caméra vidéo cachée dans le coin...

– Deux caméras, corrigea-t-il.

– Oui, deux caméras. Elles sont toujours là. Et elles resteront là tout le temps que nous parlerons.

Il secoua la tête, lentement, mais avec un air si résolu qu'elle comprit qu'il ne parlerait pas. Il lui fallait décider ce qui était le plus important. Obéir aux règles de sa profession ou tout faire pour découvrir ce qui avait tourmenté ce garçon pendant une grande partie de son enfance. Les règles n'ont jamais guéri un patient, se dit-elle. Contrairement à la recherche et au traitement. Eh bien, elle violerait les règles.

– Si tu préfères, Benjie, je peux les éteindre.

Pour être sûre d'être comprise, elle lui expliqua ce qu'elle faisait.

– Voici le tableau de contrôle. Je vais l'ouvrir pour que tu puisses voir les boutons. Approche, je veux que tu voies ça de tes propres yeux. « Caméra vidéo n° 1 ». Allumée. J'abaisse le bouton. Qu'est-ce que ça dit, maintenant ?

– Eteinte.

– « Caméra vidéo n° 2 ». Allumée. Et maintenant, éteinte. D'accord ?

– D'accord.

– Bien. Maintenant, si tu veux t'asseoir...

– Et ça ? fit-il.

Il lui montra le grand miroir sans tain qui permettait aux assistantes sociales et aux policiers, lorsqu'ils étaient impliqués dans une affaire, d'assister sans être vus aux entretiens qui se déroulaient dans la salle.

– Vous m'avez dit qu'il y avait quelqu'un derrière.

– Certains jours, seulement. Aujourd'hui, il n'y a personne.

Il eut l'air sceptique, tout d'abord, puis il se tourna pour lui faire face. Il se détendit.

– Si tu veux t'asseoir, Benjie, c'est parfait. Mais si tu préfères rester debout et marcher, c'est bien aussi. Ce sera comme tu voudras.

Vu sa réaction – il passa la pièce en revue pour évaluer les différentes possibilités –, il était évident qu'aucune des deux solutions ne le mettait tout à fait à l'aise. Corinne Wallace décida de montrer l'exemple. Elle s'assit sur sa chaise habituelle. Elle attendit. Benjie restait debout.

Brusquement, il se tourna vers elle.

– Je n'ai rien à dire !

– Tu me racontais qu'après la punition, ta maman et toi vous aviez l'habitude de vous réconcilier.

– Ouais. Et alors ?

– Qu'elle te disait que tu étais beau... et que les femmes seraient amoureuses de toi quand tu serais grand.

– Ouais, admit-il à contrecœur.

Le docteur Wallace remarqua l'absence d'éclat dans ses yeux bleus, pas même un sourire timide, aucune fierté apparente. Aucune de ces réactions normales chez un garçon à qui l'on fait ce genre de compliments.

– C'est tout, Benjie ?

– C'est tout, quoi ?

– C'est tout ce qu'elle dit ?

Il sembla soulagé par la question. Elle ne s'attendait pas à cette réaction. Cela l'incita à entrer dans les détails :

– Quand ta mère te dit que tu es beau et que les femmes seront amoureuses de toi plus tard... Elle ne dit rien d'autre ?

– Non, grogna-t-il.

– Elle ne te dit jamais *pourquoi* les femmes seront amoureuses de toi ?

Au lieu de répondre, il s'écarta brusquement d'elle.

– Vous allez me faire faire quelque chose ? demanda-t-il.

– Personne ne veut te faire faire quoi que ce soit, Benjie.

– Alors arrêtez de me poser toutes ces questions.

Il criait, maintenant.

– D'accord. Je poserai moins de questions. Tu peux parler de ce dont tu veux parler, rien d'autre.

– Je ne veux pas parler ! Je n'y suis pas obligé !

– C'est vrai, Benjie.

Elle voulait lui faire comprendre qu'elle pouvait attendre aussi longtemps qu'il faudrait.

Il se mit à arpenter la salle, en jetant de temps en temps un coup d'œil dans sa direction, pour voir si elle changeait de position ou d'attitude. Elle ne bougea pas. Il se remettait à marcher. Il s'arrêtait parfois et grattait le dessin du tapis avec le bout de sa basket. Tout à coup, il s'immobilisa et se tourna vers elle.

– C'est tout !

– Tout quoi, Benjie ?

– Elle disait ces choses, et c'est tout ! s'écria-t-il.

Son ton signifiait que pour lui, la question était close.

– Elle disait toujours les mêmes choses ?

– Les mêmes choses. Tout le temps ! répéta-t-il.

– Et tu la croyais, Benjie ?

– Ouais... Oui... Je la croyais, répondit-il, mais avec moins de conviction qu'un instant plus tôt.

– Pourquoi la croyais-tu ?

Il lui lança un regard effronté. Mais il ne répondit pas.

– Benjie, que se passait-il après ?

– Après ? répéta-t-il, feignant de ne pas comprendre.

– Une fois qu'elle t'avait dit toutes ces gentillesses ?

– Rien ! Il ne se passait rien !

Soudain, il se mit à gesticuler en tous sens, comme s'il luttait contre un démon invisible. Reflet du conflit qui le déchirait. Il percuta le mur, tomba, puis se releva. Il n'avait pas l'air de s'être fait mal. Mais le choc l'avait calmé. Il se remit à arpenter la pièce, plus lentement cette fois. Il répétait inlassablement les mêmes mots.

– Rien... Rien... Rien... Il ne se passait rien... Il ne se passait rien...

Puis il se tourna vers Corinne Wallace.

– Vous ne me croyez pas ! cria-t-il.

– Est-ce que je dois te croire, Benjie ?

– J'ai rien fait !

– Et *elle*, elle a fait quelque chose ?

Il lui tourna le dos. Elle répéta sa question.

– Ta maman... Elle a fait quelque chose ?

Il refusait toujours de répondre. Elle insista :

– Benjie... Quand elle te disait toutes ces gentillesses, elle te faisait quelque chose ? Benjie ?

Il baissa les yeux vers le tapis. Il se contenta de secouer la tête. Corinne Wallace attendit. Enfin, il reprit :

– Je ne peux pas vous le dire...

– Pourquoi ?

Il ne pouvait pas répondre à cela.

– Que se passera-t-il si tu me le dis ? Benjie ?

– Je ne la reverrai plus jamais, souffla-t-il.

A cette pensée, il se mit à trembler.

– La reverrai jamais...

– Qui t'a dit cela ?

Il secoua la tête. Le moment était délicat. Elle ne voulait pas prendre le risque qu'on l'accuse, plus tard, de lui avoir soufflé ses réponses. Ou de lui avoir extorqué un aveu ou une accusation grave qui pourrait influencer ce qu'elle apprendrait. Elle garda le silence. Jusqu'à ce que le silence soit insupportable pour Benjie. Soudain, il se tourna vers elle, l'air furieux, accusateur.

– Vous voulez qu'elle meure !

Cela la prit de court. Elle s'efforça tout de même de répondre le plus calmement possible :

– Est-ce que je t'ai jamais dit cela, Benjie ? Est-ce que tu as entendu quelqu'un le dire ?

– C'est elle qui l'a dit. Et c'est la vérité. Vous voulez qu'elle meure. Alors je serai tout seul. Tout seul ! Et vous pourrez m'obliger à vous dire des choses.

Que la mère fût capable d'empoisonner à ce point l'esprit de cet enfant pour l'empêcher de révéler un secret choquait Corinne Wallace. Puis elle se dit qu'elle avait dépassé le stade où ce qu'elle apprenait de ses patients ou de leurs parents pouvait encore la choquer. Avant qu'elle ait eu le temps de le consoler ou de le détromper, il se mit à hurler :

– Je ne vous laisserai pas la tuer ! Je vous tuerai d'abord !

Il se rua sur elle et se mit à la frapper de toute la force de ses petits poings.

Les premiers coups la touchèrent à la poitrine et la prirent par surprise. Elle se défendit, s'efforça de le maîtriser. Il était petit, mais tellement furieux qu'il faillit la renverser. Elle parvint enfin à saisir une de ses mains, puis la seconde. Elle les tint serrées, jusqu'à ce que sa rage et sa terreur se dissipent, lentement. Peu à peu, son corps se vida de sa haine. Il se ramollit. Elle le lâcha.

Il s'écroula sur le plancher, en larmes. C'était la première fois qu'elle le voyait pleurer. Elle se pencha sur lui. Il tenta de lui cacher son visage. Elle était presque aussi tourmentée que lui, même si c'était pour une tout autre raison.

Qu'il puisse décharger ainsi sa frustration et ses peurs était une avancée positive, une ouverture. Qu'il soit capable de pleurer en sa présence était un signe encourageant. Mais c'était loin de ce qu'elle avait souhaité.

C'était un moment important, peut-être crucial, de son traitement, mais ça restait insatisfaisant. L'énergie émotionnelle nécessaire pour provoquer cette catharsis avait claqué comme un coup de fouet. Mais sans trop savoir pourquoi, elle sentait qu'elle s'y était mal prise. Car l'information la plus importante, celle qui constituait la clé de ses maux, était encore inconnue. Enfouie dans l'esprit d'un garçon qui était convaincu que son aveu entraînerait la mort de sa mère. Pire, que cela le laisserait seul et sans défense dans un monde hostile.

Elle avait sous-estimé son état. Il était évident qu'il n'était pas prêt à faire un aveu pénible. Est-ce qu'elle avait été trop pressée de voir se confirmer son diagnostic ? Si impatiente de prouver qu'elle avait eu raison, qu'elle avait violé une de ses règles élémentaires : rester neutre jusqu'à ce que la vérité s'impose ?

Elle était perdue dans ses pensées, quand elle réalisa qu'il ne pleurait plus. Il se releva. Il frotta ses yeux du dos de sa main. Puis il essuya son nez avec la manche de son pull.

Il s'approcha d'elle, la tête baissée.

— Je me suis mal conduit, dit-il.

Elle attendit.

— Vous n'allez pas me punir ?

Non seulement il s'attendait à être puni, mais il le *souhaitait*.

— J'essaie de vous tuer... et vous ne me punissez pas, répéta-t-il.

Ce gamin qui insistait pour qu'on le punisse, ça l'intriguait. C'était un symptôme. Mais de quoi ?

— Est-ce je devrais te punir... ? Benjie ?

— Je me suis mal conduit. J'ai essayé de vous frapper.

— Benjie, est-ce que tu as déjà essayé de frapper ta maman ?

— Ouais.

— Souvent ?

— Ouais...

— Et elle t'a toujours puni ? demanda le docteur Wallace.

— Ouais.

— Comment ? Comment te punit-elle ?

— Elle m'oblige à tendre les mains en avant.

Il joignit le geste à la parole, paumes levées.

— Et puis, Benjie ?

— Elle les frappe. Elle les frappe très fort.

– Avec ses mains ?

– Elle a une baguette.

– Quel genre de baguette ?

– Sais pas... Juste une baguette. Plate.

– Ça fait mal ?

– Ouais...

– Cela dure longtemps ?

– Je ne cède pas tout de suite. Alors elle continue.

– Jusqu'à ce que tu pleures ?

Il acquiesça. Il n'avait pas l'air particulièrement boule-versé par ce qu'il racontait. Tout ça lui semblait assez normal.

– Et quand tu cesses de pleurer ?

De nouveau, il eut l'air un peu hésitant.

– Benjie... ?

– Si vous me battez, je vous montrerai, répondit-il.

– Je ne te battrai pas, Benjie. Je ne peux pas te battre.

– Il le faut, protesta-t-il. Ça fait partie du jeu.

– Ça fait partie de quel jeu, Benjie ?

– Si je ne pleure pas, vous ne pourrez pas me prendre sur vos genoux.

– Et si je te prends sur mes genoux... Alors ? Benjie ? Que se passe-t-il ?

– Vous embrassez mes larmes. Vous dites que vous regrettez d'avoir été obligée de me battre. Que ce n'est pas votre faute. C'est ma faute à moi. Parce que je fais toujours des bêtises. Je m'attire tout le temps des ennuis.

– Et si je dis cela, Benjie ?

– Alors vous devez me dire comme je suis intelligent. Et comme je suis beau.

Corinne Wallace avait compris le déroulement de ce qui ressemblait fort à un rituel. Elle le devança :

140

– Et que les filles seront amoureuses de toi quand tu seras grand.

– Oh non ! fit Benjie. Ça, ça vient plus tard.

– Plus tard ? Qu'est-ce qui vient d'abord ?

Il hésita, puis :

– Vous devez me prendre sur vos genoux.

– Et puis, que fais-tu ?

– Non... C'est *vous* qui le faites.

– Je fais quoi, Benjie ?

Il s'approcha d'elle jusqu'à ce qu'ils soient presque en contact. Il lui prit la main, l'approcha de la braguette de son jean. Il essaya d'attirer ses doigts vers la fermeture Eclair. Voyant qu'elle résistait, il insista :

– Vous devez le faire.

Comme elle ne réagissait pas, il baissa lui-même la fermeture Eclair.

– Et alors, Benjie, que se passe-t-il après ?

– Vous... euh... vous...

Il glissa la main sous son jean, en sortit son petit pénis d'enfant. Il était en érection.

Pour Corinne Wallace, c'était limpide. Tout ce qui avait précédé n'était rien d'autre, de la part de la mère, qu'une forme de prélude érotique pervers.

– Et après, Benjie, qu'est-ce que je fais ?

– Vous l'embrassez. Et vous dites qu'il est beau. Comme la... chose d'un adulte.

– C'est cela que je suis censée dire : les filles tomberont amoureuses de toi quand tu seras grand ? Parce que tu as une « chose » aussi grosse ?

– Ouais, répondit-il.

– Et après, Benjie, qu'est-ce que je fais ?

– Vous continuez à l'embrasser, à jouer avec, jusqu'au moment où ça arrive...

– Et après que *ça*, c'est arrivé, tu te sentiras mieux, Benjie ?

– Ouais.

– Et je me sentirai mieux, aussi ?

– *Elle*, elle se sent toujours mieux.

– Et qu'est-ce qui se passe après ?

– Elle me dit toujours que je ne dois en parler à personne. Que sinon, elle mourra.

– Que tu ne la reverras plus jamais ?

– Ouais.

– Est-ce que tu sais pourquoi elle dit cela ?

– Non. Sauf que c'est notre secret. Et personne d'autre ne doit le savoir.

– Elle dit souvent cela ?

– Chaque fois... Tous les jours... Quelquefois plus souvent...

Même pour un psychiatre aussi expérimenté qu'elle, l'ampleur et la fréquence de ces sévices étaient stupéfiantes.

Cette fois, l'érection de Benjie avait disparu.

– Benjie, boutonne ton jean. Je te ramène à ta chambre, à l'hôpital. Il est tard. Pas trop tard. Mais tard, tout de même.

Elle l'avait ramené dans le service de pédiatrie. Dans l'unité réservée aux enfants gravement perturbés. Elle lui fit administrer un léger sédatif. Elle le quitta devant sa porte.

– Benjie, tu vas bien dormir cette nuit. Et je te verrai demain.

142

– Vous ne me détestez pas parce que je vous ai frappée ? Vous viendrez me voir quand même ?

– Je te le promets !

Elle regagna son bureau. Elle devait consulter ses messages, en espérant qu'elle n'avait pas oublié une urgence. Elle se fâcha en voyant le filet de lumière sous la porte. Merde, se dit-elle, je passe mon temps à sermonner le personnel sur le gaspillage. Qu'il faut économiser l'électricité. Et je fais la même chose.

Mais dès qu'elle ouvrit la porte, elle vit Sim Freedman. Il était devant la fenêtre, les yeux fixés sur les ténèbres du dehors.

– Sim ! Que fais-tu ici à cette heure ?

– Je craignais que tu n'aies besoin de protection. Et il s'en est fallu de peu !

Elle était encore trop perturbée par l'horrible confession de Benjie pour réaliser ce que cela signifiait. Soudain, elle comprit.

– Comment le sais-tu ? Oh ! à moins que...

– Je me suis glissé dans la pièce voisine. J'ai tout vu, par la glace sans tain.

– Sim, c'est contraire à toutes les règles ! J'avais promis à mon patient que personne ne pouvait l'entendre ni le voir.

– Tu ne lui as pas menti, puisque tu ignorais ma présence.

– Je déteste jusqu'à l'idée que j'aurais pu mentir à un patient.

– Pardonne-moi. Mais quand il a commencé à te frapper... Je t'avais dit que ce gosse était violent.

– Maintenant, tu sais pourquoi, dit-elle.

– Oui, admit-il, l'air sinistre. Oui, c'est sûr. Pauvre gosse. Ça explique ce que j'ai découvert en l'examinant. Et maintenant ?

– Je ferai ce que je peux, Sim. Tout ce que je peux. Sans promesse ni garantie.

– En tout cas, je te promets quelque chose, Corrie : je ne dirai rien à personne.

13

Le lendemain matin, le docteur Corinne Wallace avait quelque chose à faire qui ne relevait pas de la routine.

Dans le cours normal de son travail, les différents cas lui parvenaient par l'intermédiaire des services sociaux. Une assistante sociale avait rencontré une situation familiale dans laquelle elle soupçonnait l'existence de sévices. Ce pouvait être spectaculaire, évident, lorsqu'un enfant montrait des cicatrices, des bleus, des brûlures ou d'autres signes visibles de violences physiques. D'autres fois, l'assistante sociale avait été frappée par une phrase significative dans la bouche d'un enfant, un regard triste et désespéré, un comportement révélateur de la présence d'une dépression. N'importe quel indice de violences mentales ou d'abus sexuels.

Elle transmettait le dossier au docteur Wallace. Celle-ci le confiait à son tour à l'une de ses deux assistantes ou décidait de s'en occuper personnellement. Si ses analyses psychiatriques ou les examens médicaux approfondis du docteur Freedman montraient que des violences avaient eu lieu – ou avaient encore lieu –, elle entamait le traitement approprié et informait les autorités judiciaires.

Le cas de Benjamin Jackson était différent. C'était la propre tante du garçon qui le lui avait amené, sous prétexte que personne, y compris sa mère, n'était capable de faire face à son tempérament violent. Les services sociaux n'étaient pas intervenus.

Maintenant qu'elle connaissait la vérité à propos de Benjie, Corinne Wallace était légalement tenue de transmettre ses conclusions par la voie officielle à la section Enfants maltraités du tribunal des affaires familiales et au bureau du procureur. Le dossier montrait en effet qu'elle était en présence d'un crime passible de poursuites. Elle devait le communiquer aux services sociaux, qui engageraient les actions nécessaires.

Quand cela serait fait et que le processus judiciaire serait lancé, il serait de son devoir de s'occuper non seulement de Benjie, mais de sa mère. Leur foyer ne serait jamais sûr pour l'enfant tant que la mère n'aurait pas été soignée.

La première démarche consistait à alerter les services sociaux. Corinne Wallace appela son interlocutrice privilégiée, Sarah Robinson.

C'était une jeune femme de vingt-cinq ans, qui possédait le bon sens et l'intuition de quelqu'un de beaucoup plus âgé. Elle avait découvert et développé ses compétences à ses dépens : elle-même avait été victime de sévices dans sa famille. Le jour où elle avait avoué ce qui s'était passé, elle avait tenté de se suicider. C'était un appel à l'aide désespéré : une manière de tendre la main, de supplier, d'exiger traitement et compréhension.

Sarah avait été une de ces patientes qui avait donné envie à Corinne Wallace de s'investir dans la protection de l'enfance. Elle n'oublierait jamais la vue de cette fillette en proie au désespoir, sur son lit d'hôpital, immobilisée par les entraves métalliques qui devaient l'empêcher de continuer à s'infliger des blessures. Ses poignets étaient serrés dans d'épais pansements teintés de rose par le sang qui suintait. Elle était prise de convulsions, provoquées moins par la douleur physique que par son esprit torturé. Elle luttait contre les démons qui avaient élu domicile à l'intérieur de son crâne, par suite des abus sexuels que lui faisait subir l'amant de sa mère.

Sarah n'avait pas envie de mourir, bien au contraire. Elle voulait vivre. Mais elle ne voulait pas de l'existence qu'on lui avait imposée jusqu'alors. Elle voulait qu'on la libère de son bourreau. C'était la raison de sa tentative de suicide.

Le docteur Wallace s'était occupée d'elle. Pour essayer de l'aider à connaître la vie à laquelle elle aspirait. Mais aussi pour montrer ce que pouvait accomplir le dévouement d'un médecin œuvrant avec une patiente courageuse.

Après des mois de traitement, des séances difficiles marquées par les larmes, l'autodénigrement, puis l'acceptation progressive que la faute n'était pas la sienne, mais celle de son persécuteur, Sarah Robinson était peu à peu revenue à la vie. Elle serait à jamais incapable de se libérer de son passé. Mais elle était suffisamment guérie pour finir ses études secondaires et entrer en premier cycle universitaire. Elle avait suivi deux ans d'études pour entrer dans l'administration des services sociaux. Et lorsque Corinne Wallace avait ouvert son Centre pour la protection de l'enfance, elle avait accepté un poste dans la même ville, pour travailler avec elle.

Telle était l'ambition de Sarah, sa vocation : faire pour les autres ce que le docteur Wallace avait fait pour elle. Ou bien son expérience personnelle l'avait dotée d'une intuition exceptionnelle pour reconnaître les enfants victimes de sévices (même lorsque ce n'était pas apparent), ou bien elle avait développé ce don toute seule. En tout cas, Sarah

Robinson était le membre le plus efficace et le plus respecté de l'équipe des services sociaux.

Ce jour-là, en réponse au coup de fil de Corinne Wallace, Sarah arriva au centre, aussi ponctuelle que d'habitude. Au moment où elle empruntait le couloir, la porte du bureau du docteur s'ouvrit. Un garçon d'une dizaine d'années la franchit. Il vint dans sa direction. Quand ils se croisèrent, Sarah remarqua que l'enfant était plutôt maussade pour son âge. Il jeta un regard furtif dans sa direction, puis ses yeux bleus se détournèrent.

La porte du bureau était restée ouverte. Sarah jeta un coup d'œil à l'intérieur. Corinne Wallace prenait des notes à propos de la séance qui venait de s'achever.

— Entrez, Sarah ! Vous êtes juste à l'heure.

Quand Sarah se fut assise en face d'elle, Corinne Wallace la regarda. Peu de spectacles la réjouissaient autant que ce visage radieux, ces yeux bruns étincelants et surtout l'assurance qu'affichait Sarah. Elle était à des années-lumière de la fillette dans ce lit d'hôpital, aux poignets serrés dans des bandages sanguinolents.

— Sarah, je pense que vous l'avez vu...

— Le garçon que j'ai croisé dans le couloir ?

— Benjamin Jackson. Mais ne vous avisez pas de l'appeler ainsi.

Elle lui fit un bref résumé de sa première rencontre avec Benjie, des événements mouvementés qui avaient suivi, y compris de leur séance de la veille au soir. Sarah l'écouta avec attention, enregistrant mentalement les détails.

— Puis-je étudier la cassette, Corrie ? demanda-t-elle quand elle eut fini.

— Il n'y a pas de cassette.

— Pas de vidéo ? fit Sarah, étonnée.

— Même pas de cassette audio, avoua Corinne Wallace. Il est très malin. Pour un enfant victime de sévices, il est remarquablement brillant. Il s'est souvenu des caméras et du micro depuis notre premier entretien. Si je ne les avais pas coupés, il n'aurait pas parlé.

— Pas très régulier ! Mais ce n'est pas la première fois que j'ai affaire à un cas de ce genre, la rassura Sarah. Avant de transmettre la plainte aux Enfants maltraités, je voudrais aller chez lui. Je tiens à voir ce garçon dans son environnement quotidien.

— Il n'y est pas. Je le garde à l'hôpital.

— Vu les circonstances, c'est une bonne idée. Je ferai une visite de routine à sa mère, pour pouvoir décrire dans mon rapport l'atmosphère de son foyer.

Sa serviette à la main, Sarah Robinson chercha l'adresse dans la rangée de vieilles maisons de Jefferson Street. Elles dataient de la Première Guerre mondiale, quatre-vingts ans plus tôt. On les avait construites à la hâte afin de loger les ouvriers venus des campagnes avoisinantes pour travailler dans les usines où l'on produisait des caissons et des citernes destinés aux armées alliées. Les années passant, le confort s'était un peu amélioré avec l'arrivée de l'électricité et du téléphone. Mais cela mis à part, elles n'étaient pas très différentes de ce qu'elles étaient à l'origine. Elles étaient seulement plus vieilles, plus défraîchies et en plus mauvais état. La plupart étaient occupées par des familles qui vivaient de l'aide sociale ou en dessous du seuil de pauvreté.

Sarah consulta ses notes. 742, Jefferson Street. Elle entra dans un couloir faiblement éclairé, étudia les noms sur la liste. Jackson, M. Elle sonna. Une, deux, trois fois. Enfin, lui parvint le bruit d'un Interphone. Elle poussa la porte.

Elle n'était même pas verrouillée, sans doute à cause de la vétusté. Elle monta les quatre volées de marches sombres. Une femme se tenait dans l'entrebâillement de la porte d'un appartement. Elle portait un kimono à fleurs aux couleurs passées, où l'on apercevait des taches de café.

– Madame Jackson ? Melissa Jackson ?

– Qui êtes-vous ?

– Sarah Robinson. Assistance sociale, fit Sarah en lui présentant sa carte de service.

– Je n'ai pas demandé l'aide de l'assistance sociale, répondit Melissa sans regarder la carte.

– J'aimerais entrer, madame Jackson, bavarder un peu et jeter un coup d'œil chez vous, si ça ne vous dérange pas.

– Bien sûr que ça me dérange, bon Dieu ! Vous en avez, du culot, de venir fouiner ici ! Je bénéficie peut-être de l'aide sociale, mais j'ai droit au respect de ma vie privée ! L'assistance sociale ! Pour qui vous prenez-vous, bon Dieu ! *Si ça me dérange !*

Elle s'apprêtait à claquer la porte, mais Sarah fut plus rapide. Les deux femmes se trouvèrent face à face.

– Que voulez-vous réellement ? demanda Melissa Jackson.

– Simplement entrer, vous parler et jeter un coup d'œil.

– Est-ce que ça a un rapport avec Benjie ?

– Oui. Oui, ça a un rapport.

– Quand revient-il ?

– C'est la raison de ma présence ici, madame Jackson. C'est pour cela que je dois visiter votre logement et rédiger un rapport.

– Si votre rapport est bon, ils le laisseront revenir ici ?

– C'est un des éléments, répondit Sarah.

– Eh bien, dans ce cas... Mais je vous préviens, il est tôt,

150

et j'ai pas eu le temps de faire le ménage... Surtout dans la cuisine. J'étais en train de prendre mon petit déjeuner.

– Je comprends, dit Sarah. Je n'oublierai pas de le mentionner dans mon rapport. Que je suis venue tôt le matin.

– Bon, entrez alors.

Melissa Jackson s'écarta pour la laisser entrer. Sarah aperçut la cuisine, à gauche, au bout du long couloir. Un coup d'œil lui apprit que l'évier était plein de vaisselle sale datant de plusieurs jours. Il y régnait une odeur lourde, mélange de vieille cuisine et du parfum bon marché de la maîtresse des lieux.

Celle-ci la précéda. Elles dépassèrent une chambre, puis une autre, avant d'arriver à la pièce du fond, beaucoup plus claire que les autres grâce aux deux fenêtres donnant sur la rue. Depuis la construction de l'immeuble, on l'avait appelée successivement « pièce de devant » et « petit salon ». A présent, c'était le salon, tout simplement. Il y avait trois grands meubles, un siège de salle d'attente, un fauteuil et un canapé dont le tissu était tellement déchiré qu'on le voyait pendouiller en dessous.

Melissa lui désigna le fauteuil, qui était le moins abîmé des trois sièges. Sarah s'y enfonça. Elle posa sa serviette. Elle n'avait pas besoin de prendre des notes. Elle avait vu trop d'endroits semblables à celui-ci pour que ce soit nécessaire. Elle posa les questions de routine. Age, profession, état civil...

– J'ai été mariée, expliqua Melissa. Mais Bert s'est tout de suite barré. Ce que je veux dire, c'est qu'avant qu'on se marie, ce type savait parfaitement que j'avais un gosse. Et après, il passait son temps à râler, le môme par-ci, le môme par-là. Comme si Benjie était une malédiction ou je ne sais quoi. Si ce docteur... comment elle s'appelle... ?

– Le docteur Wallace, fit Sarah.

– Ouais, le docteur Wallace. Si elle m'avait écoutée, j'aurais pu lui dire ce qui n'allait pas. Ce gosse se sent responsable du départ de Bert. C'est juste après ça qu'il a commencé à faire des siennes. Jusque-là c'était le garçon le plus gentil et le plus doux du monde. Pouvez demander à n'importe qui. Demandez aux voisins. Ouais, c'est quand Bert est parti qu'il a commencé à faire des conneries.

– Ce sont des choses qui arrivent, dit Sarah pour l'inciter à continuer.

– Vous ne pouvez pas imaginer comme ça me fait mal de savoir que mon garçon est dans cet hôpital, comme s'il était en prison. Alors qu'il devrait être à la maison avec sa mère. Je l'adore, ce garçon. Le mettre au monde, c'est ce que j'ai fait de mieux dans ma vie. Peu importe ce qu'en disent les gens.

Du fond du canapé délabré, Melissa se pencha en avant, comme pour faire une confidence.

– Ouais, y a des gens qui disaient – ma propre mère aussi – il faut t'en débarrasser, fais-toi avorter. Non, pas moi. Je le voulais, cet enfant. J'ai souffert les mille morts de l'accouchement pour l'avoir. De toute ma vie, c'est la seule chose dont je suis fière.

Sarah hocha la tête, compatissante.

– Je ne sais pas si vous avez des enfants, madame... madame...

– Robinson. Sarah Robinson.

– Madame Robinson, je ne sais pas si vous avez des enfants ou si vous êtes mariée...

Elle s'efforçait d'établir entre elles une complicité. Mais Sarah ne répondait pas.

– Il faut être une mère pour savoir ce que je ressens pour ce garçon.

– Je peux l'imaginer, dit Sarah.

– Imaginer, ce n'est pas la même chose que savoir, la corrigea Melissa. Il est toute ma vie.

– Vous avez un emploi, madame Jackson ?

– Un emploi ? Vous croyez que j'ai le temps de travailler ? Il faut que je m'occupe de mon fils. Etre sûre qu'il part pour l'école le matin. Qu'il a un bon repas chaud quand il rentre le soir. Veiller à ce qu'il étudie bien, à ce qu'il fasse ses devoirs. Je n'ai pas le temps. Alors on doit se débrouiller avec l'aide sociale. Mais quand Benjie sera plus grand, qu'il sera indépendant, au collège, peut-être, je pourrai chercher du travail. Sauf bien entendu qu'avec cette nouvelle loi, ils m'obligent à travailler plus tôt. Je ne veux pas imaginer l'effet que ça fera à Benjie. Nous sommes si proches... Ce garçon dépend de moi. Ce qu'il fera sans moi...

Elle secoua la tête tristement en pensant à cette situation critique imaginaire.

– Est-ce que quelqu'un d'autre vit ici, madame Jackson ?

– C'est une manière hypocrite de demander ce que vous voulez savoir, riposta Melissa. Vous voulez savoir s'il y a un homme dans cette maison. Eh bien, demandez-le franchement ! Non, aucun homme ne vit dans cette maison ! Rien que Benjie et moi. Nous nous avons, l'un l'autre, et ça nous suffit amplement.

– D'après ce que vous avez dit au docteur Wallace...

– Oh ! elle vous l'a répété, hein ? Elle vous a dit qu'il y avait un autre homme. D'autres hommes... Ce n'était... Ce n'était que des hommes, rien de plus. Ça ne voulait rien dire, pour moi.

Elle voulait changer de sujet, mais elle ne put s'empêcher d'ajouter :

– Je crois que je n'ai pas le chic pour les retenir. Au début, ils m'aiment bien... Ils m'aiment. Il se passe quelque chose. Et puis je reste seule avec Benjie. Nous nous avons, l'un l'autre.

Sarah hocha la tête, puis posa plusieurs questions de pure routine. Mais pour l'essentiel, elle en savait assez.

Quand elle regagna son bureau après une journée passée sur le terrain, elle dactylographia son rapport sur les visites qu'elle avait rendues ce jour-là. Elle plaça le rapport sur Melissa Jackson sur le dessus de la pile. Il devait être transmis à la section Enfants maltraités de l'assistance sociale pour que les efforts de ses services se conjuguent à ceux de ses homologues au bureau du procureur.

Cet après-midi-là, Benjie Jackson était venu de l'hôpital pour sa séance quotidienne avec le docteur Wallace. Elle l'avait laissé parler librement, en espérant qu'il reviendrait spontanément sur ce qu'il lui avait dit dans la salle de réunion. Mais au bout d'un moment, il devint évident qu'il avait effacé cela de son esprit ou qu'il avait décidé de ne pas en parler parce que c'était trop douloureux. Elle décida de mener la séance de façon plus directive.

– Tu as bien dormi, cette nuit ?

– Oui, assez bien... Pas mal.

– Tu as fait des rêves ?

– Des rêves ?

Il réfléchit un instant.

– Non, pas de rêves.

– Parfois, après nos conversations, il se peut que tu fasses des rêves. Il est très important que tu t'en souviennes.

Il hocha la tête d'un air grave, pour montrer qu'il essayait. Puis il reprit :

– Hier...

Il s'interrompit et redevint silencieux. Elle tenta de l'amadouer :

– Que voulais-tu dire à propos d'hier ? Benjie ?

– Hier... Quand j'ai... Quand j'ai pleuré...

Il refusait de l'admettre, car il pensait qu'il était trop grand pour pleurer.

– ... Ce matin, quand je me suis réveillé... Je pleurais encore.

Un aveu très pénible.

– Benjie... Pourquoi pleurais-tu ?

– Sais pas...

– Réfléchis un peu. Ça va peut-être te revenir.

Il gardait le silence, le regard oblique. Son front se couvrit de profondes rides sous l'effet de la concentration. Finalement, il secoua la tête.

– Est-ce parce que ta maman te manque ?

Il hésita, puis hocha la tête.

– Je n'aime pas dormir seul.

Une nouvelle pièce, intéressante et instructive, à ajouter au puzzle nommé Benjie Jackson.

14

– A quoi penses-tu, Benjie ? demanda le docteur Wallace.

Vers le milieu de la séance, il était devenu silencieux. Il avait cet air maussade qu'elle lui connaissait si bien.

– Je ne pense à rien, affirma-t-il avec une mauvaise humeur qu'elle associa à son sentiment de culpabilité.

– On pense toujours à quelque chose. Ce sont parfois de bonnes pensées, parfois de mauvaises. Des pensées inquiétantes. Quelle sorte de pensées as-tu en ce moment ?

Il jouait avec ses doigts. Il semblait incapable de faire s'accorder ses deux mains. Il finit par renoncer et se tortilla sur sa chaise pour éviter son regard.

– Benjie ?

– Ce n'est pas ma faute si je fais des bêtises, dit-il soudain. Je... Je ne peux pas m'en empêcher. Comme l'autre jour, à l'école. Cette Wendy... Une vraie garce ! Même si j'ai fait des choses pas bien, elle l'avait cherché.

C'était un épisode de son comportement agressif que Corinne Wallace ne connaissait pas encore.

– Qu'est-ce que tu as fait ?

– Rien...

– Mais tu as dit qu'elle l'avait bien cherché. Cherché quoi ? Benjie ?

– Rien !

– Qu'est-ce qu'elle avait cherché ?

– J'ai juste... bon, j'ai tout jeté, voilà.

– Qu'est-ce que tu as jeté ?

– Elle l'avait cherché ! répéta-t-il.

– Quoi ? Benjie !

– D'accord, d'accord ! J'ai jeté ses notes.

– Pourquoi ?

– Je vous l'ai dit, elle l'avait cherché. Je dois le répéter combien de fois ?

– Pourquoi ses notes ?

– Elle est toujours en train de me charrier... Elle se croit maligne. Ses devoirs sont toujours bien faits et imprimés, impeccables, parce qu'elle a un ordinateur. Alors je me suis dit, je vais lui faire voir, pour de bon. A la cafétéria, juste avant le cours où on devait rendre nos devoirs, je fais semblant de trébucher. Pour ne pas tomber, je me rattrape à sa table et je renverse mon gobelet de milk-shake au chocolat. Il y en a partout sur ses notes. Alors...

La joie et la fierté faisaient briller ses yeux bleus, au souvenir de ce qu'il considérait comme son apothéose :

– Alors je lui dis : « Merde, j'ai pas fait exprès. Laisse, je vais t'aider. » Je lui prends son classeur. J'en sors les feuilles toutes trempées. Et je les jette une par une dans la poubelle. Quand j'ai fini, quand je n'ai plus de feuilles, juste le classeur, je le lui rends en lui disant : « Excuse-moi. Je suis vraiment désolé. » Tout le monde rigolait à la cafétéria.

– Et elle l'avait cherché... C'est ce que tu as dit, non ?

– Ouais, c'est sûr !

– Qu'est-ce qu'elle avait fait pour mériter ça ?

– Pour mériter quoi ?

– Pour que tu dises « elle l'avait cherché » ?

Tout d'abord, il refusa de répondre. Puis :

– Elle n'avait rien fait, admit-il.

– Si tu dis qu'elle l'avait cherché, c'est qu'elle avait fait quelque chose, insista Corinne Wallace.

– Il y a des gens qui n'ont pas besoin de faire quelque chose pour ça, dit-il d'un ton évasif.

– Si ce n'est pas quelque chose qu'elle a fait, c'est quelque chose qu'elle a dit ?

– Je n'ai pas dit ça ! protesta-t-il, un peu trop énergiquement.

Le docteur Wallace décida de ne pas le contredire. Elle se contenta d'attendre. Elle connaissait assez son patient pour savoir que le silence était le meilleur aiguillon. Il se tortillait sur sa chaise, mal à l'aise. Il tourna la tête pour échapper à son regard implacable. Le mouvement lui fit poser les yeux sur une photographie encadrée qui se trouvait sur le bureau et dont il ne voyait que le dos. Il feignit de s'y intéresser. Il se laissa tomber de sa chaise, s'approcha du bureau, assez près pour regarder la photographie. Elle représentait un petit garçon.

– Qui c'est ? demanda-t-il.

Corinne Wallace l'observa. Elle se dit que c'était une pure diversion, un moyen d'éluder la question sur ce que Wendy avait fait pour provoquer sa colère et sa vengeance.

– Qui c'est ? répéta-t-il.

– Un petit garçon.

– Merde ! Je le vois bien, que c'est un garçon ! Quel garçon ? Le garçon de qui ?

– Mon garçon. Mon fils.

– Ah ouais ? répondit-il, impressionné. Hé ! Je ne savais pas que vous aviez un gosse... un fils.

– Eh bien oui, tu vois.

— Il n'a pas l'air beaucoup plus grand que moi. Ou bien c'est une vieille photographie ? Elle date de plusieurs années ?

— Oui, Benjie. Elle date de plusieurs années.

— C'est un homme, maintenant... Un adulte ?

— Non, Benjie. Il est mort.

— Qui l'a tué ?

Elle fut frappée par le fait qu'il avait pensé que Douglas était mort d'un acte de violence perpétré par quelqu'un. La menace qui pesait sur lui s'il divulguait le secret de sa mère.

— Non, Benjie, personne ne l'a tué. Il est mort dans un accident d'avion.

— Un accident d'avion ? Ouah ! Pardon, je veux dire...

Après un silence qui lui permit de trouver ses mots, il reprit :

— Vous l'aimiez beaucoup ?

— Oh oui ! Benjie. Beaucoup.

— Maman m'aime beaucoup, elle aussi, se rengorgea-t-il. Elle le répète tout le temps. Même quand je fais des bêtises. C'est sûr, elle crie après moi. Elle devient folle, je veux dire vraiment folle. Dingue. Mais on finit toujours par se rabibocher. Et elle me dit toujours : « Je t'aime, Benjie, mon chéri. Quand tu seras grand, que tu seras un vrai homme, des tas de femmes te diront qu'elles t'aiment. Mais personne ne t'aimera jamais autant que moi. » Voilà ce qu'elle me dit.

Puis, comme pour exorciser ses propres doutes :

— C'est vrai, oui, elle m'aime.

— Benjie..., fit Corinne Wallace pour le ramener au sujet qui l'intéressait. Cette Wendy... Qu'est-ce qu'elle avait fait pour que tu te fâches au point de détruire ses notes ?

Pas de réponse.

— Tu étais jaloux d'elle ?

— Pourquoi aurais-je été jaloux ? C'est une fille. On a déjà parlé de cette histoire de jalousie. Je vous l'ai dit, je ne suis pas jaloux ! Je ne suis pas jaloux de cette fille. Je ne suis jaloux de personne !

Après cette violente dénégation, il posa tout de même la question :

— Pourquoi serais-je jaloux de Wendy ?

— Peut-être parce qu'elle a un ordinateur.

— Je n'ai pas besoin d'ordinateur. Je n'en veux pas, d'ailleurs ! Alors ça ne peut pas être ça !

— C'est quoi, alors ? Benjie ! Qu'est-ce qu'elle t'a dit ?

— Rien ! Rien ! Rien du tout ! Elle n'a rien dit du tout ! Vous êtes contente ?

— D'accord, Benjie.

Il contempla la photographie de Douglas.

— Il était bien, votre fils ?

— Oh oui ! très bien.

— Est-ce qu'il avait des problèmes... comme moi ?

— Tous les enfants ont des problèmes, un jour ou l'autre.

— Alors, vous deviez lui crier dessus ?

— Je le corrigeais et je le grondais, admit-elle.

— Et après, quand vous le preniez sur vos genoux, vous lui disiez que vous l'aimiez ?

Elle réalisa qu'il croyait que toutes les mères et tous les fils se comportaient comme sa mère et lui.

— A l'époque, il savait qu'il était trop grand pour venir sur mes genoux.

— Comment vous faisiez pour lui pardonner, alors ?

— Nous parlions. Puis je le prenais dans mes bras et je l'embrassais.

— C'est tout ?

– Oui, Benjie, c'est tout.

Il semblait dubitatif.

– C'est tout ? répéta-t-il.

– C'est tout, fit-elle. Bien, Benjie, maintenant nous avons assez parlé de Douglas.

– Il s'appelait Douglas ?

– Oui.

– Il y avait un garçon, dans notre classe, un Douglas. Il a déménagé. Quelque part en Californie. Santa... quelque chose. Un chouette gars, aussi.

– Assez parlé de Douglas, Benjie. Parlons plutôt de Wendy. Qu'avait-elle dit pour que tu te mettes dans un état pareil ?

Benjie était furieux, car tous les prétextes auxquels il avait eu recours pour éluder la question avaient échoué. Sentant qu'il était pris au piège, il explosa :

– Elle a dit... Devant tout le réfectoire... Elle a dit... Elle m'a traité... de fils à sa mère !

Corinne Wallace savait à quel point cela avait dû le blesser. Mais surtout, il avait dû ressentir cela comme une menace. Son secret, *leur* secret pouvait être révélé. Avec toutes les conséquences terribles contre lesquelles sa mère l'avait mis en garde.

– Pourquoi Wendy a-t-elle dit cela ?

– Sais pas, éluda-t-il.

– Comme ça ? Comme si ça tombait du ciel ? Parce qu'elle n'avait rien d'autre à dire ?

– Peut-être, répondit-il.

– Ça ne venait pas de quelque chose que tu avais dit ? Ou de quelque chose que tu avais fait ?

– Je n'avais rien *fait* ! Et je n'avais rien *dit* ! Voilà ! fit-il.

161

Sa détermination signifiait clairement que le problème était clos.

Elle savait qu'il était assez perturbé pour que ça sorte tôt ou tard à gros bouillons, peut-être d'un seul coup. Peut-être que ça aurait l'air décousu, tout d'abord. Il était trop tendu pour se taire très longtemps.

— Votre garçon... Votre fils...

— Douglas.

— Ouais, Douglas... Il vous disait qu'il vous aimait ?

— Oh oui ! Souvent.

— Est-ce que quelqu'un l'a traité de fils à sa mère ?

— Non, répondit-elle.

— Alors pourquoi elle m'a dit ça, à moi ?

— Si tu n'as rien dit ni rien fait... Pourquoi, Benjie ?

— Sais pas, fit-il vivement.

Puis, comme si la mémoire lui revenait tout à coup :

— Il y avait eu... Cette fois-là... On était en classe, et la maîtresse voulait qu'on parle de quelque chose... Des styles de vie. De ce que font les gens. De ce qu'ils aiment faire. Elle nous désigne l'un après l'autre, et on doit dire ce qu'on aime le plus. Tous, ils répondent qu'ils aiment aller au centre commercial ou au cinéma. Ou jouer au basket ou au handball. Il y a une fille qui parle de foot. Pour d'autres, c'est Internet. Des choses comme ça. Quand c'est mon tour, je ne sais pas quoi dire. Parce qu'on n'a rien de tout ça. Maman dit toujours qu'on n'a pas d'argent pour ça. Mais la maîtresse me montre du doigt, et je dois répondre quelque chose.

Il y eut un long silence, que Corinne Wallace décida de briser.

— Tu devais répondre quelque chose, Benjie ?

— J'ai dit... J'ai dit : « Ma mère est malade. Je dois

m'occuper d'elle. Alors je n'ai pas le temps pour ces trucs de gosses comme le cinéma ou le centre commercial, le basket, le football... » C'est là que cette garce, cette grande gueule de Wendy a mis son grain de sel : « Ta mère n'est pas malade ! – Comment tu le sais ? – L'autre jour, quand elle est venue à l'école pour empêcher qu'on te renvoie, je l'ai vue... Elle n'avait pas du tout l'air malade. Tu ne fais pas tout ce que font les autres garçons parce que tu as peur. Espèce de fils à sa mère ! »

– Et c'est pour ça que tu as détruit ses devoirs ?

– Elle n'avait pas le droit..., se défendit Benjie.

– Non, Benjie, elle n'avait pas le droit. Mais qu'est-ce qui te gênait tant, dans ce qu'elle a dit, pour que tu te fâches au point de ruiner tout son travail ?

– Sais pas. Je me sentais simplement...

– Tu te sentais comment ? Benjie ?

– Comme si je devenais fou.

– Pourquoi ?

– Parce que ce n'était pas vrai. Je ne suis pas un fils à sa mère !

Il poursuivit plus doucement, comme s'il faisait une concession :

– Je suis le petit homme de maman. Ce n'est pas pareil. Pas du tout la même chose. Ma mère dit que je suis presque aussi grand qu'un homme. Plus tard, je serai encore plus grand. Plus grand que n'importe quel type de cette foutue classe. Mon... Mon zizi... J'aurai le zizi le plus gros du monde !

– Mais tu ne pouvais pas leur dire ça, n'est-ce pas, Benjie ?

Il secoua la tête.

163

– Alors tu t'es rattrapé en détruisant les devoirs de Wendy. Parce que tu avais peur ?

– Je n'avais pas peur !

– Que serait-il arrivé si tu leur avais dit cela à voix haute ? Si tu leur avais répété ce que ta mère disait de ton zizi ?

Il refusa de répondre.

– Alors ton secret... Le secret de ta maman... aurait été connu. Tout le monde aurait été au courant. C'est cela, Benjie ?

Il continuait à garder le silence.

– Et ça aurait été ta faute. C'est toi qui l'aurais dit. Trahi ce que ta maman voulait que tu gardes caché. Ce pourquoi elle te répétait, chaque fois, « ne le dis à personne ».

Il commença à montrer les signes de la nervosité qu'il avait manifestée le jour où il s'était jeté contre le mur, mû par la colère et la frustration. Mais il fallait percer l'abcès, afin qu'il se comprenne, et qu'il comprenne ce qui lui était arrivé.

Il était de plus en plus agité, mais ne disait toujours pas un mot. Alors elle reprit :

– Elle t'avait dit que si tu en parlais à quelqu'un, elle mourrait, c'est ça ? Elle t'a dit ça ?

Il refusait toujours de répondre.

– Alors, quand Wendy a parlé... Quand elle t'a pris en flagrant délit de mensonge à propos de ta maman... et qu'elle t'a traité de fils à sa mère, qu'as-tu pensé ? Benjie, qu'est-ce que tu t'es dit ?

Il se mit à arpenter la pièce, toujours en évitant son regard.

– Est-ce que tu t'es demandé : « Qu'est-ce que j'ai fait,

qu'est-ce que j'ai dit qui a trahi son secret ? » Est-ce que tu t'es senti coupable ?

— Je ne me suis rien demandé ! fit le garçon, en colère. Je n'ai rien senti du tout !

— Alors comment Wendy le savait-elle ?

— Elle ne savait pas !

— Si elle ne savait pas, pourquoi avais-tu peur ?

— Je n'avais pas peur !

— Tu étais simplement en colère ?

— Ouais, c'est ça. Juste en colère.

Benjie essayait d'éviter la situation qu'il ne pouvait se résoudre à affronter.

— Benjie, si je disais ou si je faisais quelque chose qui me fasse penser que je dévoile le secret de *ma* mère, je me sentirais coupable. C'est une réaction parfaitement normale.

— Je ne me suis pas senti coupable !

— Tu avais peur, alors ?

— Non ! Rien ! Je vous l'ai dit cent fois, rien ! Je ne sentais rien !

— Benjie, si le secret était trahi... Et si ta maman était vraiment morte... Est-ce que tu la reverrais ?

Il ne répondit pas. Mais ce n'était pas nécessaire. Ils connaissaient tous les deux la réponse.

— Alors que ferais-tu ? Où irais-tu ? Qui s'occuperait de toi ? Qui d'autre as-tu ? Qui aurais-tu dans ce cas-là ? Tu serais tout seul au monde. Si cela devait m'arriver, j'aurais peur. Je serais terrifiée. C'est à cela que tu pensais quand Wendy te traitait de fils à sa mère ? Benjie, regarde-moi...

Mais il refusait de lui faire face.

— Benjie !

Il évitait son regard, tant qu'il ne pouvait se résoudre à

admettre toutes ces pensées. Tous ces sentiments. Ces peurs. Mais surtout, il ne pouvait accepter le sentiment de culpabilité. La prise de conscience, terrible, qu'un geste de sa part ou un mot pouvait susciter tout cela.

Comme c'était son habitude depuis que sa rébellion était manifeste, il devait exploser dans un acte destructeur pour se libérer de sa rage.

Le docteur Wallace était devenue son accusateur, même si elle ne l'avait jamais accusé. Son bourreau, même si elle essayait d'alléger ses souffrances en l'obligeant à affronter la vérité. Trop jeune pour comprendre la portée de son geste, trop déchiré par son conflit intérieur, trop terrifié pour faire autre chose que réagir violemment, il s'attaqua à la seule chose dont il savait qu'elle lui était précieuse.

Il s'empara de la photographie encadrée de Douglas. En la tenant à deux mains, il la cogna sur l'angle du bureau. Le verre vola en morceaux. Le cadre se brisa en deux. La photographie, pliée mais pas déchirée, tomba par terre en voletant.

Corinne Wallace était choquée et furieuse. Mais elle devait continuer à se comporter en médecin.

— Benjie, s'il te plaît, dit-elle d'une voix très douce, ramasse la photo de mon fils.

Libéré de sa tension, mais rongé par le remords à cause de ce qu'il venait de faire, il se baissa pour la ramasser. Avant de la lui présenter, il la posa à plat sur le bureau. Il la défroissa avec ses paumes, dans un effort inutile pour lui rendre son aspect initial.

— Merci, Benjie, fit-elle en prenant la photographie.

Il lui fallut un moment pour se résoudre à s'excuser.

— Je suis désolé...

En guise de contrition, il avoua :

– Ouais, c'est vrai. J'avais peur. Si Wendy avait su... Si n'importe qui avait su... Ma maman serait morte.

– Et ? demanda Corinne Wallace pour qu'il aille jusqu'au bout de sa pensée.

– Ça... Ça aurait été ma faute. J'aurais trahi notre secret.

C'était assez. Il n'en dirait pas plus aujourd'hui. Il y avait demain, il y aurait encore beaucoup de lendemains avant qu'il commence à faire de véritables progrès. Corinne Wallace était consciente de la gravité de son problème.

– Nous nous reverrons demain, Benjie.

Libéré, il se dirigea vers la porte. S'immobilisant, il se tourna vers elle.

– Je suis désolé. Je ne voulais pas... Je veux dire, c'est comme si quelque chose m'avait emporté... C'est comme... Comme une chose que j'ai vue un jour à la télévision... Un homme, il avait tué sa femme, et son avocat disait qu'il n'était pas coupable parce qu'il ne pouvait pas se contrôler... C'était comme ça...

– Je comprends, Benjie, le rassura-t-elle.

Il sortit et ferma doucement la porte derrière lui.

Elle resta dans son bureau, tenant en tremblant la photographie de son fils, toute pliée et froissée. Elle ne pouvait s'empêcher de penser au pauvre petit Douglas. Mort bien longtemps avant son heure. Et si seul quand c'était arrivé. Elle pensa aussi au pauvre Benjie. Avec toutes ses idées fausses sur la vie, sur la famille, sur ce que doit être une mère. Et son seul guide, son seul repère dans l'existence, c'était l'image que la télévision lui donnait de la loi.

Pauvre Benjie.

15

Melissa Jackson était assise dans la salle d'attente du bâtiment principal de l'hôpital public du comté. Sans s'en rendre compte, elle tapait du pied pour se libérer de la tension qui s'accumulait depuis l'instant où son fils avait été hospitalisé en pédiatrie, il y avait des jours de cela. Cette jeune Noire... Comment s'appelait-elle ? Henderson, non, Robinson... qui était venue fouiner chez elle. Pour poser toutes ces questions. Ça n'avait servi qu'à redoubler ses angoisses et ses peurs. Elle avait téléphoné pour se renseigner sur les heures de visite. Sans demander l'autorisation, elle était arrivée une heure avant l'ouverture de deux heures. On l'avait fait attendre. On la faisait attendre délibérément, se disait-elle de plus en plus anxieuse, pour l'empêcher de voir son fils.

A plusieurs reprises, elle s'était adressée à la jeune femme qui se trouvait à la réception. Chaque fois, celle-ci lui avait répondu que c'était trop tôt. Quand elle vit un homme et une femme entrer dans le service avant l'heure dite, elle se leva pour protester. Cette fois, l'hôtesse lui répondit qu'elle les avait laissés entrer parce que leur enfant se trouvait aux soins intensifs. Son fils, Benjamin, n'étant pas sur la liste, elle devait attendre. A deux heures, l'hôtesse la laissa enfin entrer, en compagnie d'autres parents, après lui avoir annoncé que Benjie se trouvait dans une aile spécialisée au troisième étage. Elle ne jugea pas utile de préciser qu'il s'agissait de l'aile réservée aux patients du Centre pour la protection de l'enfance.

Dans le groupe de visiteurs, Melissa Jackson s'était avancée pour être la plus proche de l'ascenseur, et elle eut du mal à maîtriser son impatience en attendant qu'il arrive. Quand la porte s'ouvrit enfin, elle se rua en avant... et entra en collision avec l'infirmière et les deux médecins qui sortaient de l'ascenseur. Elle y entra la première, mais s'arrangea pour rester près de la porte, obligeant les autres visiteurs à la frôler pour passer derrière elle.

Elle appuya plusieurs fois sur le bouton du troisième étage. Au moment où la porte se fermait, une femme, une parente, qui arrivait juste, l'arrêta. Elle s'ouvrit en grand, puis se referma.

– Vous pourriez arriver à l'heure comme tout le monde ! protesta Melissa. Il y a vraiment des mères qui ne s'en font pas !

L'ascenseur s'arrêta au deuxième étage, ce qui accrut encore son mécontentement. Au troisième, elle sortit en trombe... et réalisa qu'elle ignorait où elle devait aller. Elle interrogea une infirmière. Une fois renseignée, elle emprunta le couloir à gauche, presque en courant. Elle arriva à la chambre qu'on avait attribuée à son fils : elle était vide. Elle partit à sa recherche tout au long du couloir, folle d'inquiétude. Elle tomba sur des chambres vides. D'autres étaient fermées à clé. Elle interrompit même une des assistantes de Corinne Wallace au milieu d'un entretien difficile avec un jeune patient.

Elle arriva finalement à la porte de la salle de jeu. Elle leva la tête pour regarder par le petit judas triangulaire. Benjie se trouvait devant un chevalet, sur lequel il avait dessiné une silhouette en de longues et larges traînées noires. Elle ne put identifier cette forme. Mais ce devait être important. Parce que la responsable était en grande conversation avec lui et lui montrait certains détails de son dessin. Tout cela contribua à accroître l'angoisse de Melissa, au point qu'elle fut incapable de la supporter plus longtemps. Elle fit irruption dans la pièce.

– Benjie ! s'écria-t-elle.

Son fils s'écarta du chevalet et de la femme à qui il parlait. Il recula presque jusqu'au mur, comme s'il cherchait un endroit où se cacher.

– Tu ne viens même pas dire bonjour à ta mère ? fit Melissa sur un ton de reproche.

Lentement, il s'approcha d'elle. Elle se pencha légèrement vers lui, de sorte qu'en se soulevant sur la pointe des pieds il put l'embrasser sur la joue. Ayant observé ce petit rituel, elle reprit, un peu plus gentiment :

– Allons quelque part où nous pourrons parler.

Il lui prit la main et la mena hors de la salle de jeu. Un panneau accroché au mur indiquait la direction du salon « visiteurs », au bout du couloir.

– Non, fit Melissa. Allons dans un endroit tranquille, mon chéri.

Il la conduisit à sa chambre. Ils y entrèrent, et elle ferma la porte.

– D'après le règlement, dit Benjie, elle doit rester ouverte. Sauf la nuit ou quand le docteur est là.

Melissa Jackson la ferma tout de même.

– Je vais avoir des ennuis, protesta-t-il.

– Ils disent ça simplement pour te faire peur, Benjie.

Elle enfonça le bouton de verrouillage au centre de la

poignée. Benjie attendait, appuyé contre son lit, c'est-à-dire le plus loin possible de la porte et de sa mère.

Elle se tourna vers lui et l'examina. Elle secoua tristement la tête.

– Benjie... Benjie... se lamenta-t-elle. Mais qu'est-ce qu'ils t'ont fait ?

Elle feignait la compassion, mais Benjie savait qu'elle n'était pas contente. Rongé par la culpabilité d'avoir divulgué leur secret au docteur Wallace, il se demandait : Est-ce qu'elle sait ?

– Comme tu es pâle ! Et maigre ! Est-ce qu'on te donne assez à manger ?

– Ouais, parvint-il à articuler.

– Viens ici, mon bébé, fit-elle avec un geste pour l'attirer vers elle. Benjie ?

Mais il restait cloué contre le lit.

– Oh ! je vois ! Ils t'ont monté contre ta propre mère. Qu'est-ce qu'ils t'ont dit ? Quels mensonges ?

– Ils ne m'ont rien dit du tout.

– Alors pourquoi tu restes si loin de moi ? Qu'est-ce qui t'est arrivé ? Quand je t'ai vu, dans cette pièce, là-bas, tu n'as pas couru vers moi. Tu ne m'as même pas embrassée. Rien du tout. Comme si tu n'étais pas content de me voir. Oh ! Benjie, Benjie... Mais qu'est-ce qu'ils t'ont fait ?

Comme il ne répondait pas, elle reprit d'une voix plus douce – mais toujours sur un ton de reproche :

– Rappelle-toi, mon chéri. Quand tout cela sera fini, quand ils n'auront plus besoin de toi, où iras-tu ? Que feras-tu ? Qui voudra de toi ? Tu auras toujours ta mère, bien sûr. A moins que tu ne veuilles pas revenir avec elle. C'est ça, Benjie ? Tu n'aimes plus ta mère ?

Le reproche commençait à faire son effet. Ses yeux bleus le trahirent. Elle en profita :

– Eh bien, dans ce cas, on ferait mieux de se dire adieu tout de suite.

Elle se tourna vers la porte, comme si elle avait l'intention de s'en aller.

– Non ! Ne pars pas ! s'écria-t-il.

Elle ne se retourna pas vers lui. Elle voulait qu'il la supplie.

– Ne pars pas. S'il te plaît, maman, ne pars pas...

Elle se tourna enfin vers lui, secoua la tête.

– Tu dis ça pour me faire plaisir.

– Non ! C'est vrai, je te jure !

– Alors montre-moi.

Il hésita. Déchiré entre son désir et ses terreurs, il dut rassembler toute sa volonté pour s'écarter de ce lit qui avait été son refuge. Il s'avança vers elle. Elle bougea, elle aussi, mais pas vers lui. Vers le seul fauteuil de la chambre. Elle s'y laissa tomber. Il s'approcha et resta debout à côté d'elle.

– Ah ! Benjie, Benjie ! fit-elle avec chaleur en le prenant dans ses bras.

Par la force de l'habitude, il se hissa sur ses genoux. Elle l'enlaça, le berça comme on le fait d'un petit enfant, et en même temps elle le caressa de sa main libre. Malgré lui, il sentait cette sensation familière de chaleur qui commençait à grandir dans son bas-ventre. Il sentait que cette... chose commençait à se produire. Elle le remarqua aussi. Très subtilement, elle avança la main vers la fermeture Eclair de son jean.

Il se tortilla un peu pour lui faciliter la tâche. Elle glissa sa main. Elle le touchait. Petit, mais en érection. Elle le sortit tout doucement. Elle se pencha en avant pour l'embrasser, lorsqu'un bruit l'interrompit. Quelqu'un secouait la poignée de la porte.

– Benjie. Benjie ?

Très vite, Melissa repoussa dans le jean le petit pénis tout à coup rétréci, remonta la fermeture Eclair et s'exclama :

– Va ouvrir la porte, Benjie !

Celui-ci courut débloquer le verrou. Le docteur Wallace ouvrit la porte. Elle n'eut pas besoin de dire un seul mot. Le visage écarlate de son patient et celui de sa mère confirmaient ses soupçons.

– Vous n'avez pas le droit d'être ici, madame Jackson. On ne vous a pas encore accordé formellement le droit de visite. Je vous prie d'aller au centre, de l'autre côté de la rue, et de m'attendre à mon bureau.

Elle s'écarta pour la laisser passer. Melissa jeta un coup d'œil derrière elle, comme si elle voulait mettre Benjie en garde. Mais Corinne Wallace s'interposa :

– Je vous prie de quitter les lieux !

Dès qu'elle fut partie, elle s'adressa à Benjie :

– Benjie, je crois que je sais ce qui s'est passé. Et je veux que tu saches que je ne te reproche rien. Je sais que tu aimerais que je le fasse. Tu te sentirais mieux. C'est bien cela, n'est-ce pas ?

Il restait là, silencieux, dansant d'un pied sur l'autre. Elle ressentait une profonde compassion pour cet enfant. Tant de choses s'étaient passées, si vite, qu'il était paralysé dans le silence, incapable du moindre sentiment.

– Benjie, tu as quelque chose à me dire ?

Pas de réponse.

– Est-ce que tu étais content de voir ta maman, Benjie ?

Il eut l'air hésitant.

– C'est bien, Benjie, il n'y a rien de mal à vouloir voir ta maman.

Cela le libéra suffisamment pour qu'il se décide à hocher la tête.

– Il est parfaitement naturel d'avoir envie de la voir, après en avoir été éloigné pendant plusieurs jours. Mais... Est-ce que tu n'as pas eu peur, aussi, quand tu l'as vue ?

Il acquiesça, faiblement.

– Pourquoi avais-tu peur ?

Il cherchait ses mots. Il luttait pour trouver la force d'avouer. Il parvint simplement à articuler :

– Je... Je l'ai dit.

– Tu as trahi le secret ? demanda-t-elle.

Il acquiesça.

– Benjie, une grande personne ne devrait pas imposer à un petit garçon un secret comme celui-ci. Ce n'est pas juste. Même si c'est ta mère. Est-ce que tu lui as répété ce que tu m'as dit ?

– Non.

– Maintenant, Benjie, qui a fermé la porte à clé ? C'est toi ? Ou c'est elle ?

– ... Elle...

– Qu'est-ce qui s'est passé ensuite ?

– Elle... Elle a dit que j'avais encore été méchant... Que je ne l'aimais plus.

Il s'enferma à nouveau dans le silence.

– Et qu'arrive-t-il quand tu es méchant ? demanda Corinne Wallace. Que fais-tu ?

– Je l'embrasse... et...

– Et puis ?

– Elle me prend sur ses genoux...

– Et tu aimes cela, Benjie ?

Elle eut la réponse en le voyant rougir... Oui, il aimait cela, mais il avait trop honte pour l'avouer.

– Benjie, il est normal qu'un petit garçon ait envie que sa mère le serre dans ses bras. Il n'y a rien de mal à cela. Que s'est-il passé, après ?

– Elle... Elle a tendu la main, dit-il.

– Tendu la main vers quoi ?

– Vers ma braguette.

– Qu'est-ce que tu as fait, à ce moment-là, Benjie ?

– Rien ! protesta-t-il. Rien du tout !

– Et elle, qu'est-ce qu'elle a fait ?

– Elle l'a touché.

– Est-ce que tu voulais qu'elle le touche ? Benjie, est-ce que tu le voulais ?

Il resta silencieux, à nouveau. Puis ses yeux s'embuèrent, et les larmes coulèrent lentement sur ses joues.

– Benjie, quand elle fait... Tu sais bien... Quand elle embrasse ton *truc*... Qu'est-ce que tu ressens ? Est-ce que c'est agréable ? Tu peux me le dire. Il ne t'arrivera rien, si tu me le dis. Qu'est-ce que tu ressens ?

– Agréable... Oui... C'est agréable.

– Agréable, simplement ?

– C'est chaud... Brûlant... C'est comme... J'attends.

– Tu attends. Tu attends quoi ?

– J'attends que *ça* arrive.

– Tu *attends* que ça arrive ? Ou tu *veux* que ça arrive ? L'aveu fut difficile à formuler :

– Oui, je veux... Et puis...

– Et puis ?

– Après... J'ai l'impression... d'être vide... C'est bon... et puis ce n'est plus bon...

– Pourquoi n'est-ce plus bon ?... Pourquoi n'est-ce pas agréable ?

– Sais pas... Je sais pas, dit Benjie.

– Eh bien, nous allons trouver la réponse, Benjie. Pas maintenant. La prochaine fois.

16

Melissa Jackson était assise dans le bureau de Corinne Wallace, en face d'elle. Comme elle montrait les signes de nervosité du fumeur en manque, celle-ci l'autorisa à allumer une cigarette.

– Ça ne pose pas de problème ? demanda Mme Jackson.

– J'ai une dérogation de l'hôpital.

Melissa plongea la main dans son sac. Elle en sortit un paquet de cigarettes. Elle était tellement nerveuse qu'elle eut beaucoup de mal à en extraire une. Elle l'alluma, puis elle inspira profondément, comme s'il s'agissait de l'oxygène nécessaire à sa survie.

Quelques bouffées plus tard, elle avait l'air suffisamment détendue pour que Corinne Wallace reprenne :

– Ce que j'ai à vous dire n'est pas facile, madame Jackson. Je vais essayer d'aller droit au but. Dès que j'ai vu que la porte était fermée à clé, j'ai compris ce qui se passait dans cette chambre.

– Il ne se passait rien du tout !

Le docteur Wallace l'ignora.

– Maintenant, laissez-moi vous expliquer le problème de Benjie. Ce n'est pas un « mauvais garçon ». Il n'est pas ainsi de naissance. Ce n'est pas un enfant mû par des tendances criminelles. C'est un garçon qui se rebelle contre une manière de vivre dont il sait qu'elle est mauvaise. Mais elle lui a été imposée. Un enfant peut supporter cela un certain temps. Cela finit par produire des effets. Certains enfants deviennent agressifs, hostiles, destructeurs. C'est la forme qu'a prise la révolte de Benjie. Et ce n'est pas la pire. Pas encore. Car les enfants comme lui finissent souvent très mal ; ils se droguent, deviennent alcooliques, parfois meurtriers. Je suis sûre que vous ne voulez pas que ça lui arrive. Moi non plus. Je crois qu'en y travaillant ensemble, nous pouvons empêcher cela. Mais il faut que nous nous y attelions toutes les deux.

– Qu'est-ce que vous voulez dire par « travailler ensemble » ? demanda Melissa Jackson, sur ses gardes et très mal à l'aise.

– Tout d'abord, nous devons respecter certaines règles. Règle numéro un : tant que Benjie sera ici, à l'hôpital, vous ne lui rendrez pas visite sans ma permission.

Melissa s'abstint d'acquiescer.

– Et... ?

– Lorsque vous aurez l'autorisation de lui rendre visite, vous le verrez exclusivement dans le salon réservé aux visiteurs, jamais dans sa chambre.

– Vous n'avez pas à vous inquiéter...

Corinne Wallace l'interrompit sèchement.

– Madame Jackson, je n'ai pas fini !

Melissa se raidit sur sa chaise.

– Plus important : quand vous lui rendrez visite, vous ne lui direz rien qui puisse saper sa confiance dans le traitement qu'il suit ici. Ou sa confiance en moi. Vous comprenez ?

Melissa hocha la tête, peu convaincue.

– Maintenant, le plus important...

– Je n'ai pas besoin de votre...

– Madame Jackson ! Veuillez vous calmer. Ecoutez ce que j'ai à vous dire. Les choses n'en seront que plus faciles. Je sais ce qui se passe avec Benjie depuis plusieurs années.

Melissa lui jeta un regard mauvais, sans un mot.

– Je le sais. Non seulement il y a les marques et les symptômes, mais lui-même m'a tout raconté.

– C'est un mensonge ! Ce gosse est un menteur !

Corinne Wallace s'attendait à une réaction de ce genre. Elle n'essaya pas de la contredire. Elle poursuivit :

– Il y a deux manières d'aborder le problème de Benjie. La première consiste à travailler avec lui. A lui inculquer une vision normale de l'existence. De l'enfance. De son développement sexuel, qui devrait être un processus naturel lent, non quelque chose qui lui est imposé longtemps avant qu'il ne soit conscient de sa sexualité. Mais cette manière est loin d'être aussi efficace que la seconde.

– Ah ouais ? répliqua Melissa Jackson.

Elle était curieuse d'en savoir plus, mais ne reculait pas d'un pouce.

– Nous avons découvert que des cas comme celui de Benjie sont plus faciles à soigner si la famille s'implique aussi dans le traitement.

– Ouais ? Comment cela ?

– Vous pourriez venir ici, disons, une fois par semaine, pour suivre vous-même un traitement.

– Pour quoi faire ? Je ne suis pas malade. C'est Benjie, le problème.

– Benjie est le problème pour la simple raison que *vous* avez un problème.

– C'est ce que vous croyez ? Et vous vous prenez pour une psychiatre ? Tout ça, c'est des conneries, *docteur* ! Je n'ai pas plus besoin de traitement que vous !

– Benjie aura plus de chances de retrouver une vie normale si vous vous associez au traitement, madame Jackson.

– C'est ridicule, ricana-t-elle.

Corinne Wallace sentit pourtant que Melissa, malgré ses dénégations, était assez intriguée pour l'écouter jusqu'au bout. Elle devait donc profiter de l'occasion, aussi mince fût-elle.

– Madame Jackson... Melissa, si vous me permettez. Il y a un élément que nous retrouvons dans la plupart des cas semblables. Presque toujours, la personne qui a abusé de l'enfant...

– Personne n'a abusé de mon enfant ! Ça suffit, j'en ai assez entendu !

Elle se leva brusquement, écrasa sa cigarette dans le cendrier posé sur le bureau et se dirigea vers la porte. Mais Corinne Wallace eut le temps d'achever sa phrase.

– La personne qui abuse de l'enfant a peut-être elle-même des problèmes.

C'était un coup de dés, fondé sur son intuition professionnelle. Melissa Jackson s'immobilisa, puis se tourna lentement vers elle.

– Ce que je veux dire, Melissa, c'est que si vous avez un problème, il est injuste de le faire assumer par votre fils. Alors que nous pouvons travailler là-dessus et vous aider tous les deux.

Melissa Jackson sembla réfléchir à cette idée. Puis elle ouvrit la porte et sortit sans regarder derrière elle. Restée seule, Corinne Wallace était incapable de savoir ce qu'elle avait décidé.

Toute la journée, elle prêta machinalement l'oreille à la sonnerie du téléphone, dans l'espoir d'un coup de fil de

Melissa Jackson. Celle-ci n'appela pas. Ni ce jour-là, ni le lendemain, ni le jour suivant.

D'après les rapports quotidiens qui lui parvenaient de l'hôpital, Mme Jackson n'avait pas essayé de voir son fils.

Mentalement, le docteur Wallace voyait en elle une femme frustrée, tourmentée, fumant cigarette sur cigarette, vivant avec sa tragédie, sans le courage ni la force de volonté de la surmonter. Sa blessure était trop profonde, elle en souffrait depuis trop longtemps pour avoir la moindre envie de guérir. Ça ne présageait rien de bon ni pour elle ni pour son fils.

Le docteur devait prévoir le futur traitement de Benjie et, en temps voulu, son placement dans une famille d'accueil qui lui donnerait nourriture et affection. Son rôle serait de l'aider à en finir avec la période la plus difficile de sa vie. Et, si cela réussissait, il faudrait lui trouver un foyer définitif et une famille adoptive. Le rendre à sa mère, dans l'état où était cette dernière, ne pourrait que mener au désastre.

Elle fit part de sa déception à Sim Freedman. Ils prenaient le café dans le petit restaurant français où ils allaient de temps en temps, lorsqu'ils dînaient ensemble.

— Les budgets étant ce qu'ils sont, ces temps-ci, l'administration ne te permettra peut-être pas ce luxe, dit Sim.

— Ce luxe ? fit-elle, étonnée.

— Corrie, je sais que tu ne penses pas en ces termes-là. Combien de temps, d'après toi, vont-ils te laisser garder ce garçon à l'hôpital ?

— Il serait criminel de le renvoyer chez lui. Et il est encore beaucoup trop fragile pour être placé dans une famille d'accueil.

– Tu as envie de discuter avec l'éminent « docteur »
Wagner ?

Sim ne faisait pas secret de son agacement et de son
mépris à l'égard de l'administrateur de l'hôpital.

– Il est déjà dur pour les cas médicaux. Ceux où l'on
peut produire des preuves matérielles. Des radios, des
scanners qui montrent clairement l'état du patient. Avec un
cas comme celui-ci, pour lequel tu n'as rien d'autre qu'un
gosse en détresse et ce que tu as appris, crois-moi, tu
n'auras pas à attendre longtemps avant de recevoir un coup
de fil de Wagner. Ce salaud ne mérite plus le titre de
docteur...

Corinne hocha la tête.

– Dès qu'il a été nommé administrateur, c'est comme
s'il avait renoncé à son serment d'Hippocrate. Comme s'il
était devenu du jour au lendemain un simple comptable,
un fonctionnaire ! Avec un crayon bien aiguisé...

– Crois-moi, Corrie, un de ces jours, tu vas recevoir le
fameux coup de fil : « Docteur, nous avons étudié les bilans
de votre service, et je pense qu'il est temps que nous ayons
une petite conversation. » Et tu sauras de quoi il voudra
parler.

– Et je sais ce que sera ma réponse, fit-elle sur un ton
de défi.

– Rappelle-toi qu'il a le dernier mot, l'avertit Sim.

– Je veille à ce que mon service fasse des économies
partout où c'est possible. Mais pas aux dépens de mes
mômes.

– Au pluriel ou au singulier ?

Elle sentit qu'elle rougissait légèrement.

– Ce qui veut dire ?

– Ce qui veut dire que je ne suis pas aveugle, Corrie.

Surtout pour ce qui te concerne. Je t'observe. Je t'étudie. En espérant qu'un jour, enfin, tu seras capable de laisser ton passé derrière toi. Et de recommencer à vivre au présent.

— Tu veux dire : vivre avec toi ? riposta-t-elle.

— Pas nécessairement, même si je le souhaite, bien sûr.

— Sim..., commença-t-elle sur ce ton indulgent auquel il s'était habitué sans jamais s'y résigner.

— Je sais, je sais. « C'est trop tôt, Sim. Un jour, plus tard, etc. » Je connais ça par cœur. Mais tu ne le dis pas à celui que tu crois. Je ne suis pas l'homme qui a simplement envie de coucher avec toi. Je veux beaucoup plus que ça. Et je sens que nous y avons droit tous les deux. Je veux surtout t'aider à redevenir la femme que tu as été. Que tu cesses de te consoler et de te mentir en te répétant : « J'ai mon boulot, ça me suffit. » Ça ne suffit pas. C'est impossible.

— Sim..., fit-elle pour changer de sujet, nous parlions de Wagner et des finances de l'hôpital.

— Non, Corrie, nous parlions de ce gosse, le petit Jackson. Un cas plutôt triste, je te l'accorde. Mais pas plus triste que tant d'autres dont tu t'es occupée. Avec un regard plus objectif. Et moins d'investissement personnel.

— Sim, je t'en prie, n'essaie pas d'analyser l'analyste. Ce n'est pas vraiment ton domaine.

— Pardonne-moi si je pénètre dans une zone interdite, fit-il sur un ton ironique. Après tout, je ne suis pas diplômé en psychiatrie. Par conséquent, je ne suis pas capable de constater que Benjie a l'âge qu'avait Douglas. Et je ne suis pas autorisé à conclure que tu es plus impliquée dans ce cas qu'un psychiatre devrait l'être.

— Sim ! Ça suffit !

Elle avait élevé la voix. Aux tables voisines, on se tournait vers eux, ce qui ne manqua pas de les embarrasser.

— Sim, reprit-elle d'une voix et d'un ton plus modérés, je sais exactement ce que je fais. Et comment je gère ce cas. J'espère que sa mère va réfléchir un peu et revenir. Alors, cesse de te faire du mouron pour moi.

— Je crains simplement que ton intérêt exagéré pour ce garçon finisse par te valoir un conflit administratif avec Wagner. Je ne voudrais pas que tu sois obligée de quitter cet hôpital. Ou cette ville. Tu me manquerais trop.

Un peu plus tard, sur le chemin du retour, elle lui dit :

— Pardonne-moi, Sim, de te poser des problèmes. Pardonne-moi aussi de ne pas être encore prête, comme toi, pour une nouvelle vie.

17

Quelques jours plus tard, Corinne Wallace n'était plus une psychiatre pour une fois, mais une femme comme les autres, en retard à un rendez-vous. Elle se refaisait une beauté pour paraître moins épuisée qu'elle ne l'était en réalité. Sa journée de travail n'avait pas été plus dure que les précédentes. Mais deux contretemps l'avaient obligée à rester à son cabinet au-delà des heures normales – même si elle respectait rarement celles-ci.

Lorsque le téléphone sonna, elle se précipita, prête à s'exclamer : « D'accord, Sim. Oui, je sais, je suis en retard. Mais pas tant que ça ! » Elle décrocha :

– Je te retrouve au parking. Dans moins de cinq minutes.

Elle entendit une voix masculine, mais pas celle à laquelle elle s'attendait :

– Docteur Wallace ? Docteur Corinne Wallace ?

– Oui, répondit-elle prudemment.

– Docteur Swayber, service des urgences, hôpital de la Miséricorde.

– Oui, docteur, que puis-je faire pour vous ?

– Nous avons une patiente, ici... Nous voudrions la libérer, mais elle refuse de partir.

– Si vous pensez que son cas relève de la psychiatrie, vous disposez d'une excellente équipe à la Miséricorde. Pourquoi m'appelez-vous ?

– Il se pourrait en effet qu'elle relève de la psychiatrie. Le Samu nous l'a amenée sur un brancard. Avec, apparemment, de graves problèmes respiratoires. Nous l'avons examinée sous toutes les coutures. Elle a peut-être des symptômes, mais ils sont tous imaginaires. Elle ne présente aucun signe de dysfonctionnement cardiaque ou pulmonaire. Nous avons donc décidé de la faire sortir. Elle refuse de partir. Elle prétend qu'il n'y a personne, chez elle, pour s'occuper d'elle.

– Je ne vois toujours pas en quoi cela me concerne.

– Elle affirme que son fils pourrait prendre soin d'elle. Mais il paraît que vous l'avez hospitalisé de force.

Corinne Wallace comprit tout de suite.

– Est-ce qu'elle s'appelle Jackson ? Melissa Jackson ?

– Alors, c'est vrai, vous détenez son fils, dit Swayber. Nous ne savions pas si nous devions la croire.

– Docteur, cette femme est gravement malade. Elle n'a peut-être pas de problèmes respiratoires, mais elle en a d'autres, sans doute pires. Elle se sert de vous pour essayer de me contraindre à faire sortir son fils, ce que je refuse absolument.

– Que devons-nous faire ?

– Dites-lui que vous m'avez appelée. Que je refuse de libérer Benjamin. Et que je voudrais qu'elle revienne ici pour suivre un traitement.

– Je ferai de mon mieux, répondit Swayber.

Il semblait sceptique sur ses chances de succès.

A peine eut-elle raccroché que le téléphone sonna de nouveau. Cette fois, c'était Sim Freedman.

– Je te retrouve au parking dans une minute, fit-elle.

Dès qu'elle le vit, elle lui annonça :

– Avant d'aller au restaurant, Sim, je dois passer dans une librairie. Ça ne me prendra qu'une minute.

– Avec toutes les revues et tous les extraits d'articles que nous recevons, tu trouves encore le temps de lire pour le plaisir ? Ça me dépasse. Moi, j'ai à peine le temps de me tenir au courant de l'actualité.

– C'est pour un cadeau. Un cadeau très important.

– Parfait. Choisis une librairie avec une cafétéria. Pendant que tu te balades dans les rayons, j'aurai le temps d'avaler quelque chose pour ne pas mourir de faim.

– Je ne vais pas me balader dans les rayons. Ça me prendra juste le temps de savoir s'ils ont le livre que je cherche.

Comme d'habitude, ils partirent du parking dans sa voiture à lui. A la librairie, il attendit au comptoir pendant que Corinne cherchait au rayon « Jeunesse » le livre qu'elle voulait faire lire à Benjie. Heureusement, ils en avaient un exemplaire.

Ils dînèrent dans un petit restaurant italien.

– Quand tu as payé ton livre, tout à l'heure, je n'ai pas pu m'empêcher de voir la couverture. C'est un livre pour enfants.

– C'est normal. Je veux l'offrir à un enfant, répliqua-t-elle.

Son ton sec suggérait qu'elle n'avait pas envie d'en parler.

– Un enfant en particulier ? insista Sim.

Il n'était pas du genre à laisser une question sans réponse.

– Un enfant ! répéta-t-elle pour clore le sujet.

– Un nommé Benjie, peut-être ?

– Tu connais le dicton, Sim : *La curiosité est un vilain défaut.*

– Oui, mais pour autant que je sache, il n'appartient pas à la tradition juive.

– Oui. Oui, c'est pour Benjie, avoua-t-elle, irritée. Pour lui donner le sentiment de sa valeur.

– Bonne idée. Je voudrais simplement que tu ne t'impliques pas trop dans ce cas.

Il se rétracta immédiatement.

– Désolé, Corrie. Ce n'est surtout pas à toi qu'il faut expliquer comment on doit s'occuper d'un gosse malade. Ma femme disait toujours que j'étais un mari excessivement protecteur.

Le mot « mari » fit tomber sur eux une chape de silence. Comme s'il exerçait une pression à laquelle elle était très sensible. C'était trop tôt. Beaucoup trop tôt.

Ce n'est que lorsqu'on leur servit le café que Corinne reprit :

– Sim, je ne suis pas d'humeur à être « protégée ». Ni à devoir m'expliquer parce que j'achète un livre à Benjie... qui, entre parenthèses, m'a autorisée à l'appeler Benjamin. Et ce soir n'est vraiment pas le meilleur moment pour discuter de son cas. Figure-toi que juste avant que tu m'appelles, tout à l'heure, la situation s'est encore un peu plus compliquée.

Tout en remuant son café, Sim lui jeta un regard surpris et curieux. Elle lui fit part de l'appel des urgences de la Miséricorde.

– Tu ne peux pas le laisser rejoindre sa mère.

– Je n'en ai pas l'intention. Pas au moment où je sens qu'il commence à faire des progrès.

– Ça prouve sûrement à quel point elle est dingue : simuler une maladie pour essayer de le récupérer ! Qui sait ce qu'elle va imaginer à présent ?

– Pas moi, et je m'en fiche complètement. Tant qu'elle ne suivra pas un traitement, elle ne méritera pas de le récupérer, et il ne quittera pas mon service !

Elle ajouta immédiatement :

– Et ne me dis pas que je m'intéresse trop à lui. Ou que tout cela a le moindre rapport avec Douglas !

Ce qui était parfaitement exact, ils le savaient tous les deux.

– D'accord, Corrie, d'accord, fit-il pour lui faciliter les choses.

Ils arrivèrent au théâtre juste à temps pour le lever de rideau de *Chicago*. C'était une comédie musicale de jazz aux rythmes syncopés. Pour un spectacle itinérant, la chorégraphie était extraordinaire et la troupe remarquable. C'était pour cela que Sim avait tenu à y aller. Corinne avait besoin de distraction. Il fallait introduire un peu de fantaisie dans sa vie consacrée aux enfants meurtris par le monde et, très souvent, par les adultes chargés de leur protection. Il savait que certains jours, son travail lui paraissait inutile. Il y avait trop d'enfants dans le besoin, et pas assez de temps pour les aider.

Mais bien avant la fin du premier acte, il avait compris qu'elle ne s'amusait pas. Elle était agitée, impatiente de rentrer.

– C'est moins bien que ce que disaient les critiques, fit-il. Allons-nous-en.

Elle accepta, avec encore plus d'empressement qu'il ne s'y attendait.

Ils se séparèrent au parking. Elle se dirigeait vers sa voiture, lorsqu'il la rappela :

– C'est drôle... je viens juste de repenser...

– A quoi donc ? fit-elle en se retournant.

– A cette blague à propos des gens qui se rencontrent tout le temps par hasard.

– « Il faut qu'on arrête de se voir comme ça ? »

– Ouais. Sauf que dans notre cas, ce serait plutôt : « Il faut qu'on arrête de se séparer comme ça. » Dans un parking. Après un dîner au restaurant. Ou devant ta porte.

– Tu es venu chez moi une bonne dizaine de fois, corrigea-t-elle.

– C'est cela qui est bizarre. Quand tu sais que nous allons sortir tout de suite, ma présence est la bienvenue. Mais à la fin de la soirée, quand nous n'avons aucune raison de nous quitter et toutes les raisons de rester ensemble, ça ne va plus du tout.

– Sim, combien de fois t'ai-je dit...

– Trop souvent, la coupa-t-il.

– Oui. Trop souvent. Je le sais aussi bien que toi. Je me répète tout le temps que je dois surmonter cela. Mais...

Elle laissa sa phrase en suspens. Il avança la main et leva doucement son menton pour exposer son visage à la lueur de la lune. Il admira son profil volontaire, ses pommettes qui lui donnaient ce beau visage triangulaire. La seule ombre au tableau, c'était la tristesse qui brûlait dans ses yeux.

Est-ce que cette tristesse n'était pas un « plus », au contraire ? se demanda-t-il. Si elle était moins sensible, serait-elle la femme dont je suis tombé peu à peu amoureux, mais qui n'est pas encore prête à me rendre mon amour ?

Il l'embrassa. Elle lui rendit son baiser. Du bout des lèvres. Il savait que ce n'était qu'un baiser de remerciement. Il voulait plus que cela.

Le lendemain matin, elle trouva un message urgent sur son répondeur. C'était le docteur Wagner. L'hôpital de la Miséricorde l'avait appelé, lui aussi. Il voulait la voir sur-le-champ. Quand elle arriva à son bureau, il était en train de feuilleter les dernières pages du bilan de l'hôpital. Elle se demanda si c'était une coïncidence et pensa qu'il avait sans doute l'intention de s'en servir ce matin-là.

— Ah, Corinne ! Bonjour, bonjour. Vous voulez un jus ? C'est comme cela qu'on appelait le café en Allemagne, quand j'étais militaire.

Il s'obstinait à rappeler qu'il avait été officier de réserve dans l'armée. Mais cet officier d'intendance dans une armée d'occupation n'était jamais allé au combat. Son allocation de démobilisation lui avait permis d'étudier la médecine. Et par un curieux retournement de situation, il avait fini par faire plus ou moins, à l'hôpital, le même travail que jadis sous les drapeaux.

— Merci, j'ai déjà pris mon café.

C'était un mensonge, mais elle voulait accélérer les choses, car elle savait que la discussion serait pénible.

— Corinne, j'ai reçu hier soir un coup de fil très surprenant...

— Oui, je sais. Du docteur Swayber, de l'hôpital de la Miséricorde.

— Cela m'a troublé. Infiniment. Nous avons toujours mis un point d'honneur à coopérer avec les autres hôpitaux de la ville. Professionnellement, ça nous profite. C'est très bon pour les relations publiques. Rappelez-vous, l'année des inondations... Quand Main Street était noyée sous un mètre d'eau, trois hôpitaux restaient hors d'atteinte. Nous avons assumé la corvée de desservir tous les quartiers ouest de la ville. Les lits s'entassaient dans les couloirs. Et tout le monde, des médecins aux infirmières, était sur la brèche vingt-quatre heures sur vingt-quatre. Nous avons pris le relais pour les autres hôpitaux. Vous vous en souvenez ?

– Non, docteur Wagner, je n'étais pas encore ici.

– Oh ? Oui, c'est vrai. C'était bien avant votre époque. Mais ça ne change rien. Nous nous serrions les coudes. Nous coopérions. Maintenant, quand la Miséricorde nous demande une petite faveur, un peu de coopération, vous répondez : « Désolée, nous refusons de vous aider. » Ce n'est pas ainsi que je conçois l'esprit de cette maison.

– Est-ce que le docteur Swayber vous a dit que je *refusais* de l'aider ? Ou que je ne *pouvais* pas l'aider parce que je voulais protéger mon patient ?

– Simple question de vocabulaire, répliqua Wagner. Le problème, c'est que...

– Docteur Wagner ! Le problème, c'est que renvoyer Benjamin Jackson chez sa mère pourrait avoir des conséquences catastrophiques, sinon fatales.

– Ma chère Corinne, fit-il d'un ton condescendant, il me semble que nous nageons ici dans l'hyperbole. « Fatal » est un mot plutôt excessif pour qualifier cette affaire.

– Ce n'est pas mon avis, rétorqua-t-elle. Ce garçon n'a aucune famille, aucun environnement où il pourrait se retrouver. Personne sur qui il puisse compter. Il souffre d'un traumatisme que j'ai rencontré chez bien d'autres enfants, un traumatisme qui les a parfois poussés au suicide. Le rendre à une mère qui ne ferait qu'aggraver son problème, c'est pratiquement commettre un meurtre.

– Voici que vous devenez un peu trop émotive, répliqua Wagner, alors que la situation exige davantage de pragmatisme.

En prononçant ces mots, il s'empara du bilan financier qu'il étudiait lorsqu'elle était entrée.

– Docteur, nous connaissons un déficit de plusieurs millions de dollars par an. Le gouvernement fédéral nous indique notre devoir à l'égard de la communauté. Mais il ne nous dispense pas les fonds nécessaires pour réaliser ce qu'il nous demande. Alors nous devons faire des sacrifices. Nous devons établir très soigneusement des priorités.

– Et nous le faisons ! protesta-t-elle.

– Ah oui ? rétorqua-t-il. Le cas de ce petit Jackson...

– C'est un cas très difficile.

– C'est exactement mon avis, docteur ! S'il se trouve dans une situation si extrême, ne vaudrait-il pas mieux consacrer notre matériel et nos locaux, vu le peu de temps dont vous disposez, à des enfants pour lesquels le pronostic est meilleur ?

– C'est à moi d'en juger, martela-t-elle.

– Et je devrais être d'accord avec vous. Mais à l'époque où nous vivons, avec un bilan financier comme celui que j'ai sous les yeux, j'ai l'impression d'être le capitaine du *Titanic*. Beaucoup de passagers, trop peu de canots de sauvetage. Nous ne pouvons pas nous occuper de tous. Je me sentirais beaucoup mieux si vous étiez un peu plus sensible à mes problèmes.

– Je fais mon possible, dit-elle en espérant clore la discussion.

– Vous savez ce que l'on dit ? fit-il brusquement.

– « On » ?

– Au sein du personnel... Dans votre équipe, même...

– Que dit-on ?

– Je n'aime pas répéter ce genre de propos... Mais ils disent que vous consacrez trop de temps et trop de vous-même à ce garçon. Que vous êtes déterminée à démontrer que vous pouvez le sauver, précisément parce que c'est une cause perdue. Que vous voulez vous en sortir pour je ne sais quelle satisfaction personnelle. Peut-être même que vous avez l'intention d'utiliser ce cas comme sujet pour un article dont vous envisagez la publication.

– Docteur Wagner, mes enfants ne sont pas des cobayes ni des souris de laboratoire, fit-elle en se dirigeant vers la porte.

– Cette phrase résume la situation mieux que je ne pourrais le faire, répliqua Wagner.

Son ton obligea Corinne à lui faire face.

– « Mes enfants » ! Certains de vos collaborateurs, au courant de l'événement tragique qui a marqué votre vie, ont l'impression que vous manifestez un intérêt injustifié pour certains de vos patients.

– L'intérêt que je manifeste pour mes patients ne peut pas être « injustifié ». Si je pouvais, je ferais encore plus pour eux. Quant au petit Jackson, il reste là où il est !

Cette fois, elle fit demi-tour et quitta la pièce.

18

Elle attendait avec impatience son rendez-vous de trois heures avec Benjamin Jackson. Elle était curieuse de savoir comment il réagirait au livre qu'elle avait l'intention de lui offrir. Son téléphone sonna. Chuchotement affolé de sa secrétaire :

– On vous demande tout de suite aux urgences, docteur !

Elle se leva immédiatement et sortit du bureau, non sans lui avoir dit :

– Quand Benjamin arrivera, Evie, dites-lui que je suis désolée, mais qu'il doit attendre un peu. Je reviens dès que possible.

Une infirmière l'accueillit à l'entrée des urgences :

– Ils vous attendent, docteur.

Elle la précéda dans le couloir. Les deux femmes entrèrent dans une petite salle d'examen. On entendait la voix de Sim Freedman :

– Faites-lui une numération globulaire. Et demandez immédiatement quatre unités de sang, groupe O.

Corinne entra. Freedman et un des internes des urgences s'affairaient autour d'une fillette qu'elle ne reconnut pas tout de suite. Elle s'approcha et identifia une de ses anciennes patientes, une fillette de onze ans nommée Sally Clement. Sim ne lui avait dit que quelques mots. Corinne savait qu'il luttait contre les conséquences inévitables d'une commotion.

Elle le voyait jeter l'une après l'autre des compresses sanguinolentes. Il s'efforçait de contenir l'hémorragie qui s'écoulait du vagin de la petite fille.

– Tiens-lui la main, dit-il à Corinne, parle-lui. Tout ce qui est bon pour l'empêcher de s'en aller, fit-il sans cesser son travail...

Corinne se pencha au-dessus de la fillette, approcha son visage de sa joue pâle et lui parla à l'oreille :

– Sally, c'est le docteur Wallace. Tout va bien, maintenant. Tu es en sécurité. Personne ne te fera plus de mal. Je veux que tu serres ma main, très fort, comme ça je saurai que tu m'entends. Sally ? Serre ! Serre très fort ! Montre-moi que tu m'entends.

Tout en cherchant à communiquer avec la fillette et en l'encourageant à lutter pour sa vie, Corinne apprit ce qui s'était passé. Quand on avait amené Sally à l'hôpital, elle était victime d'une grave hémorragie. L'interne de service avait pris les mesures nécessaires pour la juguler. Il avait appelé Sim Freedman, qui avait été le médecin de Sally quand elle avait suivi un traitement au Centre pour la protection de l'enfance.

Sim Freedman, l'urgentiste et Corinne Wallace joignirent leurs efforts pour faire reprendre connaissance à Sally et éloigner le risque mortel lié à la commotion. Ils y travaillèrent pendant plus d'une heure. Ce n'est qu'après la troisième transfusion que la fillette commença à réagir aux sollicitations de Corinne. Celle-ci sentit la légère pression de sa main.

Elle ouvrit enfin les yeux. Ce fut très bref. Elle pressa son visage contre la joue de Corinne. Elle semblait comprendre qu'elle était hors de danger. Elle pouvait refermer les yeux, soulagée de sa peur. Il fallut attendre encore un peu avant qu'elle ne soit capable de parler. Corinne lui arracha une histoire encore plus choquante que celle qu'elle attendait.

Sa blessure ne lui avait pas été infligée par le beau-père qui avait abusé d'elle. C'est elle qui se l'était faite, à l'aide d'un couteau de cuisine.

— Si c'est à cause de ça que je suis sale, expliqua-t-elle, je n'en veux pas, il faut l'enlever.

Un mélange de compassion et de colère envahit Corinne Wallace. La compassion, parce que la pauvre petite se croyait responsable des violences dont elle avait été victime. Et la rage, parce que le juge avait ordonné qu'on la rende à sa mère.

L'hémorragie stoppée, Freedman administra un sédatif à l'enfant et procéda à un examen approfondi de la zone concernée. Il en conclut que les dommages pourraient être réparés grâce à la chirurgie.

Quand Corinne Wallace put retourner à son cabinet, quatre heures étaient passées depuis longtemps. Elle trouva sa secrétaire dans un état d'extrême agitation.

— J'ai essayé de l'empêcher de partir ! lui dit-elle d'emblée.

Corinne, qui ne s'était pas encore remise de l'émotion provoquée par ce qu'elle avait vu aux urgences, ne comprit pas tout de suite. Evie dut préciser :

— Benjamin... Il n'a pas voulu attendre.

Corinne Wallace réalisa soudain.

— Benjamin. Oui, bien sûr. Oh non ! J'aurais dû m'en douter. Mais je n'avais pas le choix.

– Dès qu'ils s'attachent à vous, fit Evie, vous savez comment ça se passe. Ils comptent sur votre présence. Et si vous n'êtes pas là, ils prennent cela pour un rejet. C'est la même chose chaque fois.

Corinne Wallace se précipita dans son bureau, attrapa son téléphone, enfonça la touche « mémoire » et appuya sur le 1. C'était la ligne directe avec la réception du service de pédiatrie.

– Mallory ? demanda-t-elle vivement.

– Halliday, répondit l'infirmière de service.

– Bonjour, Mabel. Allez chercher Benjamin Jackson et amenez-le-moi...

– Vous l'amener ? demanda Mabel Halliday.

C'était une requête pour le moins inhabituelle.

– Oui. Vu les circonstances... Amenez-le-moi vous-même.

Corinne Wallace raccrocha brutalement. Elle ouvrit son fourre-tout. Au milieu de la pile de documents et de magazines, elle trouva le petit volume qu'elle avait acheté la veille, dans son papier d'emballage. Elle le posa sur le coin de son bureau, près de l'endroit où Benjamin s'asseyait d'habitude. Elle voulait qu'il le voie. Que le livre éveille sa curiosité. Et quand elle le lui aurait donné, elle tenait à regarder ses yeux au moment où il le déballerait.

Elle n'avait pas le temps de dicter des notes ni de faire quoi que ce soit avant son arrivée. Elle passa donc les quelques minutes qui lui restaient à essayer de se détendre après les événements de l'après-midi. Et à réfléchir à la manière de reconstruire la personnalité si malmenée de la pauvre Sally Clement. S'il y avait une chose dont le docteur Wallace était sûre, c'était bien celle-ci : Sally ne retournerait pas dans cette maison ! Jamais ! Même provisoirement. Peu importe ce que dirait le juge !

Elle fulminait en silence depuis un moment, lorsqu'elle réalisa que Benjamin n'était toujours pas arrivé. Elle rappela la pédiatrie. Cette fois, ce fut Mlle Mallory qui lui répondit.

— Dorrie ? Mabel était censée m'amener le petit Jackson, il y a dix minutes. Où sont-ils passés ?

— Elle est sortie pour essayer de le retrouver.

— De le retrouver ? répéta Corinne, soudain inquiète.

— Il n'était pas dans sa chambre. Ni dans la salle de jeu. Nous ne l'avons trouvé nulle part à l'étage. Alors elle est partie à sa recherche...

Corinne Wallace raccrocha brutalement, bondit de son siège et se précipita vers la porte.

— Evie, ne partez pas avant mon retour ! s'écria-t-elle avant de sortir.

Elle traversa la rue en courant, zigzagua entre les voitures, se fit insulter par plusieurs conducteurs.

Elle entra dans l'hôpital et se dirigea vers les ascenseurs. Elle attendit une éternité que l'un d'eux s'arrête. Elle avait l'impression qu'elle ne parviendrait jamais au troisième étage. Elle trouva les deux infirmières à la réception.

— Où est-il ? demanda-t-elle.

— Nous ne savons pas, fit Dorrie Mallory. Personne ne le sait, apparemment. La dernière fois que quelqu'un l'a aperçu, il se rendait chez vous.

— Bien sûr, réalisa soudain Corinne Wallace, furieuse.

La pire chose qu'un docteur pouvait faire à un enfant dans l'état mental et émotionnel de Benjamin, c'était de le décevoir en lui posant un lapin. De ne pas être là pour la chose la plus importante de sa journée à lui.

Le moment précieux auquel il aspirait. Le moment qui

lui appartenait, à lui et à personne d'autre. Dans son esprit hypersensible, il ne pouvait y avoir d'excuse. Aucune explication ne pouvait changer ce seul fait essentiel.

Vous, le docteur, *son docteur*, n'étiez pas là.

Où avait-il pu aller ? Qu'est-ce qu'il avait pu faire ? Dans le cas de Benjamin, la réponse pouvait être : presque n'importe où, presque n'importe quoi.

Corinne Wallace quitta l'hôpital d'un pas lent, découragée. Elle traversa la rue pour regagner son bureau. Il restait un espoir. Bien mince, elle le savait, mais un espoir tout de même. Elle s'y accrocha, parce qu'il n'y en avait pas d'autre. Depuis qu'elle avait quitté la pédiatrie, quelques minutes plus tôt, Dorrie avait peut-être reçu un appel de la police ou de quelqu'un qui l'avait repéré.

Il n'y avait pas d'appel, bien sûr. Personne ne l'avait vu. Ou si quelqu'un l'avait vu, personne n'y avait fait attention. Personne ne savait qu'il était en fuite. Qu'il s'était échappé du Centre pour la protection de l'enfance.

Tout ce travail, tous ces projets, tout cela pour rien. Sauf si on le retrouvait à temps. A condition qu'il ait à nouveau confiance en elle.

Elle appela le commissariat central et déclara la disparition d'un garçon de dix ans, aux cheveux blonds et aux yeux bleus. Des yeux bleus extraordinaires. Aucun commissariat de quartier n'avait trouvé un enfant répondant à cette description.

– Mais nous allons ouvrir l'œil, docteur, soyez-en sûre.

Après avoir raccroché, elle pensa à Sally Clement. Elle appela les urgences pour prendre de ses nouvelles. Sim Freedman était là : avant de rentrer chez lui, sa journée finie, il était passé voir la fillette. Il répondit à Corinne au téléphone. Il lui assura que tout danger immédiat était écarté. La guérison de Sally serait longue. Elle avait perdu beaucoup de sang – beaucoup plus qu'il n'avait cru. Il faudrait plusieurs jours avant que sa numération globulaire ne retrouve son niveau normal.

Puis il formula un autre diagnostic, non sollicité celui-ci.

– Corinne, j'ai l'impression que quelque chose ne va pas. Tu as une voix affreuse.

Elle lui expliqua ce qui se passait avec Benjamin.

– Où est-il allé, la dernière fois qu'il s'est enfui ?

– Là où la police l'a arrêté. Dans ce supermarché...

– Allons-y jeter un coup d'œil, proposa-t-il.

– Il est peu probable qu'il y retourne.

– Où, alors ? Chez lui ?

– Mon Dieu, j'espère bien que non. Mais je dois vérifier.

– Tu n'iras pas toute seule. Je t'accompagne.

– Sim, il est inutile de...

– Corrie, si tu dois y aller, j'y vais avec toi. Je te retrouve au parking.

Ils arrivèrent à l'immeuble de logements sociaux délabré où Benjamin vivait avec sa mère.

Corinne trouva le nom sur un tableau cabossé, au fond du couloir sombre. Elle sonna. Une fois. Deux fois. Puis elle maintint son doigt sur le bouton pendant plus d'une minute. Elle n'entendit pas le bourdonnement caractéristique de l'Interphone.

Elle essaya la porte. Le panneau s'ouvrit facilement, les verrous étant hors d'usage. Ils montèrent quatre étages dans une semi-obscurité. Ils s'immobilisèrent devant l'appartement 4D. Corinne colla son oreille contre la porte. Aucun bruit ne révélait la présence d'un occupant.

– Elle a peut-être quitté la ville avec son fils, suggéra Sim. Elle a toujours refusé l'idée qu'il suive un traitement.

– C'est vrai, admit Corinne à contrecœur. Si elle lui a mis la main dessus, elle l'a peut-être emmené loin d'ici.

– Nous ferions mieux de jeter un coup d'œil au supermarché, la pressa Sim, faute d'une autre idée.

Ils n'y trouvèrent aucune trace de Benjie.

Incapable de prononcer le moindre mot susceptible de consoler ou de rassurer Corinne, Sim resta silencieux durant le trajet de retour jusqu'à l'hôpital. Corinne s'exclama soudain :

– Donne-moi ton portable, Sim !

Elle composa un numéro.

– Le commissariat central ? Donnez-moi le sergent de garde, s'il vous plaît. Docteur Wallace. Je vous ai appelé tout à l'heure à propos de la disparition d'un garçon de dix ans, Benjamin Jackson. Vous avez du nouveau ?

– Non, docteur. Pas de Benjamin Jackson.

– Il aurait pu dire qu'il s'appelle Benjie.

– Non. Nous n'avons qu'un gamin, ici. Pris la main dans le sac, en train de commettre une effraction. Mais il ne nous a pas donné son nom. Ni aucune information, d'ailleurs. Un de ces faux petits durs. Vous connaissez le genre. Ils veulent faire comme à la télévision. La nuit ne serait pas complète si on n'en ramassait pas un ou deux.

– Vous parliez d'une tentative d'effraction, sergent. Où a-t-il essayé d'entrer ?

– Nous pensons qu'il cherchait des armes.

– Il essayait d'entrer dans une armurerie ? demanda Corinne Wallace.

– J'ai dit que nous *pensions* qu'il cherchait des armes.

202

Mais ce gosse est complètement idiot. Imaginez : essayer d'entrer dans une quincaillerie !

– Sergent... vous avez bien dit qu'il essayait d'entrer dans une quincaillerie ?

– Je vous l'ai dit, docteur, il est idiot. Tous les gamins qui traînent dans les rues savent parfaitement qu'il n'y a pas d'armes dans les quincailleries. Pas ici, dans cette ville. Les quincailliers n'ont pas la licence pour ça.

– Ne lâchez pas ce garçon, sergent, lui demanda-t-elle.

– Oh ! nous ne le lâcherons pas, soyez tranquille ! Nous attendons quelqu'un du tribunal des mineurs, qui doit venir le chercher d'un instant à l'autre.

– Ne laissez personne approcher cet enfant avant mon arrivée !

Elle coupa la communication et rendit le téléphone à Sim.

– Ils l'ont trouvé.

– Comment le sais-tu ?

– Il essayait d'entrer par effraction dans une quincaillerie.

– Qu'est-ce que ça prouve ?

– Qu'il s'agit de Benjamin Jackson, répliqua-t-elle, terriblement soulagée. Dépêchons-nous.

A leur arrivée, ils tombèrent sur une femme officier envoyée par le tribunal des mineurs. Elle les attendait, visiblement furieuse. Dès que Corinne se présenta, elle l'interpella :

– Docteur, vous n'aviez pas le droit d'ordonner à la police de retenir cet enfant jusqu'à votre arrivée.

– Où est-il ? Je veux le voir !

– C'est une question de juridiction, docteur, reprit la

femme. L'enfant a été arrêté en flagrant délit, alors qu'il commettait un délit. D'après la loi, il relève de notre juridiction, jusqu'à ce que nous le déférions devant le tribunal pour enfants.

– Vous ne pouvez pas faire cela ! Il ne faut surtout pas le remettre entre les mains de la justice. Cela risque de provoquer des dégâts irréparables.

– J'ignore qui vous êtes, docteur, mais vous n'avez aucune autorité légale sur les mineurs qui ont été appréhendés pour des délits importants.

– Vous ne comprenez pas. Je suis psychiatre. Cet enfant est mon patient.

– Je suis sûre que nous pourrons organiser des visites dans le respect des règles, dit l'officier. Pour le moment, il est soupçonné de délit. A ce titre, il est placé sous notre responsabilité.

– Mais vous ne comprenez pas qu'il est en danger !

La femme n'en démordait pas. Elle était d'un rigorisme bureaucratique absolu. Sim Freedman décida d'intervenir.

– Ecoutez, madame...

– Hennessey, fit-elle vivement. Et vous, qui êtes-vous ? Encore un psychiatre ?

– Non, mon Dieu, certainement pas ! répliqua-t-il avec presque autant de mépris pour le métier de psychiatre que la femme semblait en concevoir.

Il lui tendit sa carte.

– Madame Hennessey, je suis le médecin traitant de ce garçon. Nous devons le garder en observation, car son état n'a pas encore fait l'objet d'un diagnostic. Il n'est pas impossible que ce soit contagieux. Il ne serait pas raisonnable de le mettre en contact avec d'autres enfants. Peut-être même avec des adultes... Ce garçon doit être placé en quarantaine, à l'hôpital. Nous sommes entre professionnels : je vous conseille de nous laisser le conduire à l'hôpital. Cela évitera peut-être le déclenchement d'une épidémie.

– Pas de diagnostic...

Mme Hennessey réfléchissait.

– De nos jours, avec tous ces clandestins qui rentrent illégalement dans le pays... Et toutes sortes de maladies que nous ne connaissons pas... Nous ne pouvons être trop prudents.

– Il sera consigné à l'hôpital..., exigea-t-elle.

– Je vous en donne ma parole, dit Sim.

– Nous irons vérifier.

– Si vous ne le faisiez pas, je considérerais cela comme un manquement à vos devoirs, fit Sim.

– C'est d'accord... Emmenez-le.

La police confia Benjamin Jackson aux docteurs Wallace et Freedman. Il n'était qu'un gamin épuisé, complètement débraillé. Il dormit pendant tout le trajet du retour à l'hôpital. Freedman conduisait.

– Dis-moi, Sim, d'où vient l'histoire que tu as servie à cette femme ?

– De mes nombreuses années d'expérience, se rengorgea-t-il. J'ai payé mes études en faisant du démarchage téléphonique pour une firme de matériaux pour le bâtiment. Revêtements d'aluminium. Couvertures. Climatisation. Et nous avions une règle. Ayez toujours le dernier mot. S'il faut improviser, improvisez. Peu importe à quel point c'est exagéré. Faites n'importe quoi, dites n'importe quoi, mais ne laissez pas un client éventuel vous raccrocher au nez.

– Sim... Mentir à un représentant de la loi dans l'exercice de ses fonctions, ça peut être considéré comme un parjure.

– Est-ce que tu contestes le fait que des tas de clandestins passent les frontières de ce pays ?

– Ce n'est pas ce que je veux dire.

– Alors tu nies qu'ils transportent un certain nombre de maladies exotiques ?

– Non. Mais quel est le rapport avec Benjamin ?

– J'ai dit que son état n'avait pas encore fait l'objet d'un diagnostic. La phrase peut s'appliquer à n'importe qui.

– C'était une contrevérité, Sim. Un mensonge.

– Oh, ça ? C'est de ça que tu parles ? J'appelle cela la doctrine de la Maison-Blanche. Si ça marche, ce n'est pas un mensonge. Et tu dois admettre, Corrie, ma chère, que ça a marché.

– Oui, ça a marché, avoua-t-elle.

– Et maintenant, peut-être vas-tu m'expliquer cette histoire de quincaillerie.

– Plus tard, Sim, plus tard.

19

C'était le lendemain après-midi. Il était presque trois heures. Benjamin Jackson arriva au Centre pour la protection de l'enfance. Il salua la réceptionniste d'un regard résigné, mais hostile.

— Je viens voir le docteur Wallace, fit-il.

Comme si elle ne le savait pas !

C'était sa manière de la défier. Il souhaitait presque l'entendre dire qu'il allait devoir attendre.

— Le docteur va te recevoir tout de suite, Benjamin.

— Benjie ! corrigea-t-il.

Oh ! nous y revoilà ! se dit-elle. La séance ne va pas être facile pour le docteur Wallace.

Il prit une des chaises réservées aux adultes, dédaignant les jouets et autres occupations proposés aux jeunes patients. Il avait le regard fixé sur l'horloge digitale derrière le bureau de la réception. Le chiffre des minutes passa de 52 à 53, puis à 54. Quand il marqua 57, il se leva de sa chaise.

— Où vas-tu, Benjie ?

Sans répondre, il continua de fixer l'horloge. Il était évident qu'il voulait savoir si le docteur Wallace l'appellerait avant que le chiffre des heures ne passe de 2 à 3. Si ce n'était pas le cas, il était prêt à s'en aller.

58, 59, 00. Trois heures. Il se tourna vers la porte. Avant

même qu'il n'ait eu le temps de faire un pas, il entendit la voix du docteur Wallace :

– Benjamin !

Il se tourna vers elle. Elle lisait sur son visage, dans ses yeux. Il aurait voulu lui montrer qu'il était furieux, à cause de sa trahison d'hier. Mais il était soulagé et rassuré à la fois, car aujourd'hui, elle était là. Et ponctuelle, cette fois-ci.

– On y va, Benjamin ?

Il fallait tout de même qu'il exprime sa contrariété pour la veille. Alors il la corrigea :

– Benjie !

– D'accord. On y va, Benjie ?

Dès qu'ils furent installés à leur place habituelle, Corinne attaqua :

– Benjamin, je voudrais que tu me dises ce que tu as pensé hier.

Il garda le silence. Il refusait de coopérer. Elle s'y attendait.

– « Cet horrible docteur Wallace... Impossible de lui faire confiance... Elle avait dit qu'elle serait là à trois heures. Moi, j'étais là, mais elle n'est pas venue... Je ne lui ferai plus jamais confiance. Jamais ! » C'est ça que tu as pensé, n'est-ce pas, Benjamin ?

Elle avait deviné ses pensées avec une telle précision qu'il était trop embarrassé pour répondre.

– Est-ce que je t'ai déjà déçu, avant, Benjamin ?

Silence. Il regardait ses mains, les serrait nerveusement.

– Non, jamais. Alors tu dois te demander : pourquoi hier ? Eh bien, tu as le droit de savoir. Une petite fille, une de mes patientes, se trouvait aux urgences. Elle perdait tellement de sang qu'elle aurait pu mourir. Elle avait besoin de moi. Il fallait que j'y aille. Par bonheur, elle va bien. La vérité, Benjamin, c'est ceci : je ne t'ai pas abandonné, *toi*. Je suis allée l'aider, *elle*. Tu comprends ?

Il avait toujours son air renfrogné. Puis il hocha la tête, à contrecœur, d'un mouvement brusque.

— Je regrette autant que toi ce qui s'est passé hier. Parce que j'étais toute prête à te voir. Et je t'avais préparé une belle surprise.

Il leva légèrement la tête. Il brûlait de curiosité, mais répugnait à l'admettre. Corinne poussa vers lui le petit paquet dans son papier cadeau. Il le contempla, impatient de s'en emparer. Mais il était vexé, et il fallait qu'elle l'encourage.

— Si tu ne le prends pas, tu ne sauras jamais ce que c'est.

Sans la regarder, sans même regarder le paquet, il avança la main lentement, presque sournoisement. Il tâtonna. Ses doigts frôlèrent le papier. Puis il abaissa la main, la posa sur le paquet, le palpa, comme pour en mesurer les dimensions.

— Qu'est-ce que c'est ?

— C'est comme un jeu, Benjamin. Pour le savoir, tu dois l'ouvrir.

Il prit le paquet. Il regarda le papier brillant avec ses dessins rouges et blancs. Il chercha l'endroit où il était fermé. Il trouva le morceau de Scotch. Très soigneusement, presque avec méfiance, il essaya d'ôter l'adhésif.

— Ouvre le paquet, Benjamin. Déchire le papier, tout simplement.

Soulagé, il arracha le papier. Il découvrit un exemplaire neuf du livre tout écorné qu'il avait pris dans la bibliothèque. Il le manipula avec précaution, toucha la couverture dont il aimait la texture. Il examina l'illustration : le visage d'un petit garçon et, en surimpression, la forme d'une hache.

— Je le mets dans la bibliothèque. L'autre, là, est tout abîmé.

— Non, Benjamin, cet exemplaire est pour toi.

Il la regarda, hésitant.

— Il est à toi. Tu peux le garder. Tu pourras le lire quand tu en auras envie.

— Je... Je n'ai jamais eu de livre à moi, dit-il. A l'école, on ne récupère que des vieux...

— Eh bien, tu as un livre neuf, maintenant. Il est à toi. A toi tout seul.

Il l'ouvrit, toujours hésitant. Il feuilleta les premières pages.

— Vous êtes sûre que c'est le même que l'autre ?

— C'est exactement le même. Maintenant, parlons d'hier. De ton escapade. Et de ce qui s'est passé hier soir.

Il ne répondit pas.

— Je sais pourquoi tu t'es enfui, reprit-elle. Tu allais me quitter parce que tu croyais que je t'avais abandonné. C'est cela, Benjamin ?

Son silence était un aveu.

— Quand la police t'a attrapé, tu essayais d'entrer par effraction dans une quincaillerie. Pourquoi ?

— Sais pas, articula-t-il.

— Qu'est-ce que tu cherchais ?

— Sais pas.

— Un garçon aussi intelligent que toi n'essaie pas de fracturer un magasin s'il n'a pas une raison spéciale d'y aller. C'était pour l'argent ?

Pas de réponse.

— Que cherchais-tu, alors ?

– Sais pas, répéta-t-il.

Elle attendit. Le temps et ses sentiments contradictoires finiraient par l'obliger à parler.

– Sais pas...

Il avait l'impression qu'il devait le répéter. Mais dès qu'il eut dit cela, il avoua :

– Je cherchais... Je cherchais quelque chose...

– Quoi ?

– Je cherchais...

Il retourna le livre pour qu'elle voie la couverture.

– Benjamin ?

Il lui montra la hache.

– Une hache ? C'est ça que tu cherchais ?

– Ouais.

– Pourquoi, Benjamin ? Pourquoi une hache ?

– Parce que.

– Pourquoi ?

Il secoua la tête.

– Qu'est-ce que le garçon, dans le livre, faisait avec une hache ?

– Tout. Il faisait tout.

– Par exemple ?

– Après l'accident d'avion, quand il était tout seul dans la forêt, il a pu faire ce qu'il fallait pour rester vivant. Il a coupé des branches. Il a construit une cabane. Il a fabriqué un arc et des flèches. Ça lui a permis de chasser. Il n'avait besoin de personne.

– C'est cela que tu voulais faire, Benjamin ? Voler une hache. Pour pouvoir t'enfuir et vivre seul. Tout faire tout seul. Pour ne pas avoir besoin de quelqu'un d'autre. Surtout pas de cet horrible docteur Wallace. Tu ne serais plus obligé de la voir. Puisqu'elle ne se soucie pas de toi, de toute

211

façon. Pas même au point d'être ici à trois heures. L'heure de ton rendez-vous. C'est ça ?

– Vous n'étiez pas là ! explosa-t-il. Vous n'étiez pas là !

– Il y a autre chose, dans ce livre, dont tu te souviennes ?

– Des choses.

– Par exemple ?

– Le moment où il a vu l'ours et où il a eu peur. Il a trouvé les baies et il s'en est goinfré. Il a pu se faire une canne à pêche avec la hache. Comme ça il pêchait et mangeait les poissons. Puis un lapin. Il a tué un lapin. Il l'a fait cuire sur le feu qu'il a fait avec les branches qu'il avait coupées. Tout ça, avec la hache. C'est pour ça que le livre s'appelle *La Hache*.

– Est-ce que le livre signifie autre chose pour toi ?

– Je ne sais pas.

– Réfléchis. Quoi d'autre ?

– Le garçon... Il est exactement comme moi.

– Comment cela ? fit Corinne, en essayant de dissimuler sa surprise.

– Il a un secret, lui aussi.

Oui, bien sûr. Le petit garçon du livre avait un secret. Elle ne s'attendait pas à ce que Benjie en parle. Mais cela pouvait avoir un rapport avec son traitement.

– Quel est ce secret ?

– Il... Il est... Sa mère et son père sont divorcés. C'est pour ça qu'il a pris l'avion. Il allait voir son père.

– Le divorce, ce n'est pas un secret, Benjamin. Tout le monde est au courant. Quel est son secret ?

– Il... Il a vu...

Benjamin faisait un effort visible pour parler.

– Il a vu... Dans la voiture... Sa mère... Et cet homme... L'autre homme... Et ils faisaient... Ils *le* faisaient.

212

– Et il a gardé le secret ?

– Il ne pouvait le dire à personne. Surtout pas à son père.

– Tu as un secret semblable à celui-ci ? Benjamin...

– Pas exactement.

– Comment ça, « pas exactement » ?

– Ce n'était pas dans une voiture.

– Ça se passait où, Benjamin ?

Il tourna la tête. Sa main glissa du livre où elle était posée, dans un geste possessif, depuis l'instant où il avait compris qu'il lui appartenait. Il secoua la tête.

– C'était pas une voiture.

Cette fois, elle n'eut pas besoin de l'encourager. Il murmurait :

– Dans le lit, murmura-t-il... Mon lit... Elle le faisait avec cet homme... Dans mon lit...

– Tu dormais ?

– Oui, je dormais... Mais je les ai entendus...

– Et alors ?

– Je me suis réveillé... J'ai fait semblant de dormir...

– Pourquoi ?

– J'avais peur.

– Peur de quoi ?

– Qu'il me tue, dit Benjamin.

– Pourquoi aurait-il voulu te tuer ?

– Parce que *moi*, j'avais envie de le tuer.

C'était beaucoup trop tordu pour qu'elle comprenne d'emblée pourquoi Melissa, dans sa folie, avait décidé de faire l'amour dans le lit de son fils endormi. La seule chose qui la tracassait, pour le moment, c'était l'effet dévastateur que cela avait eu sur son patient.

– Est-ce que tu sais pourquoi tu voulais le tuer, Benjamin ?

– Parce qu'il faisait ça à ma maman.

– Et parce qu'elle faisait ça avec lui, qu'elle ne jouerait plus à ces jeux avec toi ?

– Je peux m'en aller, maintenant ?

– La séance n'est pas finie. Tu veux t'en aller ?

– Ouais. Je crois.

– Alors tu peux partir. N'oublie pas d'emporter ton cadeau.

– Je peux le prendre quand même ? demanda-t-il, comme si la révélation de son secret l'avait discrédité, comme si elle pouvait penser qu'il n'était plus digne de recevoir son présent.

– Mais oui, tu peux le prendre. Je veux que tu en relises le plus possible d'ici demain après-midi. A partir de maintenant, chaque fois que tu auras le cafard, que tu seras triste, je veux que tu le relises. Alors tu sauras ce dont un petit garçon est capable, même s'il est seul.

– Trois heures ? demanda-t-il.

Il tenait à être rassuré. Il voulait qu'elle lui promette qu'il aurait tout son temps avec elle.

– Trois heures, assura-t-elle.

Il se leva, prit son livre, se dirigea vers la porte, s'arrêta une seconde. Puis il sortit sans se retourner.

Elle se laissa aller contre le dossier de son fauteuil, épuisée. Voilà le travail qu'elle avait choisi de faire. Essayer de secourir des enfants qui avaient subi les violences les plus odieuses, parmi celles qui ne laissent pas de trace. Uniquement des blessures. Des blessures profondes. Certaines ne cicatriseraient jamais. En dépit de tous ses efforts, en dépit de tous les efforts de tous les psychiatres du monde.

Il fallait se secouer, se remettre au travail. Elle avait d'autres patients, qui attendaient.

On frappa à la porte.

— Oui, Evie. Faites-la entrer.

On ouvrit la porte. Ce n'était pas Evie. Ni le prochain patient. C'était Benjamin. Il agita le livre.

— Merci, dit-il.

Et il sortit.

20

Corinne Wallace revenait des soins intensifs du service de pédiatrie et regagnait son bureau. Elle venait de quitter le chevet de Sally Clement. La fillette luttait contre la fièvre provoquée par l'infection vaginale qu'elle avait contractée. Grâce aux antibiotiques, Sim Freedman contrôlait la situation. Même s'il était trop tôt pour envisager une thérapie intensive, Corinne Wallace tenait à donner à la petite fille le soutien psychologique de sa présence. C'était une manière de lui promettre son aide.

En sortant de l'hôpital, elle aperçut Benjamin Jackson un peu devant elle. A en juger par sa démarche et son attitude, il était évident qu'il se rendait à sa séance à contrecœur. Mais il se forçait à y aller, car il n'avait pas le choix. Elle le rattrapa à l'entrée du centre.

– Benjamin ! s'écria-t-elle.

Il se retourna. Il tenait son livre. C'était bon signe.

Ils s'installèrent dans son bureau. Il serrait le livre nerveusement. C'est lui qui ouvrit la séance.

– Ce n'est pas la même chose.

– Qu'est-ce qui n'est pas la même chose ?

– Moi et ce garçon, ce n'est pas la même chose...

– Pourquoi ?

– Moi, je n'ai jamais pris l'avion.

Elle ne répondit pas. Il fallait qu'il parvienne seul, par ses propres moyens, à dire ce qu'il ressentait.

— Et je n'allais pas voir mon père, poursuivit-il. Parce que je n'ai pas de père. Ce n'est donc pas la même chose.

— Alors pourquoi as-tu cherché à te procurer une hache comme celle de ce garçon ? demanda-t-elle.

— Sais pas. Je me suis dit que ce serait bien d'avoir une hache. Peut-être que si j'en avais une...

Il s'interrompit brusquement.

— Peut-être que si tu avais une hache, tu pourrais tuer cet homme qui faisait cela à ta mère ? suggéra-t-elle.

— Non.

— Peut-être que si tu avais une hache, tu pourrais vivre tout seul. Tu n'aurais besoin de rien ni de personne. Tu n'aurais pas besoin de cet horrible docteur Wallace, qui n'est pas là quand tu as besoin d'elle.

Il ne répondit pas.

— Est-ce que tu te sens toujours aussi seul, Benjamin ?

Il aurait eu trop de mal à le dire. Il se contenta de hocher la tête. Puis il détourna le regard, très vite.

— Peut-être que c'est pour cela que tu te sens proche du garçon du livre. Parce que tout au long de l'histoire... Presque jusqu'à la fin, il est seul, lui aussi. Personne, dans le monde entier, pour s'occuper de lui ou l'aider. Il doit se débrouiller seul... ou mourir... Est-ce qu'il t'arrive de ressentir cela, Benjamin ? D'être tellement seul que tu vas mourir ?

— Oui, parfois.

— Comme l'autre jour, quand je n'étais pas là pour te recevoir ?

Il hocha la tête.

– Est-ce que le garçon du livre est mort à cause de sa solitude ?

– Non.

– Qu'est-ce qu'il a fait ?

– Il avait sa hache, répondit Benjamin.

– Benjamin, je ne t'ai pas demandé ce qu'il avait ! Je t'ai demandé ce qu'il a fait !

– Il... Il a construit une maison... Un arc et des flèches... La canne à pêche... et des trucs... Bientôt il a eu des choses à manger et à boire...

– Bien. Tu vois, Benjamin, ce n'est pas la hache qui a sauvé le garçon. C'est ce qu'il a fait avec la hache. C'est le garçon qui s'est sauvé lui-même. Et tu peux faire la même chose !

– Moi ? Je pourrais...

– Oui, parfaitement. Benjamin Jackson, qui se sent si seul et si désespéré, peut faire quelque chose pour sauver sa vie !

– Ouais ? Comment ?

– C'est ce que nous devons explorer. Tous les jours. Un petit peu chaque fois. Mais surtout, tu dois te dire que je suis toujours ton amie. Si un autre enfant a besoin de mon aide et que je m'occupe de lui en urgence, ça ne veut pas dire que je t'abandonne. Je ne ferais pas autrement pour un autre enfant, si c'était toi qui avais besoin d'une aide urgente.

Il réfléchit à ce qu'elle venait de lui dire.

– C'est vrai ?

– Oui, c'est vrai !

Il soupesa sa réponse, calmement. Ses yeux bleus fixaient le vide, comme s'il était perdu dans ses pensées. Il finit par hocher la tête.

Un grand obstacle venait d'être levé. Ils n'avaient jamais été aussi proches l'un de l'autre. Les choses se présentaient d'elles-mêmes. Corinne Wallace décida d'exploiter la situation.

— Benjamin, nous en avons déjà parlé. Mais nous devons revenir là-dessus. Ces moments avec ta mère...

— Je ne veux pas parler d'elle.

— Elle te manque ?

Il hésita, avant d'admettre de mauvaise grâce :

— Ouais.

— Qu'est-ce qui te manque le plus ?

— Rien... Elle me manque, c'est tout...

— Les choses que vous faisiez ensemble, ça te manque ?

Il tourna la tête pour éviter son regard.

— Ça te manque, Benjamin ?

— Ben... Parfois... Ouais, parfois...

— Tu aimais cela ?

Il était immobile, sans oser la regarder. Son corps d'enfant était si raide qu'on eût dit qu'il avait cessé de respirer.

— Dis-moi comment c'était. Ce que tu ressentais.

Il ne répondit pas. Mais il s'efforça de secouer la tête.

— Est-ce que tu avais une sensation de chaleur, est-ce que tu sentais que tu étais près de ta maman ? Tu sentais comme elle était douce ?

Elle se rappela que chaque fois qu'elle avait vu Melissa, elle avait été frappée par le parfum bon marché qu'elle utilisait à profusion.

— Tu aimes son parfum ? demanda-t-elle.

Il tourna lentement la tête vers elle.

— Vous savez... pour le parfum ? demanda-t-il timidement.

– Non, pas du tout... Dis-moi, toi.

Il hésita, soupesant les conséquences de la trahison d'un autre secret.

– Son parfum, Benjamin, l'encouragea Corinne.

– Quand... parfois, quand... Je veux dire, avant... Avant qu'elle me prenne sur ses genoux... quand j'ai été très méchant... elle dit qu'elle ne me laissera pas le faire.

– Faire quoi ?

– Mettre le parfum...

– Te mettre du parfum ?

– Non, pas sur moi ! protesta-t-il. Suis pas pédé.

– A qui mettais-tu du parfum, alors ?

– A elle, répondit-il à contrecœur.

– Benjamin, dis-moi comment ça se passe.

– Comme ça... comme ça, c'est tout.

Elle n'allait pas le laisser éluder la question. Pas maintenant.

– Benjamin, je veux que tu me le dises. Que fais-tu avec le parfum ?

– Toutes les dames aiment le parfum, dit-il comme pour en finir avec le sujet.

– Raconte-moi, Benjamin. Le parfum...

– Elle dit que je pourrai le faire si je me repens sincèrement. Il faut que je dise que je suis très, très désolé.

– Et quand tu es très, très désolé... Qu'est-ce qui se passe ?

– Elle... Elle ouvre son chemisier... et elle me donne le flacon, le spray de parfum.

– Et puis ?

– Alors je lui mets du parfum...

– Tu lui mets du parfum... où ça ?

– Partout, sur ses... heu...

Il fit un geste vers sa poitrine.

— Surtout sur les deux trucs marron...

Il montra l'emplacement de ses tétons.

— Et après, qu'est-ce qui se passe ?

— Elle ferme les yeux, et elle part en arrière, comme...

— Comme ?

— Avec un grand sourire. Les yeux fermés et avec ce grand sourire...

Il fit une pause :

— J'aime son visage quand elle fait ça.

A ce souvenir, il ferma les yeux en souriant.

— Est-ce qu'elle dit quelque chose, alors ?

— Elle dit... Elle ne dit pas vraiment quelque chose... Elle fait...

A sa manière enfantine, il imita sa mère, haletant sur un rythme qui suggérait l'extase :

— Ahhh... Ahhh... Ohhh, Benjie...

— Et tu te sens bien en voyant qu'elle est si heureuse d'être avec toi ?

— Ouais, avoua-t-il. Et après, quand elle me prend sur ses genoux...

Mon Dieu, quelle cruauté dans sa manière de le séduire ! se dit Corinne Wallace. Elle l'incite à lui être agréable et lui donne un sentiment de bien-être en lui pardonnant des péchés qu'il n'a pas commis.

— Benjie, quand elle t'avait touché, là, et embrassé, et que « la chose » était arrivée, comment te sentais-tu ?

— C'était fini... Tout d'un coup, c'était fini.

— Non, je veux dire : comment tu te sentais, toi ?

— Bizarre... Bizarre, parce qu'il y avait deux choses en même temps.

— Comment ça, deux choses ?

– Je me sentais bien, et en même temps... je n'étais pas bien.

– Bien ? Comment cela ?

– Comme si tout par là, en bas, était chaud, mouillé... Je n'aimais pas le mouillé, mais j'aimais la chaleur. Et la sensation.

– Et en même temps, tu n'étais pas bien ?

– Sais pas..., dit-il avec une évidente perplexité.

Plutôt que de lui suggérer des mots ou des pensées qui pourraient être contestés par la suite, elle répéta simplement :

– Tu n'étais pas bien ?

– C'était comme si...

Il ne trouvait pas les mots. Sa main descendit vers son ventre, qu'il frotta machinalement, sans s'en rendre compte.

– Comme si... quoi ? l'encouragea-t-elle à nouveau.

– Comme... Comme si j'étais malade.

Une description assez juste de son sentiment de culpabilité, se dit-elle.

– Et ces moments-là te manquent ?

– Ouais, avoua-t-il. Maman me manque. Je voudrais être à la maison.

– Benjie, quand tu dis que tu te sentais « comme si tu étais malade »... Est-ce que tu avais déjà ressenti la même chose auparavant ?

– Oui, parfois.

– Quand cela ?

– Par exemple, la fois où j'ai été pris en train d'écrire sur le mur, à l'école. J'écrivais des gros mots. C'était pareil.

Il ajouta, presque en se rengorgeant :

– Je connais beaucoup de gros mots. Je connais tous les gros mots qui existent.

– Il t'est arrivé de ressentir la même chose à d'autres moments ?

– Oui. De temps en temps...

Il hésita avant de se décider à révéler quelques-uns des méfaits les plus affreux de ses deux ans de rébellion.

– Une fois, j'ai fichu la trouille à deux filles. Je m'étais caché dans les toilettes des dames, à l'école... Dans un des cabinets, vous voyez, et dès qu'elles se sont assises pour pisser, je suis sorti de ma cachette et j'ai braillé : « Au viol ! » Elles ont fait un bond, se sont mises à hurler et se sont pissé dessus. C'était un vrai bordel... Une des deux était une fille que j'aimais bien, alors je n'étais pas à l'aise.

– Tu te sentais mal de lui avoir fait ça, à elle ?

– Ouais, je crois...

– Et c'est la même chose que tu ressentais quand il se passait avec ta maman ce dont tu m'as parlé ?

– Ouais, la même chose. Pareil.

– Comme si tu avais fait quelque chose de mal ?

– Ouais...

– Benjamin, est-ce que tu sais ce que veut dire le mot « culpabilité » ?

– Ouais, bien sûr.

– Peux-tu m'expliquer ce que ça veut dire ?

– Ça veut dire... euh... ça veut dire que...

Il était incapable de le formuler. Elle l'aida :

– C'est ce sentiment que tu ressens quand tu te rends compte que tu as fait quelque chose de mal. Tu te sens coupable.

Il hocha la tête pour montrer qu'il comprenait la définition.

– Parfois, il est normal qu'on se sente coupable. Comme dans les deux cas dont tu viens de me parler. Les deux fois, *tu* as fait quelque chose dont toi, tu savais que c'était mal. *Tu* avais une raison de te sentir coupable. Mais avec ta maman, tu n'avais rien fait de mal.

— J'ai fait... le parfum.

— C'est toi qui as apporté le parfum ?

— Non, admit-il.

— C'est toi qui as ouvert son chemisier ?

— Non.

— C'est toi qui as demandé à vaporiser le parfum sur elle ? Sur ses tétons marron ? Qui en a eu l'idée, elle ou toi ?

— Elle.

— Et ce qui s'est passé plus tard... Ce qui était à la fois si agréable et si désagréable... C'est toi qui l'as fait ?

— Non.

— C'est elle qui t'a fait quelque chose. Et pourtant, tu te sens coupable. Tu as l'impression d'avoir fait quelque chose de mal. Tu sais pourquoi ?

Il secoua la tête.

— Parce que quelque chose à l'intérieur de toi te dit qu'une maman ne devrait pas faire ces choses-là avec son petit garçon. Et comme elle le fait, tu t'imagines que tu as peut-être fait une bêtise, et que c'est pour ça que ça arrive. Est-ce que cette pensée t'est déjà venue ?

Il acquiesça.

— Surtout si c'est si agréable quand ça se produit, poursuivit Corinne Wallace. Tu te sens coupable parce que c'est agréable. Et en même temps tu veux que ça arrive. C'est pour cela que ces moments te manquent. Que ta maman te manque.

— Je ne sais pas. Je ne sais pas si je lui manque, moi... après ce que j'ai fait.

– Qu'est-ce que tu as fait ?

– Une très grosse bêtise. J'ai tout raconté... Elle m'avait fait promettre de ne rien dire, et j'ai tout raconté.

– Et que se passera-t-il si tu rentres chez toi ?

– Elle va brailler et me traiter de sale gosse... Elle me dira qu'elle ne veut plus jamais me voir, parce qu'elle ira peut-être en prison à cause de moi, à cause de ce que j'ai dit... Et puis...

Il s'interrompit brusquement.

– Et puis ?

– Alors je pleurerai, et elle braillera de plus en plus fort. Elle aura l'air tellement triste à cause de ce que j'ai fait, comme si c'était elle qui allait se mettre à pleurer. Alors j'irai vers elle, et elle me prendra sur ses genoux. Et...

Une pensée lui traversa soudain l'esprit, qui lui fit changer d'idée.

– Peut-être que cette fois-ci, parce que j'ai fait la plus grave des bêtises en racontant tout... Peut-être que cette fois-ci elle ne voudra pas... Elle ne voudra pas...

– Alors tu veux aller chez toi pour savoir. Si elle t'aime toujours. Si tu es toujours son grand garçon. Si ton zizi est toujours si gros que toutes les filles seront amoureuses de toi quand tu seras grand.

– Tout ce que je sais, c'est que je veux rentrer chez moi, dit-il.

Le docteur Wallace ignorait la quantité de travail qu'il leur restait à accomplir ensemble. Ce dont elle était sûre, c'est qu'elle ne le laisserait pas rentrer chez lui tant que sa mère n'aurait pas suivi une longue et intensive thérapie.

21

Le parfum de Melissa Jackson avait envahi le bureau. Corinne Wallace dut faire un effort pour le supporter. Elle y était beaucoup plus sensible depuis qu'elle connaissait le rôle qu'il jouait dans la séduction du petit Benjamin.

Le plus important, c'était que la mère était enfin venue – après plusieurs invitations, dont les dernières étaient presque menaçantes. Un signe, enfin, qu'elle pourrait être un peu plus raisonnable que la fois précédente. Corinne Wallace espérait qu'elle serait capable d'entamer son refus obstiné de se faire soigner.

– Madame Jackson, nous travaillons avec Benjamin depuis plusieurs semaines. Sauf quelques revers que nous avons pu surmonter, il fait des progrès évidents.

– Puis-je le voir ? demanda tout de suite Melissa.

– Nous en parlerons en temps utile. Ce dont je veux vous parler, c'est de votre traitement.

– Je veux le voir ! insista Melissa.

– Vous le verrez, madame Jackson. Mais nous devons d'abord parler.

– D'accord, répondit-elle très vite.

Son impatience montrait qu'elle pouvait faire semblant d'accepter n'importe quoi pourvu qu'on la laissât voir son fils.

– En parlant à Benjamin, je suis parvenue à la conclusion

que nous serions beaucoup plus efficaces si nous considérions qu'il s'agit d'un problème familial.

– Pendant six ans, nous n'avons pas eu le moindre problème. Il n'y a que depuis quelques années qu'il est ainsi. Au début, je me disais : « Bon, c'est un garçon. » Vous comprenez, ils font des bêtises, ils cassent des choses, ils se disputent avec les autres garçons. Avec leurs professeurs. Je pense que le problème... Eh bien, j'ai entendu un jour à la télévision... Que les gosses surdoués, ils finissent souvent par avoir des problèmes, parce qu'ils s'ennuient en classe... Ils ont besoin d'être... Comment dire...

– Stimulés ? suggéra Corinne Wallace.

– Oui, c'est ça. C'est de ça qu'il a besoin. D'être stimulé. Parce qu'il est surdoué.

– Benjie est un enfant très brillant, je suis d'accord. Et extrêmement délicat. Mais il n'a pas besoin d'être particulièrement stimulé. Ce dont il a besoin, c'est d'un foyer stable et équilibré. Un foyer où il ne serait pas continuellement sous pression. Où il pourrait se sentir détendu, à l'abri. Et il ne peut pas l'avoir sans votre totale coopération.

– Mais j'ai toujours voulu coopérer, depuis le début ! répliqua Melissa. C'est pour ça que je vous l'ai envoyé. C'est pour ça que j'ai dit à Sophie : « Emmène-le à la clinique de la protection de l'enfance. Ils savent comment s'y prendre avec les enfants comme lui. » Pour parler franchement, docteur, j'attendais beaucoup plus de cet endroit... et de vous.

– Nous ne pouvons pas tout faire, madame Jackson. Nous avons besoin de la coopération de la famille. Et puisque vous êtes la seule famille de Benjamin, la seule façon de vous faire coopérer est de vous inclure dans le traitement.

227

– Je n'ai pas besoin de traitement ! répondit-elle.

– Ce n'est pas mon avis.

– Eh bien, moi, c'est mon avis ! Puisque ce point est réglé, je veux voir Benjie.

– Madame Jackson, je dois vous prévenir que nous pouvons prendre des mesures légales contre vous si vous refusez de coopérer.

– Des mesures légales... Que voulez-vous dire ?

– Vous enlever la responsabilité de Benjamin. Le confier à une famille d'accueil.

– Vous ne pouvez pas faire cela ! Je reçois peut-être l'aide sociale, mais nous avons un foyer. Il mange à sa faim. Je suis capable de m'occuper de lui. Je l'ai toujours fait, d'ailleurs !

– Je ne parle pas d'un endroit pour manger ou dormir... Je parle d'un environnement familial digne de ce nom. Dans lequel un petit garçon peut grandir normalement. Et ce ne sera pas possible si vous ne changez pas, comme Benjamin est en train de changer. Si vous faites des progrès tous les deux, le moment viendra peut-être où vous pourrez de nouveau former une famille.

– Qu'est-ce que ça veut dire : « le moment viendra peut-être » ?

– Ce que nous ferons dépendra de ce que vous, vous ferez, souligna Corinne Wallace.

– Le moment viendra peut-être..., répéta la femme en élevant la voix. La façon dont vous le dites, ça veut dire qu'il ne viendra peut-être jamais.

– Si j'ai un conseil à vous donner, c'est de profiter de l'occasion. Travaillons ensemble. Au début, ce ne sera pas facile. Mais ce n'est pas désespéré.

– Et si j'accepte de travailler avec vous...

– Il y aura une chance, une chance pour que vous puissiez mener à nouveau avec lui une vraie vie de famille, dit Corinne Wallace.

– Je vais y réfléchir.

– Oui, je vous conseille d'y réfléchir. Très sérieusement. Tenez-moi au courant de votre décision. Le plus vite possible.

– Je peux voir Benjie, maintenant ?

– Je vais appeler l'hôpital et dire que je vous ai autorisée à lui rendre visite. Mais à partir de maintenant, il y aura certaines restrictions.

– Des restrictions pour voir mon fils ? Qu'est-ce qu'ils vont faire ? Ils vont me fouiller ? Qu'est-ce que vous croyez ? Que j'ai de la drogue sur moi ? Ou une arme ? C'est une prison ou quoi ? Je vais lui parler à travers une grille, comme on voit à la télévision dans les films policiers ? Tout ce que je veux, c'est voir mon fils. Je veux m'assurer qu'il va bien. Est-ce trop demander ?

– Madame Jackson, vu les circonstances, vous devrez le voir dans le salon réservé aux visiteurs.

– Nous ne pouvons pas passer un moment en tête-à-tête ?

– Non, j'en ai bien peur.

– Vous avez une drôle de façon de parler, docteur. Vous dites « j'en ai bien peur », mais je sais foutrement bien que ce n'est pas vrai ! Alors je ne peux même pas parler à mon fils sans que le monde entier nous écoute !

– A cette heure de la journée, le salon est pratiquement vide.

– Et voilà ! Toujours cette manière de parler. Pratiquement vide, ça ne veut pas dire vide. La vérité, c'est que vous ne voulez pas que je passe un moment seule avec mon

229

fils. Je me demande si vous savez comme ça fait mal d'être séparé d'un enfant que l'on aime. Vous avez des enfants ?

— Non, répondit Corinne Wallace.

— C'est pour ça que vous êtes si stricte... Vous ne pouvez pas imaginer ce que ça fait. Seule une mère peut le savoir. Seule une mère peut le savoir !

— Madame Jackson... Si vous refusez de vous soumettre à nos règles, je ne pourrai pas vous laisser voir votre fils.

— D'accord, fit Melissa sur un ton radouci. Je me soumettrai à vos règles.

— N'oubliez pas de réfléchir très sérieusement à ce que je vous ai dit.

Melissa Jackson était partie. Mais pas son parfum. Corinne Wallace se demanda quel effet cette simple odeur produirait sur son petit patient. Quels souvenirs, quelles émotions, quels désirs même cela ferait remonter en lui.

Elle appela le service de pédiatrie. Une voix familière lui répondit.

— Salle des infirmières, pédiatrie.

— Mabel, c'est le docteur Wallace. A propos de Benjamin Jackson. Sa mère a l'autorisation de le voir. Mais seulement dans le salon des visiteurs. Je compte sur vous pour vous en assurer. Si elle refuse ou si elle fait des histoires, appelez-moi.

A l'étage de pédiatrie, Melissa Jackson sortit le plus discrètement possible de l'ascenseur. Sans même jeter un regard autour d'elle, elle prit le couloir menant à l'aile occupée par les patients du Centre pour la protection de l'enfance. Elle avait à peine fait deux pas lorsque Mabel Halliday l'interpella :

— Hé ! Madame, s'il vous plaît !

Melissa feignit de n'avoir pas entendu et continua son chemin dans le couloir. L'infirmière la rattrapa avant qu'elle parvienne à la salle de jeu.

– Madame Jackson ! fit-elle sèchement.

Melissa s'immobilisa et se retourna pour lui faire face.

– Personne ne peut entrer ici sans une autorisation spéciale, fit Mlle Halliday.

– Le docteur Wallace m'a dit que je pouvais...

– Oui, je sais. Attendez dans le salon des visiteurs. Je vais chercher Benjamin.

Déçue d'avoir manqué son coup, Melissa fit demi-tour et se dirigea vers le salon. Comme il se trouvait juste en face de la salle des infirmières, il était toujours dans leur champ de vision. Elle choisit une chaise au fond de la pièce et s'assura que l'emplacement lui permettait de ne pas être vue. Elle avait une envie folle d'allumer une cigarette, mais elle se retint. Sa jambe droite tressaillit nerveusement, comme ça lui arrivait souvent quand elle était sous pression. Cette fois, c'était totalement incontrôlable. La seule solution pour arrêter ça consistait à se lever et à marcher.

Agitée, elle fit les cent pas. Sa haine à l'égard du docteur Wallace croissait à chaque seconde. Sa seule consolation, c'était que le salon était vide. Elle ignorait pour combien de temps.

Quelques instants plus tard, Benjamin apparut à la porte.

– Maman !

Elle se précipita vers lui, s'agenouilla à côté de lui et le serra dans ses bras – si fort qu'elle faillit l'étouffer. Craintif, Benjie se laissait faire.

– Qu'est-ce qui ne va pas, mon cœur ? Mon petit homme n'est pas content de voir sa mère ? lui demanda-t-elle.

Elle lui murmura à l'oreille :

– Qu'est-ce qu'ils t'ont fait, Benjie ?

Comme il ne lui répondait pas, elle éclata :

– C'est ce docteur, hein ? Qu'est-ce qu'elle t'a fait ? Qu'est-ce qu'elle t'a dit à mon sujet ? Benjie ! Réponds à ta mère !

Réalisant que Mabel Halliday se trouvait à la porte du salon, elle se leva.

– Viens, Benjie, allons nous asseoir dans le coin. Et raconte-moi tout ce qui t'est arrivé.

Ils s'assirent devant la fenêtre, face à face, mais légèrement éloignés l'un de l'autre. Melissa parla d'un ton agréable, anodin, eu égard à la présence de l'infirmière.

– Ta grand-mère voulait venir te voir. Tante Sophie aussi. Mais l'hôpital veut que tu ne reçoives qu'une visite à la fois. Alors elles m'ont dit de t'embrasser bien fort. Eh bien, mon chéri, comment ça va ? On te traite comme il faut ?

– Ouais.

– Parfait, ça me fait plaisir. Le docteur Wallace dit que tu vas bien. Très bien, même.

Déconcerté par l'attitude inhabituelle de sa mère, Benjamin restait là, raide et impassible. Mais elle continuait à jacasser. Jusqu'au moment où l'infirmière s'en alla pour répondre au téléphone.

Immédiatement, Melissa se mit à parler à voix basse, sur un ton de conspiratrice.

– Ils essaient de nous séparer, mon chéri. Mais ne t'inquiète pas. Maman ne va pas les laisser faire. D'une façon ou d'une autre, je vais te faire sortir d'ici.

Elle lui tendit la main. Timidement, il avança la sienne. Leurs deux mains se touchèrent.

– Bientôt nous serons à la maison. Tous les deux, enfin. Rien que nous deux. Comme toujours.

Elle sourit, plongea son regard dans les yeux bleus de son fils pour l'obliger à la regarder à son tour. Il était paralysé, et elle le voyait bien.

— Ils t'ont fait quelque chose, hein ? Tu n'es plus mon petit homme. Tu es devenu un étranger, Benjie. Un étranger pour ta mère.

Il vit les larmes jaillir dans ses yeux.

— Non, je ne suis pas un étranger ! protesta-t-il.

Il savait que c'était ce qu'elle voulait entendre, et il ne supportait plus la peur et la culpabilité de l'avoir déçue.

— J'avais peur, pleurnicha-t-elle. J'ai eu très peur qu'à l'instant même où ils t'ont enfermé ici, tu oublies ta mère. Qu'ils te disent des choses sur elle et qu'à cause de ça tu ne l'aimes plus... Après tout ce que j'ai fait pour toi... Tout ce que j'ai fait, et toi, tu ne n'aimes plus...

— Non, maman, non, c'est pas vrai. Ça n'arrivera jamais. Jamais !

— Comment puis-je en être sûre ? demanda-t-elle d'un ton plaintif.

La force de l'habitude – plus la pression suggestive qu'elle exerçait sur sa main – le poussa à descendre de sa chaise et à s'approcher d'elle. Elle l'enlaça, tout en pivotant pour que son corps les dissimule au regard de quiconque pourrait les observer de la porte.

Un bras passé autour de ses épaules, elle le serra contre elle. Sa main libre approcha de la braguette de son jean. Auparavant, il l'aurait peut-être aidée. Mais cette fois, il restait passif. Lentement, comme si ce simple bruit pouvait attirer l'attention, elle baissa sa fermeture Eclair. Elle glissa la main sous son jean. Elle toucha son pénis qui, par simple réaction mécanique, commençait à être en érection.

Elle le sortait doucement du pantalon pour le contempler

avant de se livrer à son jeu habituel lorsqu'une voix dure l'interrompit brutalement.

– Madame Jackson !

Avec la rapidité d'un criminel endurci, Melissa remit le pénis en place, remonta la fermeture Éclair et se tourna vers la porte. Ce n'était pas l'infirmière. C'était Corinne Wallace.

– Viens ici, Benjamin ! ordonna la nouvelle venue.

Le garçon se détourna de sa mère, mais n'osa pas bouger, cloué sur place par l'impossibilité de choisir entre deux loyautés contradictoires.

– La visite est finie, déclara Corinne. Dis au revoir à ta mère. Puis tu rejoindras les autres à la séance de groupe. Ils ont besoin de toi.

Il se tourna vers sa mère.

– Au revoir, maman, murmura-t-il.

– Au revoir, mon chéri.

Très ostensiblement, Melissa posa un baiser léger et pudique sur la joue de Benjie. Elle lui tapota le crâne avant de le pousser vers la porte, comme si elle était impatiente de le voir s'en aller.

Il se dirigea vers Corinne Wallace, qui attendait dans l'embrasure de la porte. En passant devant elle, il souffla :

– Il ne s'est rien passé... Je le jure, il ne s'est rien passé.

Corinne Wallace réalisa qu'il essayait de disculper sa mère de tout soupçon et de toute accusation. Même si celle-ci s'était conduite de manière abominable, la loyauté filiale de Benjie l'emportait sur le reste.

Après le départ de l'enfant, Corinne Wallace ferma la porte. Elle s'approcha de Melissa Jackson, qui, essayant de se donner une contenance, ramassa son sac et se prépara à partir.

– Si vous tenez à récupérer votre fils, madame Jackson, suivez mon conseil. Acceptez de vous faire soigner.

– Je vous ai dit que j'y réfléchirais ! répliqua-t-elle avec l'emphase de celle qui considère qu'on l'agresse sans motif.

– Vous devez le faire non seulement pour votre bien, mais pour celui de Benjamin. L'absence de père est déjà une carence affective grave pour un petit garçon. Surtout un garçon aussi sensible que lui. Je tremble à l'idée qu'il puisse être trimballé de famille d'accueil en famille d'accueil.

– Il n'ira pas dans une famille d'accueil ! protesta Melissa.

– Vous ne nous laissez pas le choix, fit Corinne Wallace. Si vous n'avez pas envie de suivre un traitement avec moi, je vous trouverai un autre psychiatre. Mais décidez-vous !

– Oui, oui, je vais y réfléchir, promit-elle.

Mais elle n'en pensait pas moins.

22

Corinne Wallace s'était imposé une règle. Quand elle avait eu une de ces journées si décourageantes qu'elle s'interrogeait sur les raisons qui l'avaient fait se consacrer à la psychiatrie infantile, elle se rappelait les enfants qu'elle avait sauvés, ceux qui avaient retrouvé, grâce à elle, une existence à peu près normale. Cela lui permettait d'introduire un semblant d'équilibre dans sa vie privée et dans son travail.

La journée qui s'achevait n'avait pas été de celles où le souvenir des réussites passées suffisait à adoucir sa tristesse et son sentiment d'échec.

Elle avait commencé avec plusieurs cas routiniers. Deux nouvelles admissions qu'elle avait dû interroger, examiner et soumettre à des tests. Une séance du matin avec Edwina Stoltz, une fille de quatorze ans que son frère aîné avait mise enceinte et qui s'était fait avorter. Elle souffrait d'un double traumatisme : l'inceste, plus le sentiment de culpabilité d'avoir avorté. Il lui faudrait des années pour l'aider à exorciser ce que la vie lui avait fait subir.

Juste avant la fin de la séance, sa conversation avec Edwina avait été interrompue par un appel urgent de la police.

« Docteur Wallace ? Lieutenant Lopez. Nous avons un problème. Vous vous rappelez une de vos patientes, une nommée Claire Renzler ?

– Bien sûr que je me la rappelle. Je me rappelle tous mes patients ! » avait-elle répliqué sèchement

Elle aurait pu ajouter qu'elle était fière du travail qu'elle avait accompli avec Claire. Quand elle l'avait prise en main, elle avait douze ans et souffrait de tous les problèmes que connaît une fillette victime de sévices sexuels de la part de son beau-père. Assez désespérée pour tenter de se suicider. Grâce à son travail avec Corinne, et à l'opposition féroce de cette dernière à ce que la jeune fille soit rendue à ses parents comme le proposait le juge Engelhardt, elle avait pu entrer dans une famille d'accueil et faire preuve de progrès encourageants. La dernière fois que Corinne avait eu de ses nouvelles, elle avait repris ses études au lycée et trouvé un emploi à temps partiel.

Claire était un de ces « cas » qui donnaient à Corinne Wallace de bonnes raisons de persévérer.

« Docteur, il faut que vous veniez ici tout de suite, avait ajouté Lopez d'un ton presque autoritaire. Par tout de suite j'entends que le temps que vous sortiez de votre immeuble, une voiture de mon service vous attendra, prête à vous embarquer.

– Pourquoi ? Que se passe-t-il ? Où est Claire ?

– Docteur, je crois que nous avons sur les bras une menace de suicide.

– Une menace... Vous voulez dire qu'elle...

– Elle est debout sur un rebord de fenêtre au douzième étage de l'immeuble de la Federal Bank, au coin de Broad Street et de West Street. Montez dans cette voiture, docteur, et rappliquez en vitesse ! Je vous attends ! »

Ce n'était pas la première fois qu'elle montait dans une voiture de police. Mais cette fois-ci, le chauffeur conduisait à tombeau ouvert, toutes sirènes hurlantes pour qu'on lui libère le chemin. A leur arrivée à la banque, une foule de badauds s'y pressait déjà. Il y avait aussi une ambulance prête à tout, avec un brancard, un grand sac de plastique noir et deux infirmiers parés à faire face à l'issue de la tragédie qui se jouait.

Les curieux, les policiers qui interdisaient l'accès à la zone, les ambulanciers, tous avaient les yeux fixés sur le rebord de fenêtre du douzième étage, où l'on voyait vaciller Claire Renzler, seize ans. Aux fenêtres ouvertes, de part et d'autre de la jeune fille, des policiers essayaient de lui parler. Ils s'efforçaient d'attirer son attention sur eux plutôt que sur ce qui se passait en bas, au-dessous d'elle. Mais elle semblait paralysée et ne réagissait pas.

Corinne Wallace n'avait jeté qu'un coup d'œil dans sa direction et s'était ruée dans l'immeuble. Un ascenseur attendait pour l'emmener au plus vite au douzième étage.

« Docteur Wallace ? Lopez. Allons-y ! »

L'inspecteur l'avait précédée dans un couloir bondé d'employés, que l'incident avait attirés hors de leur bureau, de journalistes envoyés par tous les médias et d'une foule de policiers en uniforme. Lopez s'était écrié d'un ton impatient : « Laissez-nous passer ! C'est le médecin de la fille ! Laissez passer, nom de Dieu ! »

Ils étaient entrés dans le bureau où se trouvait Claire quand elle était passée sur le rebord de fenêtre.

« Allez-y, faites votre boulot, docteur. Quel qu'il soit. Faites-le bien ! »

Dès que l'on eut compris qu'elle était le médecin attendu, un homme d'une quarantaine d'années, presque tremblant de peur et d'angoisse, avait commencé à s'expliquer.

« Je ne sais pas ce qui s'est passé. Cette petite nouvelle... Elle travaille à temps partiel, au tri. Elle distribue le courrier interne. Tout à l'heure, elle entre dans le bureau, elle a l'air comme qui dirait tendue. Je lui dis simplement "bonjour", pour la mettre à l'aise. Mais elle ne répond pas. Elle se contente de laisser tomber la corbeille pleine de courrier et s'en va vers la fenêtre. Je lui dis : "Bon Dieu, qu'est-ce qui vous arrive ?" Elle ne me prête aucune attention. Elle ouvre la fenêtre à la volée et la voilà à moitié dehors. Je lui dis : "Non, pas ça !" Mais avant que j'aie le temps de faire un geste, elle se retrouve sur ce rebord...

– Elle ne vous a rien dit ? Rien du tout ? demanda Corinne Wallace.

– Rien. Pas un mot. Comme si elle ne m'avait pas entendu. Comme si elle ne savait pas que j'étais là. »

Corinne Wallace s'était accordé un instant de réflexion. L'homme en avait profité pour se défendre.

« Ecoutez, docteur, si vous pensez que j'ai fait quelque chose... Si on vous parle de harcèlement sexuel dans les bureaux... Ce genre de choses... Ça n'est jamais arrivé. Je n'ai jamais rien fait de tel. Je ne lui ai jamais adressé la parole, sauf comme je vous l'ai dit.

– Ça va, monsieur, allez simplement attendre dehors.

– Comme vous voudrez, docteur, comme vous voudrez. Du moment que vous savez que je n'ai jamais... »

Lopez avait fait un signe de tête à un des policiers, qui avait escorté l'homme dans le couloir. Ils l'entendaient répéter : « Je ne lui ai jamais dit autre chose que "bonjour". »

Voilà ce que notre gouvernement a fait aux hommes de ce pays, avait pensé Corinne Wallace. Toujours sous la menace des procédures et des tribunaux, ils ont peur que le moindre mot, le moindre geste de leur part puisse être mal interprété.

Elle s'était approchée de la fenêtre et, sans un mot, glissée à côté du policier. Il était soulagé de lui laisser la place. Il avait secoué la tête, l'air hagard. Il avait le visage trempé de sueur. Elle s'était penchée par la fenêtre, en se demandant quel effet sa voix aurait sur l'adolescente tendue et affolée. Une surprise trop violente pourrait la faire sursauter, lui faire perdre l'équilibre et la faire tomber accidentellement de ce rebord étroit.

Les mains bien calées sur le rebord de pierre pour garder son équilibre, Corinne Wallace s'était penchée un peu plus. Elle avait malheureusement attiré l'attention de la foule, en bas, qui lançait force cris de peur et d'appréhension. Elle s'était penchée autant qu'elle pouvait sans devoir monter sur le rebord et avait appelé, d'une voix douce et compatissante : « Claire... »

La jeune fille s'était raidie. Elle avait essayé de se tourner pour voir qui l'appelait. Mais elle était paralysée, déchirée entre la terreur et sa détermination psychotique de fuir une fois pour toutes les misères qui l'avaient amenée là.

« Claire, c'est moi, le docteur Wallace. »

Elle attendait que la fille réagisse à son nom. Mais il n'y avait pas eu de réaction. Claire fixait toujours la foule. Plusieurs équipes de télévision de différentes chaînes locales venaient d'arriver. Quelques badauds, animés d'une curiosité morbide, l'exhortaient : « Saute ! Saute ! » D'autres leur criaient en retour : « Fermez-la, espèces de crétins ! »

Corinne Wallace savait qu'elle allait devoir agir très rapidement, avant que ces cris ne commencent à affecter la malheureuse qui se trouvait – mentalement et littéralement – au bord du gouffre.

« Claire, tends ta main gauche vers moi. Donne-moi ta main ! »

Claire ne réagissait pas. Le seul résultat positif que Corinne apercevait – mais elle n'était même pas sûre de ne pas prendre ses désirs pour la réalité –, c'était que l'adolescente se plaquait contre le mur.

Ayant fait un autre essai – « Claire, tends la main vers moi ! » –, toujours en pure perte, elle avait décidé de monter elle-même sur le rebord.

« Docteur ! » s'était écrié Lopez.

D'un geste de la main, elle l'avait fait taire. Lopez s'était approché, prêt à la retenir. Elle se trouvait au niveau de la fenêtre. Elle s'était courbée pour passer à l'extérieur, puis immobilisée un instant pour assurer sa position. Elle était tout près de Claire. Assez pour voir la sueur sur son mince visage pâle. Elle pouvait presque sentir la terreur qui s'était emparée de la jeune fille.

« Claire », avait-elle dit d'une voix douce et rassurante.

La jeune fille s'était tournée à demi vers elle, stupéfaite d'entendre sa voix – et de la voir, elle – si près d'elle.

« Ne bouge pas, ma chérie. Ne bouge surtout pas. Il ne t'arrivera rien. Détends-toi. »

Elle la savait parfaitement incapable de se détendre mais espérait que sa voix familière lui suggère de faire ce qu'elle lui demandait : « Claire... Tu te rappelles ce que nous faisions dans la salle de jeu avant de démarrer une séance de groupe ? Nous formions un cercle. Chacun tenait la main des personnes qui se trouvaient à côté de lui. Tu te rappelles ? Eh bien, c'est exactement ce que nous allons faire, toi et moi, maintenant. J'avance ma main droite. Comme ceci. Avance ta main gauche. Donne-moi ta main gauche, Claire. Voilà, c'est exactement cela. Bravo ! »

Elle avait solidement pris la main de Claire dans la sienne. Lentement, elle l'avait attirée vers elle, tout en se déplaçant très prudemment vers la gauche pour amener la jeune fille devant l'ouverture de la fenêtre. Lopez et deux de ses hommes étaient prêts. Ils avaient saisi Claire et l'avaient tirée à l'intérieur du bureau. Puis Lopez avait donné la main à Corinne Wallace, qui l'avait attrapée avec un immense soulagement. Il l'avait aidée à rentrer par la fenêtre. Quand ses pieds avaient touché le sol recouvert de moquette, elle avait senti que ses genoux la lâchaient. Elle avait cru s'évanouir. Lopez l'avait prise dans ses bras et tenue assez longtemps pour lui permettre de reprendre ses esprits.

« Doucement, doc. Beau travail ! Formidable !

— Faites évacuer la pièce ! s'était-elle écriée.

— Hé ! docteur...

— Faites évacuer la pièce. Que le médecin de l'ambulance me fasse monter une seringue et deux fois cinq milligrammes de Haldol. Après quoi je veux rester seule avec elle. »

En attendant, une femme de la police s'occupait de Claire, qu'on avait installée sur un canapé à l'autre bout du bureau. Elle pleurait de manière hystérique et essayait de se libérer. Mais la femme la tenait solidement, tout en essayant de la calmer : « Tout va bien, ma petite. Voilà. Tout va bien. Tu es hors de danger. Ton docteur est là. Tout va s'arranger. Tout va bien. »

D'un signe, Corinne Wallace lui avait fait comprendre qu'elle prenait le relais. Elle s'était glissée à côté de Claire.

« Tout va bien, Claire. Tu as eu une défaillance pendant un moment. Mais c'est fini. »

Lopez lui avait tendu la seringue et la boîte de sédatif. Corinne avait déchiré l'emballage et sorti la seringue pour la remplir de Haldol. Elle avait passé une compresse imbibée d'alcool sur le bras de Claire et injecté le produit.

Lentement, sous l'effet du Haldol, Claire avait cessé de sangloter. Elle était moins agitée et résistante. Se laissant aller dans les bras de Corinne Wallace, elle s'était lentement calmée, ce qui ne l'empêchait pas de pleurer silencieusement.

« Claire... Tu as quelque chose à me dire ? »

La jeune fille n'avait pas répondu. Ses pleurs s'étaient renforcés.

« Claire, nous n'avons pas de secret l'une pour l'autre, n'est-ce pas ? Tous les secrets ont été divulgués. Tu n'as plus à supporter ce fardeau. »

Claire ne réagissait toujours pas. Même pas pour hocher la tête.

« Qu'est-ce qui s'est passé ? Est-ce que tu as encore eu ce cauchemar effrayant où tu vois se reproduire sans cesse ce que ton beau-père te faisait ? Des cauchemars comme celui-ci sont parfaitement normaux. Ils peuvent revenir n'importe quand. Et pendant longtemps. Mais nous en avons parlé, tu te rappelles ? Tu sais très bien que ce sont des cauchemars, rien de plus. De mauvais rêves. Ce n'est pas la réalité. Cela n'arrive plus. Plus jamais. »

Claire avait enfin pu réagir. Pour contester ce qu'elle venait d'entendre.

« Non...

– Claire ?

– Non, non..., répétait l'adolescente, plus catégoriquement.

– Claire... Est-ce que ton beau-père te poursuit ? Cette fois, le juge ne lui fera pas de cadeaux. Nous l'enverrons en prison.

– Pas mon beau-père, était-elle parvenue à murmurer.

– Un homme ? Un autre homme ? » avait demandé Corinne Wallace, partagée entre la colère et le désespoir.

Claire était-elle une de ces victimes « naturelles » qui attiraient, on ne sait trop comment, l'attention de tous les sadiques ?

« Claire, parle-moi. Qui est cet homme ? »

Elle secouait la tête en signe de refus.

« Tu dois me le dire. Tu le sais bien. C'est la première chose à faire pour aller mieux. Qui était-ce, Claire ?

– Pas "était". »

Corinne Wallace ne comprenait rien : « Comment ça ? »

Puis elle avait réalisé : « Tu veux dire que ça continue ? »

Claire avait acquiescé, d'un geste à peine visible, comme si elle refusait d'admettre cette honte.

Corinne Wallace l'avait fait pivoter pour la regarder en face, le visage tout près du sien.

« Claire, tu sais que tu peux me parler. Que je te protégerai. De qui s'agit-il ? »

Au prix d'un immense effort, la jeune fille avait articulé. Elle avait lâché un mot, un seul. Un nom : « Arthur. »

Cela ne disait rien à Corinne Wallace. Elle ne l'avait jamais entendue prononcer ce nom.

« Qui est Arthur ? Où l'as-tu rencontré ? »

Claire s'était de nouveau enfermée dans le silence. Elle flottait dans le sommeil provoqué par le Haldol.

« Claire... Claire... »

Corinne Wallace avait tenté de la garder éveillée pour savoir qui était son tortionnaire. Mais ce serait pour plus tard.

23

Corinne Wallace avait accompagné Claire dans l'ambulance qui les ramenait à l'hôpital, où elle avait l'intention de garder l'adolescente épouvantée. Non seulement pour poursuivre et intensifier son traitement, mais pour la mettre à l'abri de nouveaux sévices. A l'hôpital, un groupe les attendait, dehors, au point d'arrivée des ambulances. Le docteur Wagner était là. Il y avait aussi plusieurs représentants du service de pédiatrie, quelques infirmières et, bien entendu, le docteur Freedman, ravi d'assister au triomphe de son amie.

La raison de cet accueil, c'était que toute la scène avait été filmée par la télévision. Le docteur Wallace – *leur* docteur Wallace – était une héroïne de l'actualité. Elle avait éludé les compliments, préférant s'assurer d'abord que l'on dirigeait Claire vers les urgences. On devait l'y garder en observation avant de l'envoyer aux soins intensifs, en pédiatrie.

Dès qu'elle avait su que tout serait fait selon ses ordres, les acclamations et les plaisanteries avaient fusé du groupe réuni pour l'accueillir. « Quelle impression ça fait, de regarder la foule du haut de douze étages ? » ; « Quelle impression ça fait, d'être héroïque ? » ; « Et de passer à la télévision ? » ; « Vous saviez que la télévision était là ? »... Autant de questions auxquelles elle avait répondu sobrement : « Je ne vous recommande pas d'essayer. Maintenant, excusez-moi, mais mes patients m'attendent. »

Tandis que les équipes de télévision se mettaient en place pour filmer des plans de l'hôpital, elle s'était glissée à travers la foule et dirigée promptement vers le centre. Un de ses patients l'inquiétait particulièrement : Benjamin Jackson, qui, pour la deuxième fois en quelques jours, avait été privé de son heure de rendez-vous avec elle, ce moment qu'il aimait tant.

En s'éloignant, elle avait entendu le docteur Wagner prendre les choses en main, prêt à répondre aux questions des médias, impatient même de le faire. Une seule question lui suffisait pour qu'il se lance dans le discours réservé d'ordinaire aux sponsors de son hôpital : « On s'imagine souvent que l'activité d'un hôpital se limite à ses salles de soins, ses laboratoires et à l'équipement qu'abritent les pavillons que vous voyez autour de vous. En fait, cet hôpital a toujours défendu un programme de main tendue vers la communauté. L'action héroïque et dévouée du docteur Wallace, aujourd'hui, n'est qu'un exemple de l'ensemble des services que nous pouvons fournir à notre cité. Et Corinne Wallace elle-même n'est qu'un exemple de la variété de talents médicaux rassemblés ici. Dans les limites de notre budget, bien entendu. »

Corinne avait déjà entendu ce laïus. Elle pouvait presque le réciter par cœur. Elle préférait rejoindre son cabinet et reprendre le fil de ses activités interrompues, en particulier son rendez-vous avec Benjamin.

Elle avait envoyé Evie le chercher en pédiatrie. En l'attendant, elle avait ouvert la fenêtre qui donnait sur la cour où Wagner discourait toujours : « ... y parvenons grâce aux fonds, à peine suffisants, que nous accordent Washington et cet Etat. Mais cela n'empêche pas des médecins dévoués comme le docteur Wallace de continuer à faire leur travail. Ils méritent pour cela nos remerciements et notre gratitude. »

Elle avait été soulagée de voir Benjie. Elle allait pouvoir lui expliquer la raison de ce long retard. A sa grande surprise, le garçon n'était ni fâché ni abattu et ne donnait pas l'impression de lui en vouloir. Il était tout sourire et très enthousiaste : « Je vous ai vue à la télévision ! Vous avez été géniale ! »

Ces mômes... ! avait-elle pensé. Si ça passe à la télévision, c'est que c'est bon.

« Alors, c'est ça que vous faites, quand vous m'abandonnez pour aller aider d'autres enfants.

— Pas toujours, Benjamin. Pas toujours. »

Elle s'était sentie vraiment soulagée de ne pas être obligée de consacrer l'essentiel de la séance à réparer les dégâts occasionnés par ce nouveau retard. Au lieu de quoi, ils avaient passé une heure à décortiquer la scène qui s'était déroulée dans le salon désert, avec sa mère.

A la fin de la séance, elle avait dû s'avouer qu'ils avaient fait peu de progrès.

Elle n'avait pas eu le temps de beaucoup y réfléchir : son téléphone avait sonné. Elle avait décroché presque machinalement. C'était Sim Freedman. Pour une fois, il n'appelait ni pour bavarder ni pour l'inviter à dîner ou au concert.

« Tu ferais bien de venir ici, Corrie.

— Pourquoi ? Que se passe-t-il ?

— Claire est en train d'émerger. Le Haldol a fini de faire de l'effet. Elle est très agitée, très perturbée. Je crois qu'elle a besoin de toi. Il vaudrait mieux que tu viennes, avant que je sois obligé de lui donner un autre calmant. »

Quand Corinne était entrée dans le petit box d'isolement où l'on avait installé Claire, aux soins intensifs, Freedman se trouvait à son chevet. L'air inquiet, il observait sa patiente qui semblait mener un combat intérieur d'une extrême violence. Elle transpirait abondamment, des mèches de cheveux noirs collaient à ses joues trempées.

« J'ai préféré ne pas lui donner un autre sédatif. Pour le cas où elle aurait envie de parler.

– Tu as bien fait, Sim. Elle a beaucoup de choses à révéler. A condition qu'elle en ait envie. »

Corinne Wallace s'était penchée au-dessus de l'adolescente et lui avait parlé doucement à l'oreille : « Claire ? C'est le docteur Wallace. Réveille-toi. Je ne sais pas ce qui te tourmente, mais en tout cas, tu te sentiras mieux une fois que tu seras réveillée et que nous en aurons parlé. »

Elle savait que ce n'étaient pas les mots qui étaient capables d'atteindre la jeune fille, mais le son familier de sa voix. Alors elle avait continué à parler. Claire avait cessé progressivement de se débattre. Finalement, elle s'était abandonnée, les yeux clos, le souffle plus régulier, beaucoup moins laborieux.

Dès qu'elle avait paru suffisamment calmée, Corinne Wallace avait prononcé doucement le mot : « Arthur ».

Immédiatement, Claire s'était débattue.

« Claire, dis-moi... qui est Arthur ? »

Elle avait secoué la tête en signe de refus, essayant d'échapper à Corinne Wallace, dont le visage planait au-dessus d'elle. Le docteur avait insisté : « Claire ! Dis-le-moi ! Tu sais que plus c'est difficile à dire, plus tu es soulagée après. »

L'adolescente torturée, ouvrant les yeux, avait fixé Corinne Wallace. Puis elle avait tourné la tête pour fuir son regard.

« Claire ? Qui est Arthur ? »

Claire secouait la tête. Plus Corinne était près d'elle, plus elle s'efforçait d'éviter son regard.

« Claire... Dis-moi... qui est Arthur ? »

Au lieu de répondre, Claire, tournant soudain la tête, l'avait regardée en face.

« C'est votre faute... C'est vous qui...

– Qu'est-ce que j'ai fait ?

– Arthur... C'est votre faute ! »

Corinne Wallace et Sim Freedman étaient tous deux abasourdis par cette accusation. D'un geste, Corinne avait demandé à Sim de sortir du box.

« Claire, réponds-moi. Qui est Arthur ?

– Vous devriez le savoir, avait-elle répondu sur un ton amer.

– Non, je ne le sais pas. Je n'ai aucune raison de le savoir. Sauf si tu me le dis. Qui est Arthur ? Qui est Arthur ? »

Claire secouait la tête. Elle faisait des efforts désespérés pour éviter le regard suppliant du docteur. Celle-ci avait posé les mains sur ses épaules pour la maintenir immobile, tout près d'elle.

« Maintenant, Claire, dis-le-moi ! Qui est Arthur ?

– C'est vous... qui m'avez envoyée là-bas.

– Où est-ce que je t'ai envoyée ?

– Les Gibson... Chez les Gibson... »

C'était la famille d'accueil à qui Claire avait été confiée, puisqu'elle ne pouvait pas retourner chez elle, à cause de son beau-père.

« Eh bien, les Gibson, quoi ?

– Arthur... Arthur...

– Qui est Arthur ? »

Il y avait eu un long silence, puis la jeune fille était parvenue à articuler :

« Le fils...

– Le fils des Gibson ? »

Claire s'était mise à sangloter. C'étaient des larmes de soulagement.

« Oh ! mon Dieu ! », s'était exclamée Corinne Wallace.

Atterrée, elle comprenait ce qui s'était passé. Elle comprenait pourquoi la jeune fille avait voulu mourir. La famille à laquelle l'avait confiée l'assistance sociale – la famille où elle était censée se trouver à l'abri des sévices – abritait un violeur d'enfants !

Elle avait pris la main de Claire.

« Tu n'iras plus là-bas, Claire. Nous te trouverons une autre famille d'accueil. »

Claire secouait la tête.

« Un foyer où tu seras en sécurité. Cette fois, nous ferons attention. »

Claire secouait toujours la tête. Pour elle, un tel endroit n'existait pas.

« Nous nous en assurerons vraiment », avait promis Corinne Wallace.

Elle lui avait prescrit une autre dose de Haldol.

Corinne Wallace et Sim Freedman avaient quitté le service de pédiatrie. Dans l'ascenseur, Sim Freedman brisa le silence.

– Qu'est-ce que c'est que cette histoire ? Arthur...

Corinne secoua la tête. Ses yeux s'emplirent de larmes.

Elle était incapable de parler. Quand ils furent dehors, sous le couvert de la nuit, elle trouva la force d'expliquer.

– Je voulais qu'elle soit retirée à sa famille. Qu'elle reste ici. A l'abri de son beau-père qui abusait d'elle. Mais le juge Engelhardt a décidé qu'elle irait dans une famille d'accueil.

– Les Gibson !

– Quelqu'un aurait dû le savoir ! explosa-t-elle. L'assistance sociale aurait dû le savoir. Ils auraient dû faire une enquête. Ils auraient dû vérifier !

– Qu'il n'y avait pas de salaud dans cette famille ? Comment peut-on en être sûr ?

– Sim, est-ce que tu imagines ce que nous avons fait à cette jeune fille ? Nous la retirons à sa famille. Je lui promets que tout ira bien, qu'elle ne risque plus rien. Que personne ne pourra plus jamais la molester. Et maintenant... maintenant... Elle ne voudra plus jamais me faire confiance... Elle ne fera plus jamais confiance à personne.

Tout à coup, sa réserve professionnelle avait disparu. Elle secoua la tête, désespérée à l'idée qu'une patiente, victime d'une telle rechute, pourrait bien ne jamais se rétablir.

Freedman n'avait jamais vu Corinne si découragée, si bouleversée. Il passa son bras autour d'elle et l'accompagna jusqu'à sa voiture.

– Arrêtons-nous quelque part pour boire un verre. Ça te calmera les nerfs.

Ils décidèrent d'aller au café du Performing Arts Center. Pendant le trajet, Corinne repassa toute l'affaire en revue, depuis le début, autant pour elle que pour Sim. La situation où se trouvait Claire la première fois qu'elle l'avait vue. Jusqu'au moment où elle avait cédé à l'insistance du juge de lui trouver une famille d'accueil. Elle n'aurait jamais dû accepter. Elle aurait dû courir le risque d'outrage à la cour. Passer quelques jours en prison, si nécessaire.

Sim se gara devant le café.

— Essuie tes yeux avant d'entrer là-dedans, lui dit-il. Tu vas avaler un verre de vin et manger un morceau, et tu te sentiras mieux.

L'endroit était animé, tant par la musique de fond que par les rires des spectateurs de la nouvelle comédie musicale qui tournait dans le pays avant de s'installer à Broadway.

A la demande de Freedman, le garçon leur trouva une table dans un coin tranquille. Alors qu'ils passaient devant un groupe qui riait au souvenir d'une scène de la pièce, une femme s'exclama :

— C'est elle ! Je l'ai vue à la télévision !

Ses amis regardèrent Corinne, qui tenta de se dégager de Freedman pour faire demi-tour et s'en aller.

— C'est vous, non ? insistait la femme. Le médecin qui a sauvé cette pauvre fille ? Vous l'avez empêchée de sauter.

Un homme assis à une table voisine se leva et se mit à l'applaudir. Les autres suivirent son exemple. Bientôt, tous les clients du café, debout, l'applaudissaient et lui lançaient des compliments.

Alors que sa mémoire gardait le souvenir encore frais de la malheureuse jeune fille qu'elle avait laissée à l'hôpital, le spectacle de ces gens qui croyaient qu'elle l'avait sauvée lui était insupportable. Elle eut envie de leur crier : « Oui, je l'ai sauvée. Est-ce que quelqu'un peut me dire pourquoi ? » Mais elle se tut. Elle échappa à Sim, qui la tenait par le coude, et se précipita vers la sortie.

Il la rattrapa au parking. Elle était penchée sur sa voiture, la tête posée sur le toit du véhicule. Elle pleurait.

– Ce n'est pas ta faute, Corinne. C'est l'assistance sociale qui a déconné.

– Peu importe qui a déconné, comme tu dis ! J'aurais dû le savoir... J'aurais dû empêcher cela... ça n'aurait pas dû arriver... Jamais. Que va-t-elle devenir ?

Elle se tut enfin. Elle pleurait toujours.

– Allons, Corrie... Je te raccompagne chez toi.

Devant sa porte, elle eut du mal à trouver la bonne clé. Il lui prit le trousseau et ouvrit la porte. Elle s'apprêta à entrer.

– Je crois que tu ne devrais pas rester seule, ce soir, lui dit-il.

D'un mouvement vif, elle se tourna vers lui.

– De quoi as-tu peur ? Que je monte sur le rebord de la fenêtre et que je menace de sauter ? Vous savez quel est votre problème, docteur Freedman ? Vous vous inquiétez beaucoup trop. Vous vous inquiétez beaucoup trop pour moi. Je n'ai pas besoin qu'on s'occupe de moi. Ni qu'on s'inquiète sur mon sort. Je ne suis pas une patiente. Je suis médecin !

– En ce moment précis, tu es un médecin très embêté. Avec un grand poids sur la conscience.

– Pardonne-moi, Sim, se reprit-elle. Ces gens qui me traitent en héroïne, alors que j'ai tout raté. Trop... c'est trop...

– D'accord. C'est trop. C'est trop lourd à porter pour une seule personne. Depuis quand n'as-tu pas eu l'occasion de parler à quelqu'un ? De vraiment parler, je veux dire ?

Il avait touché une corde sensible, et il le savait.

– Tu veux du café ? lui proposa-t-elle.

– Avec plaisir.

Elle l'appela de la cuisine, où elle préparait le café :

– Il y a du vin dans le bar.

– Non, merci, le café suffira.

Elle revint au salon.

– Ce sera l'affaire de quelques minutes.

– Ce n'est pas assez, dit-il.

– Pas assez pour quoi ?

– Pas assez pour ce que j'ai à dire.

– Si ça doit finir comme je l'imagine, Sim, je préfère que tu ne commences pas, le prévint-elle.

– Non. En fait, je renonce peu à peu à l'idée du mariage. Peut-être même à des relations intimes avec toi. Ce que je veux te dire n'a rien à voir avec moi. Tu vas t'en rendre compte tout à l'heure. Sauf que mes sentiments m'autorisent à formuler ce que j'ai à dire.

– Le café est prêt, je l'entends qui coule, le coupa-t-elle.

Il contint sa frustration et sa mauvaise humeur, le temps qu'elle passe à la cuisine et revienne avec deux tasses. Elle se rassit et l'invita à continuer, comme s'il n'y avait pas eu d'interruption :

– Tu disais...

– Je disais que ce que tu viens de faire est typique. Comme tout ce que tu fais depuis ton arrivée dans cette ville, dans cet hôpital. Tu te sers de tous les trucs possibles pour différer, pour éluder, pour fuir le moment où il te faudra affronter le problème.

– Je t'ai dit ce que je ressens...

– Non ! Tu m'as dit ce que *tu ne ressens pas*, ce n'est pas la même chose. Tu m'as dit comment tu essaies de ne rien ressentir. A propos de choses qui te touchent directement. Tu peux être dévastée par le chagrin à cause de ce qui arrive à la pauvre Claire. Parce que tu penses que cela reflète ton échec professionnel. Tu te fais des reproches pour un échec dont tu n'es pas responsable. « J'aurais dû le savoir... Quelqu'un aurait dû le savoir... » Est-ce que tu te rends compte que tu pourrais prononcer les mêmes mots pour ce qui est arrivé à Douglas ?

– Je t'interdis de parler de Douglas ! s'écria-t-elle. Tu ne l'as jamais vu. Tu ne sais rien de lui. Alors, s'il te plaît...

Elle était à nouveau au bord des larmes. Mais il était résolu à ne pas la laisser s'abandonner à son sentiment de culpabilité.

– C'est vrai. Je ne l'ai jamais vu. Je ne sais rien de lui. Alors ne parlons pas de Douglas. Mais toi, je te connais. Alors je parlerai de toi. Tout à l'heure, j'ai vu comment tu réagissais à ce que Claire a fait. Comment tu te faisais des reproches. Je suis capable d'imaginer ce que tu as ressenti quand Douglas est parti. Quand tu étais sur cette plage, comme si tu voulais hurler vers le ciel : « Quelqu'un aurait dû le savoir, quelqu'un aurait dû se renseigner... Cela n'aurait pas dû arriver... Jamais ! » Et tu as fini par te le reprocher. Exactement comme ce soir.

– Sim, ne me fais pas ça ! supplia-t-elle.

Mais il avait commencé, et il n'allait pas se laisser fléchir.

– Qu'est-ce que tu avais à te reprocher, cette fois-là ? Tu aurais pu empêcher Douglas de mourir cent fois, de cent manières différentes ? Tu aurais pu l'empêcher de partir. Tu aurais pu choisir un autre vol. C'est toi qui l'as conduit à l'aéroport. Et quand il t'a dit qu'il ne voulait pas partir – n'importe quel petit garçon aurait fait la même chose –, c'est toi qui l'as rassuré. C'est toi qui lui as dit qu'il devait aller voir son papa.

– Tais-toi !

Elle avait presque crié.

– Je ne veux plus rien entendre. Plus un mot !

Elle lui tourna le dos et frotta ses larmes. Il la prit dans ses bras et la serra contre lui. Elle continua à pleurer.

– Corrie, je n'étais pas là. Je ne peux pas savoir. Sauf ce que n'importe quelle mère aurait dit à son fils s'il refusait de partir. Sauf que n'importe quelle mère se serait fait des reproches après la tragédie. Tu dois cesser de vouloir sauver Douglas. Parce que c'est impossible. C'est trop tard. C'est le passé. Fini. Et quand tu échoues, aujourd'hui, dans un domaine à haut risque comme celui où tu travailles, ça ne veut pas dire que tu perds Douglas une nouvelle fois. Tu ne peux pas t'infliger cette douleur. C'est trop pour n'importe quel être humain, c'est trop lourd à porter. Et il n'y a pas d'analgésique contre cela, il n'existe pas de sédatif assez puissant.

Il la tint contre lui et la laissa pleurer tout son saoul. Au bout d'un moment elle s'écarta et leva les yeux vers lui. Quelque chose, une reconnaissance, passa entre leurs deux regards. Ils surent, tous les deux, que le moment était enfin venu. Le moment qu'ils avaient trop longtemps repoussé.

Il était plus de minuit. Ils avaient fait l'amour plusieurs fois. Ils étaient allongés, trempés de sueur, mais apaisés. Sim avança sa main vers celle de Corinne.

– ... Je me faisais un autre reproche, dont tu n'as pas parlé..., dit-elle brusquement, comme si elle passait du coq à l'âne. Car tu ne pouvais pas le savoir. Si les choses s'étaient passées autrement entre Jim et moi, nous n'aurions pas divorcé. Il n'y aurait eu aucune raison que Douglas et moi soyons dans un endroit et Jim dans un autre.

– Cela aussi, tu te le reproches ?

– Est-ce que je me suis trop consacrée à mon travail ?

Est-ce que j'ai négligé mon mariage ? Je pense que toutes les femmes qui divorcent doivent se poser la question : « Qu'est-ce que j'ai fait pour que cela arrive ? »

— ·Corrie, Corrie, tu ne vas tout de même pas te reprocher de faire si bien ton métier ?

— Non. Plus de reproches, décida-t-elle. C'est fini.

Mais Sim Freedman la connaissait, et il savait que c'était impossible. Sa conscience professionnelle était telle qu'elle la tourmenterait jusqu'à la fin de sa carrière.

Et il devait s'y résigner.

24

Le docteur Wallace donnait ses instructions de dernière minute à sa secrétaire.

– Le séminaire sur les enfants maltraités, en août... Remerciez-les pour leur invitation. Envoyez-leur un e-mail, et dites-leur que malheureusement je serai trop occupée pour donner une conférence, mais que j'y assisterai si je peux me libérer de mon travail ici – j'élabore le nouveau programme de formation des policiers qui doivent gérer des situations d'urgence avec des enfants victimes de violences. Ensuite... ce message à propos de la réimpression de mon article dans le *Journal de l'enfance maltraitée*. Ils ont ma permission, évidemment. Veillez simplement à ce qu'ils nous envoient deux exemplaires après publication. Maintenant, cette déclaration sous serment que réclame le tribunal pour l'adoption de Callahan...

Elle fut interrompue par le téléphone. Evie décrocha et lui tendit le combiné :

– C'est encore lui.

Corinne Wallace prit le téléphone et s'apprêta à écouter poliment Adam Bruning, directeur des relations publiques de l'hôpital. Mais seulement à l'écouter.

– Docteur, je sais que vous avez déjà refusé, par le passé. Mais cette fois, il ne s'agit pas seulement d'une émission locale. La station de la ville a un duplex avec le *Today Show* de New York. Ils vont diffuser le film où l'on vous voit sur le rebord de la fenêtre, en train de sauver la vie à la petite Renzler. Tout ce qu'ils demandent, c'est un entretien complémentaire de trois minutes, en direct. Trois minutes de votre temps, et nous aurons une couverture nationale.

— Ils ont le film. C'est mieux que tout ce que je pourrais leur dire.

— Docteur Wallace, vous ne comprenez pas. Tous les grands réseaux de télévision ont le film. Mais votre présence serait une exclusivité NBC. Grâce au duplex. Ils sont prêts à envoyer le camion de régie. Vous n'aurez même pas besoin de quitter votre bureau. Vous serez en duplex avec New York par satellite. En direct.

— Je suis désolée. Mais je n'ai vraiment pas le temps.

— Le temps ? Mais ça ne vous prendra que trois minutes, protesta le directeur. Trois minutes. De huit heures vingt-quatre à huit heures vingt-sept, juste avant la publicité.

— Vous voulez que je leur explique en trois minutes, de huit heures vingt-quatre à huit heures vingt-sept, comment et pourquoi cette pauvre fille s'est retrouvée sur ce rebord de fenêtre, prête à faire le plongeon ? Et ce qu'il va falloir faire pour elle ? Tout cela en trois minutes ?

— Je suis sûr que ce n'est pas cela qu'ils attendent de vous.

— Eh bien, en ce qui me concerne, c'est la seule chose intéressante que j'ai à dire. Je ne parle même pas du fait que pour me libérer pendant ces fameuses trois minutes, je devrais interrompre ma séance avec un des enfants. Qui en a beaucoup plus besoin que NBC, je vous assure.

— Mais docteur... C'est une occasion unique pour l'hôpital d'avoir un peu de publicité, et...

— Je ne travaille pas dans les relations publiques,

Bruning. Je suis médecin. Alors laissez-moi m'occuper de mes patients.

Elle raccrocha.

En plus de son mépris pour les médecins et les avocats qui ne manquaient pas une occasion d'apparaître à la télévision, elle avait une autre raison de refuser, personnelle celle-ci. La triste histoire de Claire Renzler lui restait sur le cœur. Ce n'était pas le sentiment d'être une héroïne qui dominait dans son esprit, mais la culpabilité.

– Où en étais-je ?

– La déclaration sous serment pour l'adoption Callahan, fit Evie...

– Bien. Appelez l'avocat de l'assistance judiciaire qui s'occupe de l'affaire. Dites-lui que je veux examiner attentivement ce document avant de le signer. Il est déjà assez difficile de trouver la famille qui convient pour adopter un enfant. Je ne veux pas voir surgir je ne sais quels problèmes techniques risquant de tout compromettre... Je veux que le dossier Renzler soit sur mon bureau cet après-midi. Et je veux voir l'assistante sociale qui a traité ce cas, avec tous ses dossiers. Nous devons découvrir ce qui s'est réellement passé durant l'enquête...

Le téléphone, de nouveau. Evie décrocha. En voyant son air respectueux, Corinne comprit que ce n'était pas un appel ordinaire. La main sur le combiné, Evie souffla :

– Wagner !

– Donnez-moi ce téléphone ! dit Corinne Wallace en lui arrachant presque l'appareil des mains.

Si les relations publiques appelaient l'administrateur à la rescousse, elle allait y mettre le holà sur-le-champ.

– Docteur Wagner, j'ai déjà dit à Adam Bruning que je ne participerais pas à cette émission de télévision.

– ... Je vous en prie, calmez-vous, docteur ! fit l'administrateur. Je veux que vous veniez immédiatement dans mon bureau, s'il vous plaît. Tout de suite !

– Que nous réglions ça au téléphone ou de vive voix, ma réponse sera la même !

– Je vous donne cinq minutes.

Elle n'avait jamais reçu un ordre aussi sec.

– Ce vieux salaud... Je sais que c'est son boulot de rassembler des fonds. Mais je ne pense pas que ça lui donne le droit de se servir de moi. Voilà exactement ce qu'il va me dire : « Si vous voulez une rallonge à votre budget, il faut jouer le jeu. Nous sommes une équipe. » C'est son mot favori. Une équipe. Ce qui signifie qu'il va me donner l'ordre d'accorder cet entretien à la NBC. Ça lui donne l'impression d'être important. J'aimerais autant qu'il retourne faire des opérations chirurgicales inutiles. Il y était bien meilleur.

Elle se reprit immédiatement.

– Il est vrai que ce n'était qu'une rumeur. J'ai entendu dire qu'il était un très bon chirurgien, à l'époque...

Puis elle se souvint d'une remarque que Sim Freedman avait faite, un soir. Wagner râlerait contre le coût de l'hospitalisation d'un patient comme Benjie Jackson, au lieu de le traiter comme n'importe quel patient externe.

Eh bien, si le problème était là... Agacée – elle détestait les réunions –, elle rassembla toutes les munitions dont elle pouvait avoir besoin : les bilans financiers de son centre pour l'année précédente. Ces documents démontraient que l'activité du centre avait augmenté de dix-neuf pour cent, pour un accroissement de budget de seulement sept pour cent. En dollars constants, ils s'étaient occupés de plus d'enfants en dépensant moins que deux ans plus tôt, et encore moins que trois ans plus tôt.

Cela devrait satisfaire le vieux, se dit-elle. Le faire renoncer à son plan, pour le cas où il aurait l'intention d'échanger ma participation à l'émission de télévision contre une rallonge budgétaire.

D'habitude, elle devait attendre avant d'être introduite dans le bureau imposant du docteur Wagner (encore un procédé pour se donner de l'importance). Mais ce jour-là, on la fit entrer immédiatement.

Wagner, dont la silhouette se découpait devant la grande baie vitrée qui occupait tout un mur, s'était levé pour l'accueillir. Il y avait un autre homme, qu'elle ne connaissait pas. Il resta assis.

– Ah ! Docteur Wallace, entrez, je vous en prie !

Wagner était exceptionnellement aimable. Très élégant, comme d'habitude, il portait un costume bleu marine à rayures blanches. Le bleu clair de sa chemise contrastait avec les manchettes et le col blancs. Sa cravate soigneusement nouée arborait des couleurs criardes et des motifs bizarres à la mode. Et il avait une boutonnière, bien entendu. Une manie datant de l'époque où il pratiquait encore la chirurgie. Il mettait alors un point d'honneur à ne jamais rendre une visite postopératoire sans avoir une fleur au revers. Il prétendait que cela remontait le moral des patients. Ce jour-là, c'était un bleuet, qui semblait pâle contre le bleu marine. A l'hôpital, ses contempteurs les plus sévères prétendaient que la sempiternelle boutonnière était la seule chose qui le distinguait.

Corinne était plus bienveillante à son égard. En dépit de sa frustration de devoir accomplir toujours plus avec toujours moins d'argent, elle savait que Wagner passait l'essentiel de son temps à réclamer des fonds à des veuves fortunées et à des financiers en retraite. Et pour ce faire, il était très important qu'il ait l'air distingué.

Mais peu importe ses sentiments. Ils étaient là, face à face. Elle, prête à refuser s'il lui donnait l'ordre d'apparaître à la télévision, prête à défendre le bilan de son service. Lui, prêt à expliquer, elle en était sûre, la situation financière critique de l'hôpital, peut-être même à la menacer de faire des coupes dans le budget. Ou d'autres formes de réduction. Il conclurait bien entendu sur le fait que, comme par magie, sa présence sur un réseau de télévision nationale permettrait d'éviter cela.

Elle se demandait bien qui était l'inconnu.

— Docteur, je vous présente Kirk Spalding, dit Wagner. Kirk, voici le docteur Wallace.

Il ne put s'empêcher d'ajouter :

— Notre vedette de la télévision !

Ah ! se dit-elle, je le savais.

Spalding se leva. C'était un homme impressionnant, d'un mètre quatre-vingt-dix. Les tempes à peine grisonnantes, un teint hâlé qui témoignait du temps passé dans la nature, et un physique étonnamment athlétique pour quelqu'un qui approchait, au jugé, de la soixantaine.

— Kirk est notre conseiller juridique spécial, fit Wagner.

Conseiller juridique spécial ?

Cela ne lui disait rien. Elle n'avait même jamais rencontré les avocats de l'hôpital. Plus précisément, elle n'avait jamais rencontré les hommes de loi employés par l'hôpital, sinon dans le cadre de discussions relatives à des contrats ou à la construction et à l'équipement de son Centre pour la protection de l'enfance.

Mais quelles que soient les fonctions de ce Spalding, elle était prête à défendre sa position bec et ongles. Le contrat qui la liait à l'hôpital ne lui imposait aucune apparition publique. Elle participait exclusivement aux séminaires ou aux colloques de son choix. Le cycle de conférences qu'elle dispensait aux familles de ses patients dans les environs s'inscrivait dans un programme qu'elle avait elle-même mis sur pied.

Si Wagner avait fait venir un avocat pour qu'il exerce des pressions afin qu'elle aille à la télévision, elle était tout aussi résolue à résister.

— Monsieur Wagner, j'ai apporté mes bilans. Tout est là, jusqu'au moindre dollar dépensé. Tous les patients qui sont passés chez nous. Je dispose également des résultats d'une étude sur le coût par patient, comparé à celui d'autres hôpitaux offrant les mêmes services aux enfants victimes de sévices. Vous verrez que nous nous en sortons très bien. Au dollar près, nous sommes dans le peloton de tête, parmi les dix premiers du pays.

— Cher docteur Wallace, je suis sûr que votre bilan est impressionnant. Et que vous pouvez justifier jusqu'au dernier dollar dépensé. Deux fois plutôt qu'une. Mais ce n'est pas pour parler de ça que nous sommes ici...

Il se tourna vers Spalding, à qui il passa le relais d'une voix grave :

— Kirk...

— Est-ce que le nom de « Jackson » vous dit quelque chose, docteur ?

— Oui, fit Corinne. Un de mes patients s'appelle Benjamin Jackson.

— Je voulais dire : Melissa Jackson.

— Oui, bien sûr. C'est la mère de Benjie.

— Docteur, nous ne sommes que tous les trois dans cette pièce. Il n'y a pas de magnétophone. Rien de ce que vous

264

direz ne sera enregistré, je puis vous l'assurer. Vous pouvez donc parler en toute liberté.

Tour à tour déroutée, surprise, puis méfiante, Corinne répliqua :

– J'ignore qui vous a suggéré que je pourrais ne pas être sincère, monsieur Spalding. Je suis certaine que ce n'est pas le docteur Wagner. Il sait que rien ne m'empêche de parler en toute liberté quand il s'agit de mon service.

– Je crains que nous nous soyons mal compris, docteur, répliqua Spalding. Nous ne parlons pas de budgets et de dollars dépensés. Cela risque d'être beaucoup plus sérieux. Dites-moi ce que vous savez de cette Melissa Jackson.

– Il s'agit de questions couvertes par le secret professionnel, protesta Corinne, et qui relèvent des relations entre un patient et son médecin.

– Cette femme est votre patiente ? demanda Spalding, l'air surpris.

– Elle devrait. Mais ce n'est pas le cas. En revanche, son fils Benjamin est mon patient. Et je ne puis parler d'elle sans parler de lui. Ce que je refuse de faire. Comme je refuserais de dire quoi que ce soit en rapport avec n'importe lequel de mes patients. Sauf si j'avais un bon motif pour cela.

– Est-ce que vous considéreriez qu'un procès contre l'hôpital et contre vous en particulier constitue un bon motif ?

– Personne ne m'a intenté de procès, à ce que je sache, répondit-elle.

– Ça ne tardera pas, croyez-moi.

– De qui s'agit-il ?

– De Levinson, l'avocat du Bureau d'assistance

judiciaire, représentant une plaignante nommée Melissa Jackson.

– L'assistance judiciaire... en son nom ? demanda Corinne, stupéfaite. Pourquoi ne pas l'avoir dit tout de suite, au lieu de jouer aux devinettes ?

– C'est très simple, docteur. Les clients disent les choses d'une certaine façon quand ils racontent simplement des faits. Ils le font différemment quand ils savent qu'ils sont sous le coup d'une procédure. Je voulais d'abord la vérité, expliqua Spalding, simple, mais professionnel.

– Eh bien, si c'est la vérité que vous voulez, il vous suffit de demander. Même si je suis « sous le coup d'une procédure », comme vous dites, répliqua-t-elle d'un ton glacé.

– Je vous en prie, docteur, fit Spalding. Rappelez-vous que nous sommes du même bord.

– Bien sûr, monsieur Spalding, excusez-moi. Alors ?

– Dites-moi ce que vous savez de Melissa Jackson. Vos rapports avec elle.

– Je l'ai vue plusieurs fois. Toujours en relation avec son fils, Benjie. C'est un enfant gravement perturbé, victime de sévices.

– Et la nature de ces soi-disant sévices ?

– Monsieur Spalding, je m'élève contre l'usage du mot « soi-disant ». Il n'y a aucun doute quant à l'existence de ces sévices.

– Et alors ?

Spalding attendait des détails.

– C'est ici que commence le secret professionnel, objecta-t-elle.

– Docteur, vous pouvez me considérer comme votre avocat. Tout ce que vous direz, à moi ou au docteur

Wagner, restera strictement confidentiel. Maintenant, répondez-moi : quelle est la nature des sévices ?

– Sexuels.

– Vous disposez de toutes les preuves ? Des photos ? Des radios ? Des témoins oculaires ?

– Dans ce cas particulier, je n'ai aucune preuve physique, puisque je n'ai découvert aucune ecchymose, aucune cicatrice ni aucune autre marque visible.

Spalding était visiblement affligé.

– Alors, comment savez-vous qu'il y a eu des sévices ?

– Par le patient lui-même.

– Ce qui nous fait une belle jambe ! Et le tortionnaire, c'est le père, le beau-père ou l'habituel petit ami à demeure, je suppose ?

– Non.

– Mais vous savez qui c'est ?

– Oui, je le sais.

– De qui s'agit-il ? demanda Spalding.

– De Melissa Jackson.

– Eh bien, voilà qui donne un nouvel éclairage à cette affaire, observa Spalding.

– Un éclairage favorable, j'espère, fit Wagner.

– Je ne sais pas. Pas encore.

Il réfléchit un instant à ce nouvel élément, puis :

– Docteur Wallace... J'ai l'impression que cette affaire va nous occuper pas mal de temps. Pouvez-vous me dire aussi objectivement que possible tout ce que vous savez de cette femme, de son fils et de ce que vous qualifiez de « sévices ».

– Je voudrais d'abord savoir précisément de quoi elle m'accuse, insista Corinne.

– Pour les raisons déjà invoquées, je veux connaître votre version des faits, sans qu'il soit question de sa plainte.

Corinne comprit qu'un refus de coopérer pourrait donner l'impression qu'elle avait une raison de garder des choses pour elle. Elle raconta donc à Kirk Spalding et à Wagner l'histoire du cas « Benjamin Jackson », depuis l'instant où elle avait fait sa connaissance jusqu'à son séjour actuel au service de pédiatrie de l'hôpital. Elle s'en tint strictement aux faits. Par respect du secret professionnel, elle s'abstint de décrire la nature précise des sévices.

Spalding écouta attentivement, avec une curiosité professionnelle. Corinne savait qu'il enregistrait mentalement les points les plus importants de son récit.

– Pouvez-vous me dire, maintenant, quelle est l'accusation ? fit-elle quand elle eut achevé.

– L'avocat de Mme Jackson, fit Spalding après un bref silence, prétend que nous retenons Benjamin, le fils de sa cliente, contre sa volonté. Une volonté exprimée de vive voix, en votre présence et à plusieurs reprises. En tant que seul tuteur légal et naturel de son fils, Mme Jackson exige qu'il lui soit rendu sur-le-champ.

– Ce serait très dangereux !

– Son avocat prétend que si vous ne le rendez pas, ils demanderont une enquête judiciaire préliminaire et exigeront que vous justifiiez vos actes au tribunal.

– Pas de problème. Mais je n'impliquerai pas le garçon. Ce serait trop traumatisant. Cela pourrait anéantir toutes mes chances de le guérir. Il s'agit d'un cas limite, croyez-moi.

– Nous en parlerons le moment venu, dit Spalding.

– Je pense que nous devons prendre cette décision maintenant. Avant que je décide d'aller plus loin, fit-elle d'un ton ferme.

Toute cordialité s'effaça du visage de Spalding. Il lui jeta un regard mauvais.

– Je suis sûr que je n'ai pas besoin de vous rappeler, docteur Wallace, que la pratique médicale, de nos jours, finit souvent au tribunal. Et que les jurés sont presque toujours solidaires des plaignants. Qu'ils rendent des verdicts se chiffrant en millions, voire en milliards de dollars. Aucun hôpital ne peut se permettre ce genre de dépenses. Maintenant, puisque nous sommes dans le même camp...

Cette phrase la fit sursauter. Encore cette allusion au fait qu'ils pourraient *ne pas être dans le même camp*. Du coup, elle écouta encore plus attentivement.

– ... puisque nous sommes dans le même camp, nous assurerons gracieusement votre défense. Mais si vous refusez de suivre nos conseils avisés, nous ne pouvons pas vous représenter.

– Ce qui veut dire que je devrai engager moi-même un avocat.

– Exactement. Ce qui pourrait s'avérer extrêmement coûteux. Pas seulement en honoraires, mais en dommages et intérêts, si le tribunal reconnaît votre responsabilité.

– Quels dommages et intérêts ?

– Docteur, si l'enquête préliminaire – qui sera présidée par un juge aux affaires familiales – leur donne raison, il y aura un procès pour préjudice moral à la suite de la détention abusive du nommé Benjamin Jackson, l'avertit Spalding. Ce sera certainement le cas. Et ce procès sera soumis à un jury. Les jurys sont très capricieux, de nos jours. Ils perdent toute mesure, imposent des amendes très élevées et des dommages et intérêts dissuasifs.

– Cela ne me fait pas peur. Je pourrai faire témoigner une dizaine de psychiatres éminents qui attesteront que mes interventions passées, et celles que je poursuivrai dans cette affaire, je les mène dans l'intérêt exclusif de mon patient !

— Et l'avocat de Mme Jackson pourra produire à son tour une dizaine de psychiatres qui témoigneront du contraire, rétorqua Spalding.

— Aucun psychiatre digne de ce nom n'osera affirmer que nous devrions rendre ce garçon à sa mère. Pas dans les circonstances présentes.

— Docteur, répliqua Spalding, j'ai vu des experts témoigner de pratiquement n'importe quoi devant les tribunaux, y compris que la Terre est plate. Il suffit d'y mettre le prix.

— Je suis certaine que si son avocat connaît les faits, il refusera de plaider cette affaire.

— Docteur, j'ai une règle absolue : ne jamais sous-estimer l'adversaire. J'ai fait graver cette phrase sur des plaques de bronze accrochées au mur de tous les jeunes avocats qui travaillent pour mon cabinet.

— Que voulez-vous que je fasse ?

— Que vous nous aidiez à sortir de ce pétrin.

— Comment ?

— En libérant l'enfant, dit Spalding.

— C'est impossible. Ce serait... Ce serait une faute professionnelle.

— Que répondriez-vous, docteur, si, en qualité de représentant légal de cet hôpital, chargé notamment de le protéger contre des procès coûteux, je vous demandais instamment de libérer cet enfant ?

— Je devrais refuser, déclara-t-elle.

Wagner crut bon d'intervenir avant que Spalding et Corinne Wallace, à présent adversaires, ne se bloquent sur leurs positions respectives.

– Kirk, disons que cela n'est qu'une réunion préliminaire. Prenons le temps de réfléchir.

Spalding, peu désireux de rester sur une situation ambiguë, proposa à son tour :

– Voyons-nous à mon bureau, disons... demain. D'accord, docteur ? J'aimerais que quelqu'un de chez moi soit présent.

– Si vous y tenez..., fit Corinne Wallace sur un ton prudent.

Comme si son emploi du temps n'était pas assez chargé, le docteur Wallace dut trouver le temps d'aider Kirk Spalding à se préparer à la menace d'un procès contre elle et contre l'hôpital.

Elle accepta le premier rendez-vous le lendemain à six heures du soir. Elle comprit tout de suite pourquoi Spalding avait proposé que la réunion se tienne dans ses bureaux. Il lui présenta une femme qui semblait à peine plus âgée que certaines des assistantes sociales avec qui elle travaillait tous les jours.

– Docteur, voici Hortense Laval. Elle sort de Yale, où elle fut une brillante étudiante en droit. Nous avons de la chance de l'avoir avec nous, vu les propositions qu'elle a reçues de certains grands cabinets d'avocats de Washington et de New York. Maître Laval, dans cette affaire, représentera l'hôpital et vous-même.

Corinne Wallace ne cacha pas sa surprise.

– Les associés de ce cabinet ne traitent pas ce genre d'affaires, expliqua-t-il. Sur la base d'une rémunération horaire, ce serait beaucoup trop cher pour des clients comme les hôpitaux et les médecins.

Ce qui signifie, pensa le docteur Wallace, que des

« affaires » comme l'avenir d'un enfant n'ont pas assez d'importance pour mériter qu'un avocat à cinq cents dollars de l'heure s'y intéresse. Mais elle se tut, résolue à écouter.

— Nous considérons, reprit Spalding, que la phase préliminaire de ce conflit n'est qu'une escarmouche, au regard de l'hypothèse du procès dont je vous ai parlé. Néanmoins, une victoire devant le tribunal des affaires familiales diminuera considérablement les risques d'un procès au civil devant un tribunal de l'Etat. Nous devons donc tout miser là-dessus. D'accord, docteur ?

— La seule chose qui m'intéresse, fit Corinne, c'est l'avenir de Benjamin Jackson.

— Bien sûr, bien sûr, répliqua Spalding. Mais nous ne devons pas perdre le contexte de vue, docteur. En tant qu'avocats, nous devons défendre notre client. Dans cette affaire, *nos* clients.

Il insista sur le pluriel, suggérant que Corinne, en cas de procès, risquait autant que l'hôpital.

— Alors nous devons adopter une stratégie pragmatique et positive. Je suggère que dans un premier temps, maître Laval et vous passiez en revue le cas de cet enfant, depuis le début. Elle aura de la sorte une vue d'ensemble des faits. Vous pourrez travailler à partir de là.

Il attendait l'accord de Corinne Wallace. Comme celle-ci ne réagissait pas, il conclut :

— Je l'ai dit, il faut commencer par le commencement. Je vous laisse continuer toutes les deux.

Hortense Laval était toute menue. Elle portait d'épaisses lunettes et son teint pâle trahissait les années passées dans les bibliothèques. Elle guida Corinne jusqu'à son bureau, à un étage inférieur des locaux occupés par le prestigieux cabinet Smithson, Spalding & Grover.

Sa table était couverte de piles de dossiers – les affaires innombrables dont Spalding et consorts s'étaient déchargés sur elle. Des affaires jugées trop peu importantes pour faire perdre leur temps si précieux aux patrons de la firme.

Hortense Laval indiqua d'un geste le seul siège réservé aux visiteurs.

– Docteur Wallace, fit-elle dès que Corinne se fut assise, vous n'êtes pas idiote. Moi non plus. Je devine vos pensées. Vous vous dites qu'on a confié cette affaire, si importante pour vous et pour ce garçon, à l'un des avocats les plus jeunes et les plus novices de ce cabinet. Eh bien, je vais vous dire : vous avez raison.

Corinne Wallace était surprise. Elle ne s'attendait pas à une telle franchise.

– Mais cela ne signifie pas que vous ou le gosse perdrez au change. Je suis jeune, mais je suis une très bonne avocate. Et j'ai l'intention de le prouver avec cette affaire. Alors, dites-moi tout d'abord : quel est votre objectif ?

– Je veux que Benjamin Jackson ait une chance, la même chance que tout le monde, d'avoir une vie décente. Dans l'immédiat, ça signifie qu'il doit être tenu éloigné de sa mère, dit Corinne Wallace en essayant d'être aussi simple que possible.

– D'accord. Jusqu'où êtes-vous prête à aller pour y parvenir ?

– Jusqu'au bout.

– Vous résignez-vous à l'idée qu'il faudra peut-être le faire témoigner ?

Corinne Wallace réfléchit un instant. La jeune avocate anticipa sur sa réponse :

– Je suis d'accord avec vous, docteur. Je ne voudrais pas être obligée de convoquer un enfant à la barre des témoins.

Mais si nous en arrivions là... Je dois savoir maintenant, n'est-ce pas ?

— Si c'est la seule manière de le sauver, admit Corinne Wallace.

— Parfait, dit Hortense Laval. Maintenant, commençons.

Aussi précisément que possible, le docteur Wallace retraça les faits les plus importants, son diagnostic et le traitement qu'elle avait entamé avec Benjamin Jackson. Hortense écoutait, notait les faits, les examens, les résultats, le nom des gens qui pourraient être des témoins. Quand elle eut une idée générale du contexte et des problèmes liés à l'affaire, elle demanda à Corinne :

— Vous avez affirmé à plusieurs reprises que ce garçon était victime d'abus de la part de sa mère. Ce mot recouvre des choses très différentes. Je dois savoir très précisément et dans le détail de quelle sorte de sévices il s'agit.

— C'est la partie la plus confidentielle de ce que j'apprends dans l'exercice de mon métier, fit Corinne Wallace.

— Docteur, je suis votre avocate. Si je dois vous représenter et défendre au mieux les intérêts de ce garçon, il faut que je sache tout.

Corinne Wallace lui décrivit simplement les contacts sexuels que Melissa Jackson imposait à son fils.

— C'est terrible, fit-elle en conclusion, mais tout à fait exact, malheureusement.

— J'ai entendu pire que cela, dit Hortense Laval.

Encore quelques questions, puis elle décida qu'elle en savait assez pour commencer à définir sa stratégie. Il était tard.

— Ma journée est finie, dit-elle. Descendons ensemble, docteur.

Alors qu'elles allaient se séparer, devant l'immeuble, pour rejoindre leurs voitures respectives, Corinne Wallace posa la question qui lui brûlait les lèvres.

– Vous m'avez dit que vous aviez entendu pire...

– Non seulement entendu, mais j'ai *vu* pire que cela. J'ai passé six années de ma vie dans des familles d'accueil.

Elle avait parlé sans passion. C'était un fait, voilà tout. Elle partit vers sa voiture. Le docteur Wallace savait que la défense de Benjamin était en de bonnes mains.

25

Le juge Gustav Engelhardt avait passé une mauvaise nuit. Sa femme avait souffert de sa vésicule biliaire, et une crise très douloureuse avait été suivie d'un malaise d'origine inconnue. Il avait passé la plus grande partie de la nuit à côté d'elle, aux urgences de l'hôpital public du comté. Là, son statut de magistrat lui avait été fort peu utile. Sa femme avait supporté sa douleur en compagnie des autres patients dont la vie n'était pas menacée.

Quand il l'avait ramenée à la maison, il était quatre heures vingt du matin. Les sédatifs l'avaient maintenue dans un état d'hébétude jusqu'à ce qu'elle évacue le calcul qui la torturait. Il avait dormi au-delà de son heure habituelle – six heures et demie –, ce qui l'avait privé de sa séance de gymnastique et, surtout, de la lecture des journaux du matin.

Il arriva à la salle d'audience du tribunal des affaires familiales à neuf heures, comme d'habitude, mais pas d'excellente humeur.

Il jeta un coup d'œil au registre. La première affaire concernait la plainte de Melissa Jackson contre l'hôpital public du comté. La plaignante demandait aux défendeurs qu'ils s'expliquent sur les raisons pour lesquelles ils refusaient de faire sortir un mineur, Benjamin Jackson, du service de pédiatrie de l'hôpital. D'après la plainte, il y était retenu contre sa volonté et celle de sa mère.

La simple mention de l'hôpital du comté le hérissait. Mais il était déterminé à juger cette affaire aussi impartialement et équitablement que d'habitude. Il se débarrassa de son veston et enfila sa robe noire. Il se rappela qu'il était temps d'en commander une nouvelle, car celle-ci commençait à s'effilocher aux poignets. Il se dit que c'était la quatrième robe qu'il avait usée au cours de sa carrière de juge, et il se demanda si le moment n'était pas venu de penser à la retraite. Sa femme l'y poussait depuis plusieurs années. Mais il continuait, sous prétexte qu'il était de son devoir de protéger les enfants qu'on amenait devant lui et dont le sort, pensait-il, était entre ses mains.

Il se considérait comme leur champion, leur protecteur contre les avocats des deux bords et les parents en bisbille qui, incapables de régler leurs problèmes d'adultes, étaient évidemment incapables de régler ceux de leurs enfants.

C'est avec cette humeur peu amène qu'il sortit de son vestiaire et alla s'asseoir dans son tribunal. Il l'avait choisi parce que c'était la plus petite salle d'audience de tout le palais de justice. Il voulait que le moins de monde possible assiste aux affaires dont il avait la charge. Il n'aimait pas que les familles lavent leur linge sale en public, d'autant que les conflits qui les déchiraient étaient souvent assez bizarres pour exciter l'appétit des médias.

Avant de prendre place, il passa en revue les acteurs de l'affaire Jackson qui se trouvaient devant lui. Il identifia Mme Jackson, puisqu'elle se trouvait à la table des plaignants, à côté d'un avocat de l'assistance judiciaire qu'il avait déjà croisé à plusieurs reprises. A la table de la défense : une jeune femme qu'il n'avait jamais vue. D'après son aspect et le dossier posé devant elle, il comprit qu'elle était l'avocate de l'hôpital. Et à côté d'elle...

A côté de l'avocate était assise une femme qui lui sembla vaguement familière. Il ne la reconnut pas immédiatement. Tout ce qu'il savait, c'était que son visage évoquait dans sa mémoire un incident très désagréable. Mais il savait qu'il aurait la réponse en temps utile.

Il avait un discours tout prêt, qu'il adressait toujours aux participants d'une affaire dont un enfant était l'enjeu. Autant le prononcer tout de suite, se dit-il, et donner le ton du procès.

– Bonjour mesdames, bonjour messieurs !

Après avoir reçu les saluts habituels en retour, il lança :

– Je veux que les choses soient claires. Ceci n'est pas le genre de procès contradictoire où il doit y avoir un gagnant et un perdant. Nous ne sommes pas ici pour découvrir qui est l'avocat le plus brillant ou le plus combatif. Ni pour discuter ou approfondir les subtilités de la loi. Ni pour citer des affaires qui ont fait jurisprudence dans des tribunaux plus prestigieux ou plus influents que celui-ci. Bien entendu, les avocats auront le loisir de nous en mettre plein la vue avec leur connaissance du droit et de la justice. Mais au moment décisif, la seule chose qui importera dans ce tribunal, ce sera l'intérêt de l'enfant. Et c'est moi qui en serai juge ! Nous sommes d'accord ?

Chacun acquiesça vivement.

C'est à cet instant précis que le juge Engelhardt reconnut cette femme au visage familier. Je sais qui c'est, se dit-il. C'est ce médecin agressif, Mme Je-Sais-Tout, qui m'en a fait voir il y a quelques mois. Eh bien, nous allons la remettre à sa place.

– Que l'avocat du plaignant fasse sa déclaration préliminaire !

Bernard Levinson était un vieux routier des salles

d'audience. C'était un homme grand et mince, aux cheveux légèrement trop longs et pas encore tout à fait gris. Il portait le costume bleu marine qu'il réservait aux audiences : parfaitement repassé, mais un peu luisant, il témoignait que l'avocat faisait son métier moins pour l'argent que pour la défense des grands principes. Depuis son admission au barreau, vingt-trois ans plus tôt, il se mettait au service de l'assistance judiciaire et s'occupait des gens qui avaient besoin d'être défendus et aidés, sans avoir les moyens de s'offrir ce service. Il se leva.

— Votre Honneur, je représente ici Melissa Jackson. Son affaire est simple, et sa requête vient du fond du cœur. En un mot, elle ne désire qu'une chose : récupérer son fils. Comme nous le montrerons au cours de ces audiences, cette femme... a eu un peu de mal avec un fils turbulent, un garçon de dix ans qui commence à ressentir les premières pulsions rebelles de l'adolescence... Cette femme, donc, a demandé un peu d'aide au Centre pour la protection de l'enfance. Elle n'avait pas l'intention, et elle n'a toujours pas l'intention, de lui livrer son fils. Et pourtant, le centre l'a emprisonné...

— Objection ! s'écria Hortense Laval.

— Objection à quoi ? aboya le juge Engelhardt.

— Employer le terme « emprisonner » à propos d'un enfant qui se trouve en traitement dans le service de pédiatrie d'un hôpital n'est ni juste ni conforme à la vérité.

Déjà fatigué et impatient d'avancer – alors que ce procès venait à peine de commencer –, Engelhardt se tourna vers elle et la sermonna, comme une étudiante :

— Ma chère, ne pensez-vous pas que je sais qu'un mot comme « emprisonner » est un peu excessif dans ces circonstances ? Mais je ne puis empêcher maître Levinson d'enjoliver un peu cette affaire. De jeter quelques mots qui lui donneront un peu plus d'importance. De faire en sorte que le crime dont se plaint sa cliente semble un peu plus grave. Et je vous laisserai faire de même quand ce sera votre tour. Allons, acceptons ces quelques effets de manche. Attendez votre tour, maître. Continuez, maître Levinson.

– Merci, Votre Honneur. Je vous le disais... Un enfant est emprisonné. Et pour le plus grand profit de ma jeune collègue, je voudrais citer le grand dictionnaire Webster. « Emprisonner », sens dérivé... je cite : « Emprisonner, enfermer, confiner, cloîtrer. » Fin de citation. Ce qui qualifie précisément le sort du fils de cette malheureuse femme. On amène au centre ce garçon qui a besoin d'aide. Le genre de choses que n'importe quel médecin réglerait avec quelques médicaments courants... Or, que fait le docteur Corinne Wallace ? Elle arrache cet enfant à sa mère, elle le maintient enfermé, confiné, cloîtré dans le service de pédiatrie de notre hôpital public du comté. Et comme si cette séquestration ne suffisait pas, elle refuse à cet enfant la visite de sa propre mère ! Votre Honneur, voici de toute évidence une affaire qui exige votre intervention. Devant la loi et au regard des principes élémentaires de la justice, un enfant doit vivre au sein de sa famille, près de sa mère. C'est ce que nous vous demanderons à la fin de cette procédure. Merci, Votre Honneur.

– A vous, maître Laval, déclara le juge Engelhardt.

Hortense Laval se leva. Parfaitement consciente que ce juge n'aimait pas les jeunes avocats, surtout les jeunes *avocates*, elle commença ainsi :

– Votre Honneur, nous prouverons que la seule raison pour laquelle l'enfant dont nous parlons est retenu à l'hôpital est qu'il serait très dangereux de le laisser retourner auprès de sa mère.

– Dangereux ? la coupa Engelhardt.

– Cet enfant est victime de sévices. Ces sévices ont commencé dans le passé et se sont poursuivis jusqu'à il y a quelques jours à peine.

– Avant d'aller plus loin, je veux voir cet enfant, décida le juge. Il se trouve à l'hôpital, pour l'instant ?

– Oui, Votre Honneur.

– Je veux le voir à mon bureau cet après-midi, à quatre heures !

Levinson se dressa immédiatement :

– Votre Honneur, je demande l'autorisation d'assister à cette entrevue !

– Personne n'assistera à quoi que ce soit. Je veux me rendre compte par moi-même si cette accusation de sévices a le moindre fondement.

Cette fois, Corinne Wallace elle-même se leva pour répondre :

– Votre Honneur, je ne crois pas que vous soyez capable de déceler le genre de sévices dont est victime cet enfant.

– Docteur ! Je me souviens d'avoir déjà eu affaire à vous dans le passé. Je n'aimais pas votre attitude à l'époque, et je ne l'aime toujours pas. Je crois être assez compétent en matière d'enfants victimes de mauvais traitements. Si j'en juge par votre apparence, je m'occupais déjà de cela avant votre naissance. Je veux voir ce garçon ! A quatre heures ! A mon bureau ! Et faites en sorte qu'il soit là ! Seul !

Toute la journée, Corinne Wallace vaqua à ses occupations avec le sentiment persistant de disputer une course. Quoi qu'elle fasse, elle avait toujours l'impression de courir contre la montre, et une présence étrange planait au-dessus de sa tête. Ce n'est qu'à deux heures, au moment de sa séance avec Benjamin Jackson, qu'elle comprit. Tout s'éclaircit dans son esprit. L'urgence, c'était le rendez-vous fixé par le juge Engelhardt. La présence qui la hantait, c'était sa détermination à empêcher cette réunion d'avoir lieu.

Elle appela Hortense Laval. Elle essaya de la convaincre d'aller voir le juge pour lui expliquer que soumettre Benjamin à un interrogatoire serait inutile, improductif, et que cela constituerait une ingérence inadmissible dans son traitement psychiatrique. Mais l'avocate lui expliqua que ce juge avait la réputation, même parmi ses collègues magistrats, d'être excentrique et de n'en faire qu'à sa tête. Il valait mieux ne pas le contrarier dès le début de la procédure, par crainte qu'il ne juge d'avance l'affaire et sa conclusion.

Elle lui conseilla également de ne pas essayer d'influencer l'enfant quant à ses réponses ou son attitude face au juge. Car ce genre de démarches finissait toujours par faire surface à un moment ou à un autre du procès. D'un point de vue légal, il était déplacé de parler à Benjamin, serait-ce pour lui expliquer ce qui se passait. S'il devait témoigner, les interventions du docteur pourraient être considérées comme une subornation de témoin ou des tentatives de faire obstruction à la justice.

Hortense Laval pressa Corinne Wallace de faire exactement ce que la cour lui avait ordonné. Le plus simplement possible. Qu'elle se contente de dire à Benjie que le juge voulait le voir. Qu'elle fasse en sorte qu'il se présente au bureau de ce dernier à quatre heures précises. Ne rien faire d'autre, ne rien dire de plus.

A quatre heures précises, Benjamin Jackson fut introduit

dans le bureau du juge. Edna Callahan, la secrétaire d'Engelhardt, assistait ce dernier depuis le début de sa longue carrière de magistrat. C'était une femme plutôt lente à réagir en toute circonstance. L'âge en était en partie responsable. Pour le reste, elle prenait son temps pour toiser les plaideurs, les avocats et les enfants, afin de se faire son idée sur leur crédibilité et leur personnalité. Elle s'arrangeait toujours pour donner son avis au juge. Qui l'ignorait tout aussi systématiquement. Ainsi, Mme Callahan avait l'impression d'être juste et de jouer un rôle dans le système judiciaire.

– Eh bien, fit-elle en fixant le petit garçon, qu'avons-nous là ?

– Benjamin Jackson, répondit-il.

– Bien. Et tu es ponctuel, en plus. On dirait que la ponctualité, de nos jours, n'est plus à la mode.

Elle se tourna vers la femme qui accompagnait l'enfant.

– Et vous ? Puis-je vous demander qui vous êtes ?

– Je suis le docteur Wallace. Je souhaite rencontrer le juge Engelhardt avant qu'il ne parle à mon patient.

– Monsieur le juge ne m'a pas prévenue qu'il voulait voir quelqu'un d'autre que ce jeune homme, répliqua Edna Callahan. Je vais lui dire qu'il est arrivé.

– Je pense que vous devriez d'abord lui dire que je suis ici ! insista Corinne Wallace.

Intriguée par l'impudence de ce docteur qui avait le front de la contredire, la secrétaire la jaugea de derrière ses lunettes. Elle la reconnut et sursauta légèrement.

– Oh ! vous êtes le docteur qui a empêché cette adolescente de sauter par la fenêtre ! Je vous ai vue à la télévision. Croyez-moi, d'autres que le juge pourraient être impressionnés par votre célébrité. Mais dans son cas, ça ne changera pas grand-chose, vous verrez.

– J'exige pourtant de le voir. Immédiatement !

– Chère madame, vous ne savez pas ce qui peut vous arriver, mais si vous insistez...

Elle appuya sur le bouton de l'Interphone.

– Votre Honneur, il y a un docteur ici qui souhaite vous parler avant que vous ne receviez le petit Jackson.

Corinne Wallace entendit le juge brailler dans l'Interphone.

– Mais pour qui se prend-elle ? Faites entrer l'enfant.

Edna Callahan se tourna vers Corinne Wallace avec un geste signifiant : « Je vous l'avais bien dit. »

Corinne Wallace courut vers la porte du bureau. Edna Callahan essaya de s'interposer. Mais Corinne, plus jeune, plus vive et plus rapide, y parvint avant elle.

Le juge Engelhardt était plongé dans une requête en justice à propos d'une procédure d'adoption. Sans lever la tête, il lâcha :

– Entre, mon garçon, entre. Ne perdons pas de temps.

– Je suis entrée, fit le docteur Wallace.

Engelhardt repoussa ses documents sur le côté, pivota vivement dans son fauteuil et lui lança un regard furieux.

– J'ai demandé qu'on fasse entrer l'enfant ! Bon Dieu, mais qu'est-ce que vous faites ici ?

– Avant que vous ne lui parliez, avant que vous ne preniez une décision, même provisoire, je me suis dit que nous devrions avoir une conversation, vous et moi.

– Ah ! vraiment ?

Edna Callahan, craignant peut-être de se faire taper sur les doigts, avança la tête dans l'entrebâillement de la porte :

– Votre Honneur, c'est elle qui était à la télévision. Vous vous en souvenez ?

Engelhardt lui fit signe de fermer la porte, se renversa dans son fauteuil et regarda longuement Corinne Wallace.

— Ainsi, vous êtes la « dame de la fenêtre ». Il me semblait bien vous avoir reconnue. Mais je croyais vous avoir vue dans un autre contexte. Eh bien, eh bien... Quel effet cela fait-il d'être une célébrité ?

— Je ne me considère pas comme une célébrité.

— Bel exemple de modestie. Eh bien, ma petite, puisque le courage semble être votre point fort, vous en aurez besoin. Parce que vous allez apprendre quelque chose sur le fonctionnement de la justice. Avez-vous déjà entendu ces mots : outrage à la cour ?

— Je pensais qu'ils ne s'appliquaient qu'aux présidents qui mentent sous serment.

— Ne soyez pas insolente, docteur, vous avez assez d'ennuis. Quand un juge émet une ordonnance aux fins d'examiner et d'interroger un témoin potentiel en tête à tête, ça veut dire : en tête à tête. Quiconque désobéit à cet ordre peut être inculpé d'outrage à la cour. Sans parler de deux ou trois délits supplémentaires. Obstruction à la justice, par exemple.

— Je sais parfaitement tout cela, Votre Honneur. Mon avocate me l'a soigneusement expliqué.

— Votre avocate sait que vous êtes ici ?

— Non, Votre Honneur.

— Alors vous êtes venue contre l'avis de votre défenseur, fit Engelhardt avec mauvaise humeur. Eh bien, je vais vous dire une chose : quand j'étais avocat, si un de mes clients avait agi de la sorte, je l'aurais sorti de mon bureau avec mon pied au cul !

— Si j'étais avocate, rétorqua Corinne Wallace, je

demanderais à mon client pourquoi il agit contre mes conseils, avant de le mettre à la porte.

Elle vit le juge changer de couleur sous l'effet de la colère.

— J'espère que vous avez une bonne excuse, chère madame, si vous voulez échapper non seulement à une amende substantielle, et peut-être aussi, pourquoi pas, à quelques jours au frais dans une cellule de la prison municipale.

— Votre Honneur, je vous connais, et je sais ce qu'on raconte à propos de votre longue carrière de magistrat. J'ai entendu dire que vous pouviez être très dur, parfois insultant, voire parfaitement arbitraire...

— Si vous essayez de vous faire bien voir de ce tribunal, docteur, vous vous y prenez foutrement mal.

— Je n'ai pas fini ma phrase. Parfaitement arbitraire... mais toujours attentif à l'intérêt des enfants. Et c'est là-dessus que vous et moi sommes d'accord.

— C'est exactement pour cela que je veux voir ce garçon, s'exclama le juge.

— Ce serait une grave erreur, Votre Honneur.

— Une erreur, hein ? rétorqua Engelhardt.

— Cet enfant est là, dehors. Il attend. Comme vous l'avez ordonné. Vous pouvez le voir quand vous le désirez. Sans problème. Sauf que quand vous le verrez, les problèmes commenceront.

— Que voulez-vous dire ?

— Vous ne trouverez aucune marque, aucune ecchymose.

— Peut-être. Mais je suis capable de lire une radio aussi bien que n'importe quel toubib, vous savez !

— Même ainsi, vous ne trouverez aucune trace de vieilles fractures, de cicatrices disparues...

— En d'autres termes, aucun signe de sévices ?

– Aucun, reconnut Corinne Wallace.

– Dans ce cas... sur quoi repose toute cette affaire ?

– Le genre de sévices qui ne laisse pas de trace visible. Mais qui peut détruire une jeune personnalité et empêcher un garçon de s'épanouir jusqu'à la fin de sa vie. Le genre de sévices qui entraîne les gosses vers la drogue et l'alcool, vers le crime, et les pousse à maltraiter d'autres enfants. Je parle de sévices sexuels. Mais si vous examinez cet enfant, vous n'en trouverez aucune trace. Vous serez induit en erreur par ce que vous verrez ou, plus précisément, par ce que vous ne verrez pas. C'est pourquoi je vous demande de ne pas l'interroger aujourd'hui. Je vous demande de l'autoriser à rester à l'hôpital et d'attendre, avant de prendre une décision, que l'affaire vous soit clairement exposée. Voilà le conseil professionnel que je voulais vous donner.

– Bon Dieu, chère madame, mais vous voulez m'apprendre à faire mon boulot ! Un boulot, je vous le rappelle, que j'effectue depuis plus de vingt-cinq ans ! Avec un certain succès, je dois dire. Je peux vous montrer des centaines, des milliers de cas où des enfants sont passés par mon tribunal et ont fini par devenir d'excellents citoyens grâce à la façon dont j'ai protégé leurs droits !

– Votre Honneur, je peux vous citer au moins une affaire pour laquelle ce n'est pas vrai, dit le docteur Wallace, doucement mais d'un ton ferme.

Elle savait que la réussite de sa démarche était en jeu, mais aussi le verdict final dans l'affaire de Benjamin – c'est-à-dire ses chances d'avoir droit à une vie décente.

Le juge était cramoisi.

– Bon Dieu, mais qu'est-ce que vous racontez ? s'exclama-t-il.

– Je veux parler de cette adolescente, celle qui était sur

le rebord de fenêtre... Claire Renzler... La fille que j'ai empêchée de sauter... Il y a quelque temps, elle s'est présentée devant vous, devant ce tribunal. J'ai plaidé qu'elle ne pouvait pas retourner chez elle, là où son beau-père abusait d'elle, mais qu'elle devait rester au Centre pour la protection de l'enfance.

Le juge s'en souvenait, maintenant.

– Oh ! il me semblait bien vous reconnaître, ce matin ! Vous aviez l'esprit rudement querelleur ce jour-là. Si je m'en souviens bien... en guise de compromis, pour que cette fille ne retourne pas chez son beau-père, je l'ai envoyée dans une famille d'accueil, c'est cela ?

– Oui, Votre Honneur. Mais il s'est avéré que dans cette famille aussi, il y avait un violeur d'enfants... C'est pourquoi...

– C'est pourquoi elle s'est retrouvée sur ce rebord de fenêtre... Oh ! mon Dieu ! Nous faisons de notre mieux... Mais ce genre de chose arrive parfois.

– Tout ce que je vous demande, quand vous verrez le petit Jackson... Ne jugez pas sur les apparences. Laissez-nous présenter notre dossier, toutes les preuves, avant de statuer. En attendant, permettez-lui de rester à l'hôpital, où nous *savons* qu'il est à l'abri. Est-ce que c'est trop vous demander ?

Le juge pensait toujours à cette Claire Renzler, à la tragédie dans laquelle il avait probablement joué un rôle essentiel.

– Votre Honneur ?

Il soupira, puis avoua :

– Docteur... je me disais... c'était ma philosophie... Dès lors qu'il y a conflit entre la mère et l'hôpital, toujours statuer en faveur du lien familial. J'avoue que j'inclinais à renvoyer l'enfant chez lui.

– Je vous supplie de n'en rien faire, dit Corinne Wallace.

– Pour le moment, je tiendrai compte de votre conseil. Mais avant de prendre une décision définitive, docteur, j'attendrai de connaître tous les éléments. Il faudra qu'ils soient rudement convaincants si vous voulez que j'aille contre le souhait explicite du Congrès des Etats-Unis : renforcer, autant que possible, les liens familiaux.

26

Toutes les parties étaient rassemblées, à l'exception de la première personne concernée, c'est-à-dire Benjamin Jackson. Il avait été provisoirement exclu de la salle d'audience sur ordre du juge Engelhardt. La procédure pouvait commencer.

– Maître Levinson, appelez votre premier témoin, commanda le juge.

Levinson se leva. Au lieu d'appeler son témoin, il alla le chercher à la deuxième des trois rangées de sièges réservés au public et l'escorta jusqu'à la barre. C'était une femme d'une soixantaine d'années. Ses cheveux avaient été décolorés une fois de trop, et son rouge à lèvres brillant mettait en évidence toutes les crevasses de ses lèvres. Elle s'assit et prêta serment.

– Comment vous appelez-vous ? dit l'avocat

– Florence Younger.

– Quelles sont vos relations avec Benjamin Jackson, objet de cette procédure judiciaire ?

– Je suis sa grand-mère.

Levinson lui fit raconter l'histoire de sa fille. La jeunesse de Melissa, ses problèmes, jusqu'aux événements malheureux qui avaient directement précédé et suivi la naissance de Benjamin.

Arrivé à ce point, Levinson l'amena sur le motif de sa

convocation. Entre deux coups d'œil furtifs vers le juge, le témoin commença :

– Cela a été terrible. Quand nous avons compris que Melissa était enceinte, je veux dire. Tout d'abord, ça a été un choc. Un choc pour moi. Moi qui croyais que c'était un jeune homme bien. Nous nous attendions à ce qu'il la demande en mariage d'un jour à l'autre. Lissa était déjà en train de réfléchir pour savoir si elle pouvait se marier en blanc... Je veux dire, après tout, ils vivaient ensemble depuis un an, et elle n'était pas précisément vierge... Mais attention, Votre Honneur, je vous donne ma parole qu'il n'y avait pas eu d'autre homme dans sa vie. C'était le seul.

– Oui, oui, bien sûr, fit le juge pour la faire s'activer.

– Que s'est-il passé ensuite ? fit Levinson.

– Dès qu'il a su qu'elle était enceinte, il a fichu le camp. Sans un mot. Sans même laisser un message. Rien. Il fallait prendre une décision. Et ce n'était pas facile. Nous sommes de bons chrétiens, vous savez, et il fallait décider : est-ce qu'on garde le bébé ou pas ? Je sais qu'il y a des gens pour qui ça n'est pas un problème. Un avortement, et c'est fini. Mais nous...

Elle se tourna brusquement vers le juge.

– Je ne sais pas quelle est votre religion, Votre Honneur, mais pour nous c'est un péché. Un terrible péché ! Lissa et moi, on a décidé de garder le bébé. Et quand il est né, on s'est occupées de lui comme si c'était le bébé le plus précieux du monde. Du jour où il est né, ma fille a consacré toute son existence à cet enfant. Alors maintenant, tous ces gens qui prétendent qu'on le maltraite, eh bien ils racontent des histoires. C'est rien que des mensonges ! Ce docteur, là...

– Les attaques personnelles sont interdites, madame ! intervint le juge Engelhardt.

– C'est sa faute ! Avant de la connaître, nous vivions tranquillement en famille. Tout allait bien !

– Ce témoin a-t-il encore à nous dire des choses dignes d'intérêt, maître ? fit le juge.

Espérant détourner l'attaque qu'il prévoyait de la part de son adversaire, Levinson demanda :

– Veuillez dire à la cour, très franchement, ce qui s'est passé après le mariage de Melissa. N'essayez pas d'enjoliver. Rien que les faits.

– Eh bien, nous pensions que cet homme ferait un bon et honnête mari. Lissie a toujours été très claire avec lui à propos de Benjie. Lui, il disait qu'il n'avait pas de problème avec ça. Qu'il avait toujours voulu un fils. Et qu'il traiterait Benjie comme le sien. Mais il ne s'est pas passé quelques mois que les problèmes commençaient déjà.

– Madame Younger, voulez-vous dire à la cour ce que vous entendez par « problèmes » ? dit Levinson.

– Il est devenu jaloux.

– Jaloux de qui ?

– De Benjie.

– Que voulez-vous dire exactement par « jaloux » ?

– C'était le genre d'homme qui voulait que Lissa lui appartienne à tout moment, dès qu'il en avait envie, si vous voyez ce que je veux dire.

Le juge Engelhardt se pencha au-dessus de son bureau et s'adressa au témoin :

– Pardonnez-moi, madame, mais *moi*, je ne vois pas ce que vous voulez dire.

– Eh bien... C'était le genre d'homme... S'il en avait envie, il fallait le faire tout de suite, pas le temps d'attendre.

– S'il avait envie de *quoi* ? insista le juge.

– Vous savez bien, quoi. Du sexe.

– Ah oui ! je vois, remarqua le juge, au grand dam de Levinson.

– Il y a des hommes comme ça, reprit Florence Younger. Il ne voulait pas attendre, même quand Lissa devait d'abord s'occuper de Benjie. Elle n'allait tout de même pas faire passer son fils après tout le reste. Benjie, c'est ce qu'elle a de plus précieux au monde. Un jour, le type lui a dit : « C'est ce gosse ou moi. » Eh bien, quand il est parti travailler le lendemain, Lissa a rassemblé ses affaires et les a fichues sur le palier. Le soir, quand il est rentré, il a cogné à la porte pendant des heures. Elle n'a pas voulu lui ouvrir. Et elle n'a pas voulu que Sophie ou moi on lui ouvre. Du coup, il est parti, et on n'a plus jamais entendu parler de lui. Et bon débarras ! Après ça, évidemment, Lissa a dû faire un choix. Laisser Benjie pour pouvoir travailler. Ou bien s'occuper de lui, mais alors il fallait s'inscrire à l'aide sociale. C'est une maman tellement dévouée... Elle a choisi de s'occuper de son fils.

Elle se tourna de nouveau vers le juge :

– Votre Honneur, si vous appelez ça des sévices, eh bien... je ne sais pas où l'on va. Ce n'est pas parce qu'une femme reçoit l'aide sociale qu'on peut l'accuser de maltraiter ses enfants...

Elle secoua tristement la tête. Une larme coula sur sa joue, entraînant avec elle une légère traînée de mascara.

Estimant qu'elle avait fait ce qu'il attendait d'elle, Levinson l'abandonna à la partie adverse.

Hortense Laval était plongée dans ses notes. Le juge dut la rappeler à l'ordre.

– Le témoin est à vous, maître Laval !

La jeune avocate leva les yeux, ajusta ses lunettes et posa sa question, sans se lever :

– Madame Younger... Est-ce que vous essayez de donner au tribunal l'impression que votre fille est la victime des circonstances ? Que d'autres personnes, à savoir les hommes avec qui elle a été... en contact, sont à l'origine de ses ennuis ?

– Je ne comprends pas, déclara Florence Younger, un peu tendue.

– Est-ce que vous essayez de dire au juge que votre fille est victime des hommes qui ont profité d'elle ?

– Maintenant que vous le dites... eh bien, oui ! déclara la femme.

Levinson, qui craignait ce genre de questions, commençait à être mal à l'aise. Son témoin ne comprenait pas que faire de Melissa une victime pourrait suggérer qu'elle ne jouissait pas de l'intelligence et de la maîtrise nécessaires pour être une bonne mère.

Il ne s'attendait pas – pas plus que Hortense Laval – à ce que le témoin prenne l'initiative de faire la leçon à l'avocate :

– Vous savez, mademoiselle, il y a des gens qui n'ont jamais eu de chance dans la vie, tout simplement. Ce n'est pas leur faute. C'est comme ça, voilà tout. Le destin, si vous voulez. Qui pourrait imaginer qu'une histoire qui arrive à un enfant de deux ans risque de le poursuivre toute sa vie ? C'était à l'enterrement de mon père... Il est mort trop tôt, beaucoup trop tôt... Bon, c'était à son enterrement, la petite Lissa était assise sur mes genoux... Elle gigotait, comme font les enfants. Moi, j'essaie de la faire tenir tranquille. Je la prends dans mes bras et je serre très fort. Tout à coup, elle se met à hurler. Au milieu du beau discours que le pasteur était en train de prononcer au sujet de mon père. La famille n'a jamais oublié. Chaque fois qu'on en vient à

parler d'elle, vous pouvez être sûre que quelqu'un va dire :
« Vous vous rappelez, c'est elle qui pleurait et qui a bousillé
l'enterrement de pépé. » Une petite chose comme celle-ci
peut poursuivre quelqu'un toute sa vie.

– Et vous pensez qu'elle est victime de ce souvenir ?
demanda Hortense Laval, s'efforçant de garder un ton
grave.

Bernard Levinson se tortillait sur son siège. C'est avec
soulagement qu'il entendit l'avocate annoncer :

– Plus de questions, Votre Honneur.

Le second témoin de Levinson était Sophie Stancyk. Son
témoignage fut direct, sans détour. Le garçon, Benjie Jackson, était devenu difficile et sa mère avait du mal à le tenir.
Sophie et son mari, Ed, avaient donc décidé de le prendre
quelque temps chez eux. Mais ils n'avaient pas eu plus de
succès que Melissa.

– Quelqu'un – je ne me rappelle plus qui, sans doute
un de ses maîtres – nous a parlé du Centre pour la protection de l'enfance. Alors nous avons amené Benjie là-bas,
et nous l'avons confié au docteur Wallace, qui se trouve là,
à cette table.

Levinson se concentra sur les questions fondamentales
pour lesquelles il avait convoqué ce témoin.

– Madame Stancyk... Quand vous avez amené Benjie au
centre, qu'en attendiez-vous ?

– Je pensais qu'on allait lui donner un de ces médicaments dont on parle à la télévision, vous savez bien, ces
remèdes dont on se sert pour calmer les gosses. Que ça le
rendrait docile. Voilà ce que je pensais.

– Le docteur Wallace vous a-t-elle donné une ordonnance pour Benjie ?

– Non.

– Lui a-t-elle prescrit un médicament ?

– Non, maître.

– Qu'a-t-elle fait ?

– Pour autant que je sache, elle lui a juste parlé.

– Elle lui a juste parlé..., répéta Levinson. Madame Stancyk... A un moment ou à un autre, avant ou après l'arrivée de Benjie dans ce centre, est-ce que vous, ou sa mère, vous vous attendiez à ce qu'il soit retenu à l'hôpital ?

– Absolument pas ! répliqua-t-elle. Si nous l'avions su, je ne l'aurais jamais amené !

– Je vous remercie, madame Stancyk.

D'un geste de la main, Levinson laissa le témoin à Hortense Laval.

L'avocate vint se planter devant Sophie.

– Madame Stancyk, votre sœur, Melissa Jackson, vous a-t-elle jamais dit *pourquoi* Benjie est retenu à l'hôpital ?

– Elle m'a dit que le docteur... que le docteur Wallace prétend que c'est pour le bien de Benjie. Mais qu'elle ne lui a donné aucune explication.

– « Pour le bien de Benjie », rien de plus ? Sans aucune explication ?

– Aucune. Lissa pense que le docteur l'utilise pour une sorte d'expérience.

– Une expérience ?

– Oh oui ! on lit des choses là-dessus. On en a parlé au journal télévisé. Les docteurs font des expériences sur leurs patients sans rien leur dire. Ça arrive tout le temps.

– Et Lissa pense que le docteur Wallace se livre à ce genre de choses avec Benjie ?

– Est-ce qu'elle pourrait penser autre chose ? Son fils est séquestré, comme s'il était prisonnier, et personne ne lui dit rien. Et si elle veut le récupérer, elle doit aller au tribunal pour ça !

— Dites-moi, madame Stancyk, vous avez employé les mots « rendre docile ». Qu'entendez-vous par là ?

— Eh bien, comme il était devenu indocile, je me disais que certains médicaments pourraient le rendre docile. C'est tout simple...

— Pouvez-vous expliquer au tribunal ce que signifie « indocile » ?

— Votre Honneur..., intervint Levinson

Il parlait d'un ton las et condescendant, encore plus insultant pour Hortense Laval que s'il avait fini sa phrase : Votre Honneur, cette jeune femme, ce juriste amateur, a l'art de poser des questions inutiles.

Le juge était probablement du même avis, puisqu'il prit un ton paternel et tout aussi condescendant :

— Chère mademoiselle, nous ne sommes pas idiots. Est-ce que nous ne pouvons pas supposer que cet enfant était difficile à maîtriser ?

— Non, Votre Honneur, je ne crois pas, affirma Hortense Laval.

Engelhardt en eut le souffle coupé. Le paternalisme laissa la place à un ton sec.

— Si vous insistez, maître. Dans ce cas, continuez !

— Madame Stancyk, à l'époque où vous vous occupiez de Benjie, votre mari et vous, qu'est-ce qui vous faisait dire qu'il était « indocile » ?

— Il ne faisait pas ce qu'on lui demandait. Il lui arrivait souvent de ne pas aller à l'école. Il quittait la maison comme s'il y allait, mais il ne s'y rendait pas. L'école nous appelait tout le temps pour nous demander où il était.

— Donnez-nous un autre exemple.

– C'était un vrai brise-fer.

– Comment cela ?

– Un brise-fer, comme je vous le dis. Il cassait des choses. Il perdait des choses. Comme la fois où Ed lui a acheté une paire de chaussures de sport. Le lendemain, il en avait perdu une... Si vous voulez mon avis, c'est parce qu'il voulait des Nike. Ed trouvait ça trop cher. Alors il en a perdu une. Vous voyez : ce genre de choses.

– Lui avez-vous parlé de sa conduite ? demanda l'avocate.

– Comment ? Mais j'ai dû lui en parler cent fois ! Autant s'adresser à un mur.

– Et pourtant vous avez essayé, vous avez fait votre possible pour le rendre « docile ».

– Et comment ! s'exclama Sophie d'un ton vertueux.

– Pourquoi ?

– Pourquoi ? répéta Sophie, surprise. Mais c'est le fils de ma sœur ! Je considérais que c'était mon devoir. Par ailleurs, c'était vraiment un bon garçon. Jusqu'à six ou sept ans, en tout cas, c'était un gosse formidable. Puis il est devenu ce... ce petit monstre.

– Et absolument indocile, conclut Hortense Laval.

– Exactement ! admit Sophie Stancyk.

– Merci ! fit l'avocate.

Bernard Levinson hantait les tribunaux depuis trop longtemps pour ne pas savoir que les questions d'Hortense Laval étaient les premières bases de la défense de l'hôpital. Il ne comprenait pas tout à fait leur importance, mais il savait qu'elles réapparaîtraient à une étape ou l'autre des débats. Sur le bloc de papier jaune où il prenait ses notes, il écrivit deux mots en lettres capitales, qu'il entoura : « docile » et « indocile ».

Il fut tenté de continuer, mais son expérience le dissuada de s'aventurer sur un terrain aussi incertain : il ignorait tout de la stratégie de son adversaire et, encore plus, des réponses de son propre témoin.

Après avoir renvoyé Sophie Stancyk, le juge Engelhardt décida de poursuivre :

— Maître Levinson ?

— Oui, Votre Honneur, répondit l'avocat. J'avais l'intention d'appeler le révérend Charles Brighton, mais il semble avoir été retenu...

— Dans ce cas, accordons-nous une suspension de quinze minutes. Cela donnera un peu de marge au révérend.

Il frappa de son marteau et sortit du tribunal.

27

Le juge Engelhardt avait réintégré son siège. Il tambourinait impatiemment sur son bureau en jetant des regards furieux à Levinson, qui crut bon d'expliquer :

– Je suis navré, Votre Honneur. J'ai été très clair avec le révérend Brighton sur l'importance de la ponctualité. Je lui ai expliqué combien le temps de ce tribunal est précieux...

Au milieu de ces excuses futiles, les portes du tribunal s'ouvrirent pour laisser passer un homme vêtu de noir, portant le col blanc d'ecclésiastique. Il était essoufflé par l'effort, comme le sont les hommes corpulents. Son crâne chauve brillait sous l'effet de la transpiration. Ses joues flasques étaient cramoisies. Tout en franchissant l'allée qui menait à la barre, il s'excusa.

– Je suis navré, Votre Honneur, mais vous savez comment cela se passe aux enterrements. Chacun fait l'éloge du défunt en essayant de surpasser son voisin. Comme si ça pouvait jouer en leur faveur à la lecture du testament !

– Je comprends, révérend, fit Engelhardt. Prenez votre temps. Et reprenez votre souffle.

Le prêtre essuya son crâne luisant.

– Je suis prêt, maître Levinson.

Brighton monta sur l'estrade, la main déjà levée pour prêter serment. Quelques secondes plus tard, il était assis, prêt à répondre. Levinson lui posa les questions préliminaires habituelles – nom, adresse, profession.

– Révérend, veuillez dire à la cour comment vous connaissez les Jackson.

– Eh bien... la première fois que je les ai rencontrés, c'est lorsqu'ils ont amené le petit Benjamin à mon église pour son baptême. Après cela, je les ai revus de temps en temps à l'église.

– Avez-vous eu l'occasion de vous former une opinion sur Melissa Jackson ?

– Oui.

– Veuillez dire à la cour, s'il vous plaît, quelle est cette opinion ?

A la table de la défense, s'éleva la voix d'Hortense Laval :

– Objection !

– A quel motif, chère mademoiselle ? demanda Engelhardt.

– Avant d'entendre un témoignage de moralité, je veux savoir sur quoi se fonde l'opinion du témoin, répondit l'avocate.

Sur un ton qui suggérait que tout cela était superflu, Engelhardt s'adressa à Levinson :

– Maître, pour le bénéfice de notre jeune collègue, voulez-vous... ?

– Bien, Votre Honneur. Combien de fois, révérend, avez-vous vu Melissa Jackson ?

– Très souvent.

– Où cela ?

– Dans mon église. Elle assistait au service.

– Avez-vous l'impression qu'elle était une fidèle régulière ?

– Assez régulière, oui.

– Assez régulière et assez assidue pour vous permettre de vous former une opinion sur sa personnalité ?

– Oui, maître.

– Et quelle est cette opinion ?

– Je pense que c'est une femme d'excellente moralité. Une bonne mère. Et une femme bien. Oui, ajouta-t-il sur un ton respectueux, une femme très bien.

– Une femme à qui vous confieriez un jeune enfant ?

– Oh oui ! répondit le révérend avec emphase.

– Merci, révérend, dit Levinson.

Hortense Laval se leva.

– Pourriez-vous me donner quelques exemples qui vous ont convaincu que Melissa Jackson est une bonne mère ?

– Vous savez... On ne se forme pas une opinion sur des exemples, dit Brighton, dont le crâne recommençait à luire. C'est un point de vue totalement subjectif, qui repose sur des impressions. Vous sentez qu'une personne possède certaines qualités. Quand un enfant vient à la messe, par exemple, qu'il est bien habillé et qu'il a l'air de manger à sa faim, vous vous dites qu'on prend soin de lui et que sa mère est une femme de bonne réputation.

– D'autres exemples, révérend ?

– Oui, oui... Un jour, je me rappelle, Mme Jackson est venue à l'église avec... Nous avions organisé un souper-tombola afin de rassembler des fonds pour acheter un magnétoscope pour le catéchisme... Eh bien, Mme Jackson avait apporté une énorme soupière d'un excellent ragoût d'agneau. Un remarquable ragoût d'agneau. Elle était toujours très coopérative.

– D'autres exemples ?

– Je vous l'ai dit, vous observez ce qui se passe, et vous

vous formez une opinion, répondit Brighton comme s'il avait dit tout ce qu'il avait à révéler – ou qu'il avait l'intention de révéler.

– Si je devais vous résumer, corrigez-moi, je vous prie, si je trahis votre pensée... Votre opinion se fonde sur le fait que l'enfant était bien habillé quand il allait à la messe. Et sur une grosse soupière de ragoût d'agneau. C'est bien cela ?

Brighton ne répondit pas. Il jeta un regard implorant en direction de Levinson.

Le juge avait vu passer des affaires innombrables impliquant des témoignages de moralité, et il savait parfaitement que le prêtre faisait ce qu'il croyait être une bonne action en faveur d'une malheureuse femme. Il faisait son possible, alors qu'il la connaissait à peine. Engelhardt décida de venir à l'aide de cet homme d'Eglise harcelé par les questions :

– Je sais ce que vous voulez dire, révérend. Je ressens la même chose quand j'essaie de juger les témoins et les parties en présence dans une affaire comme celle-ci. On doit se faire une opinion d'après ce qu'on voit et entend. Je suppose que Mme Jackson vous a fait une impression favorable.

– Exactement, Votre Honneur, fit le prêtre, soulagé.

– Merci pour votre témoignage, révérend, répondit le juge.

Tandis que Brighton se hâtait de quitter la salle d'audience, Engelhardt reprit :

– D'autres témoins de « moralité », maître Levinson ?

Conscient de l'ironie du juge, l'avocat répliqua :

– Plus de témoins de moralité, Votre Honneur. Mais un témoin important, tout de même.

– Eh bien, procédez, je vous prie !

303

Tandis que Levinson cherchait le nom exact de son témoin, Corinne Wallace se pencha vers son avocate.

– Maître Laval, vous n'avez pas l'impression que le juge commence à prendre parti pour maître Levinson ? murmura-t-elle.

– Si, c'est très clair.

– Dans ces conditions, est-ce qu'il est raisonnable de continuer à se le mettre à dos ?

Avant que Hortense Laval n'ait eu le temps de répondre, Levinson appela son témoin :

– Madame Evelyn Taylor.

Une femme s'avança, qui s'était glissée discrètement dans la salle et assise sans mot dire au troisième rang. Elle prêta serment et s'identifia, s'installa dans le box des témoins et attendit qu'on lui pose une première question.

– Madame Taylor, veuillez expliquer à la cour dans quelles circonstances vous avez connu Benjamin Jackson, objet de cette procédure ?

– Je suis son institutrice.

– Quel genre d'élève est-il, de votre point de vue ?

– Un garçon très brillant. Trop brillant.

– Trop brillant ? Que voulez-vous dire ?

– C'est un de ces enfants qui a besoin de relever des défis. Il a besoin d'être stimulé, au-delà du travail scolaire imposé par le programme ordinaire.

– Est-ce que vous avez pu vous former une opinion sur sa conduite à l'école ?

– C'est un peu la même chose. Les enfants qui ne trouvent pas à s'occuper au mieux de leurs capacités doivent dépenser leur trop-plein d'énergie dans des domaines moins... constructifs.

– Ainsi vous avez le sentiment que sa conduite est

304

parfaitement normale. Qu'elle est due au fait qu'il s'ennuie, qu'il n'est pas assez motivé.

– Objection ! s'exclama Hortense Laval. Ce ne sont pas des mots qu'il met dans la bouche du témoin, mais des phrases entières et des idées.

– Maître Laval, fit le juge Engelhardt en se tournant vers elle pour la sermonner, nous ne jugeons pas une affaire qui doit être soumise à la Cour suprême des Etats-Unis. Et nous n'essayons pas de préparer un dossier en cassation. Nous tentons d'aller, aussi rapidement que possible, au cœur de ce différend. Si la défense en vient au fait rapidement, et nous comprenons tous de quoi il s'agit, vous nous excuserez de ne pas pinailler sur les subtilités de la loi telles qu'on vous les enseigne en faculté. Bien entendu, si ça vous fait plaisir et vous permet d'avancer, je noterai officiellement que vous êtes une brillante jeune avocate. Mais pour l'amour de Dieu, poursuivons !

Une fois de plus, Corinne Wallace fut assaillie par le doute : est-ce que son avocate avait la compétence et l'expérience nécessaires pour les représenter, elle et l'hôpital, avec l'efficacité requise ?

Levinson prit la harangue du juge pour une invitation à poursuivre son interrogatoire.

– Madame Taylor, depuis que Benjamin Jackson est votre élève, avez-vous remarqué des indices qui suggèrent qu'il a pu être victime de mauvais traitements ?

– Non, maître, je n'ai rien remarqué de tel.

– Si cela avait été le cas, qu'auriez-vous fait ?

– Je l'aurais signalé au principal et à l'infirmière de l'école. Comme la loi l'exige.

– Madame Taylor, vous est-il déjà arrivé de signaler au principal et à l'infirmière des enfants victimes de sévices ?

– Oh oui ! maintes fois.

– Combien exactement ?

– Dix-sept fois.

– Et sur ces dix-sept cas, combien se sont avérés justifiés ? demanda Levinson.

– Seize cas ont donné lieu à des poursuites judiciaires. En fait, fit Mme Taylor en se tournant vers la cour, le juge Engelhardt a présidé une de ces affaires.

– Ah ? Laquelle ? fit Engelhardt.

– L'affaire Martha Coles.

– Mon Dieu, oui, c'est vrai. Je me souviens de vous, maintenant, madame Taylor. Votre témoignage nous avait été très utile. Vraiment.

Corinne Wallace se sentit encore plus démoralisée par cette relation inattendue entre le témoin et le juge.

– Madame Taylor, reprit Levinson, est-ce que je me trompe si j'affirme que vous êtes une sorte d'expert, capable de détecter les traces de sévices sur les enfants ?

– Objection ! coupa Hortense Laval.

– De quoi s'agit-il, cette fois ? demanda Engelhardt.

– De l'usage du mot « expert ». En qualité d'institutrice, Mme Taylor est sans doute capable de se livrer à certaines observations sur les enfants en question. Mais c'est loin de suffire pour faire de son opinion un « avis d'expert », tant que l'accusation ne l'a pas identifiée comme tel.

– Comment avez-vous pu, maître Levinson ? fit le juge sur un ton ironique. Comment avez-vous pu offenser votre jeune collègue en omettant de qualifier le témoin d'« expert » avant de lui poser une simple question ? Dans ces conditions, pourriez-vous la reformuler ?

En réponse au sarcasme d'Engelhardt, Levinson se lança dans un exercice compliqué pour qualifier son témoin.

– Madame Taylor, combien de temps avez-vous pratiqué votre métier d'enseignante ?

– Dix-sept ans.

– Et pendant ces dix-sept ans, combien d'élèves avez-vous eus ?

– Combien d'élèves...

Mme Taylor hésita, car, de toute évidence, elle ne s'était jamais posé la question.

– Environ, fit le juge pour lui simplifier la tâche.

– Voyons... dix-sept ans...

Elle se livra à un rapide calcul mental, puis :

– Disons... cinq cents élèves, environ.

– Ainsi, fit Engelhardt en prenant l'initiative de l'interrogatoire, vous avez enseigné à plus de cinq cents enfants, que vous avez eu l'occasion d'observer. Des enfants que vous aviez chaque jour sous les yeux, pendant des semaines et des mois. Cela vous donnait le temps de repérer ceux qui étaient victimes de mauvais traitements ?

– Oui, Votre Honneur.

– La compétence du témoin a donc été établie, à la satisfaction de la cour. Allez-y, maître Levinson.

– Puis-je alors affirmer, sans risque d'erreur, que vous êtes en quelque sorte experte pour déceler les signes de sévices chez les enfants placés sous votre responsabilité ?

– Oui, sans doute.

– Pouvez-vous dire à ce tribunal si, depuis que Benjamin Jackson est votre élève, vous avez jamais décelé le moindre signe, la moindre indication, dans ce que cet enfant aurait dit ou fait, qui aurait pu être l'indice, à votre avis, de mauvais traitements ?

– Non, maître. Rien de ce genre.

– Merci, madame Taylor.

Hortense Laval rassembla ses notes pour le contre-interrogatoire. Le juge s'éclaircit la gorge pour exprimer son impatience. Mais l'avocate n'avait pas l'intention de se dépêcher. Corinne Wallace elle-même avait l'impression qu'elle prenait un peu trop son temps. Elle se leva enfin. Cette fois, elle contourna sa table et se dressa devant le témoin.

— Madame Taylor... dans votre longue et distinguée carrière de professeur et d'expert en sévices commis sur les enfants...

— Nous pouvons nous passer de vos sarcasmes, maître !

— Désolée, Votre Honneur..., fit l'avocate, l'air sincèrement penaud. Mais lequel de ces mots me vaut une objection ? Longue, distinguée ou expert ?

Pour toute réponse, Engelhardt l'invita, d'un geste de son index noueux, à s'approcher de l'estrade.

Quand elle fut devant lui, il chuchota, cassant :

— Je vous préviens, ma petite, votre stratégie ne fait rien pour votre bien ni celui de votre cliente. Qu'est-ce que vous essayez de faire ?

— Je me contente d'adopter les critères établis par ce tribunal. Dix-sept ans, c'est long. Mme Taylor me semble une femme et une institutrice distinguée. Et vous-même l'avez qualifiée d'expert.

— Ne mettez pas ma patience à l'épreuve, ma petite, répondit Engelhardt.

Cette fois, c'était presque un grognement.

— Tout ce que j'essaie de faire, Votre Honneur, c'est de mesurer la compétence du témoin. Ce qui, vous en conviendrez, n'est pas seulement mon droit, mais mon devoir, dans l'intérêt de mes clients.

— Eh bien, allez-y. Mais cessez vos entourloupettes.

L'avocate retourna devant le box des témoins et reprit son interrogatoire.

– Madame Taylor, comment Benjamin Jackson se conduisait-il en classe ?

– Comme j'ai essayé de le dire. Il était turbulent, parfois difficile à contrôler. Ce qui, je l'ai expliqué, est dû au fait que le programme scolaire ne suffit pas pour canaliser son attention et sa concentration.

– Durant votre carrière, avez-vous eu d'autres élèves, moins brillants, mais qui avaient aussi des problèmes de discipline ?

– Bien sûr. Tous les enseignants en ont, de temps en temps.

– Ainsi l'agitation peut se manifester autant chez un enfant brillant que chez un autre qui l'est moins ?

– Oui, répondit Mme Taylor, un peu perplexe.

Elle se demandait où l'avocate voulait en venir.

– Je dois vous avouer que quelqu'un qui, comme moi, n'est pas du tout expert en la matière, fit Hortense Laval en feignant d'être étonnée, a du mal à comprendre suivant quels critères vous décidez que l'agitation prouve qu'un enfant est surdoué, ou le contraire.

– On le sait, voilà tout, répondit Mme Taylor sur un ton un peu impatient. Dans un cas, l'élève est trop brillant pour s'impliquer. Dans l'autre, il ne l'est pas assez. Le résultat est le même. Leur esprit vagabonde. Ils deviennent turbulents et finissent souvent par s'attirer des ennuis.

– Je vois... Avez-vous eu ou avez-vous entendu parler d'élèves d'une intelligence moyenne, mais qui seraient eux aussi turbulents et difficiles à contrôler ?

– Oh ! répondit Mme Taylor, soulagée. Vous voulez parler de ceux qui souffrent de TDA ?

– Pour le bénéfice de la cour, madame Taylor, auriez-vous l'amabilité d'expliquer ce que représentent ces trois lettres ?

– Trouble du déficit de l'attention.

– Et quels sont les signes et les symptômes de ce... trouble du déficit de l'attention ?

Sachant qu'un peu plus tôt, l'expression d'une opinion ou de sa connaissance de la conduite des enfants avait provoqué une polémique, Mme Taylor s'efforça de donner une réponse très précise.

– Pour les avoir moi-même observés, et d'après différents livres et articles que j'ai lus sur le sujet, les symptômes des TDA consistent en une extrême agitation, une incapacité à se concentrer. Ils peuvent aussi s'accompagner de troubles affectifs.

– Et savez-vous comment cet... état peut être soigné ?

– Je crois qu'on utilise un médicament, la Ritaline, répondit Mme Taylor.

– Pour résumer – si je puis me permettre –, nous avons donc maintenant *trois* sortes d'élèves turbulents et incapables de se concentrer. Les surdoués. Les sous-doués. Et ceux qui souffrent du trouble du déficit de l'attention. Et l'on soigne ces derniers avec un médicament. C'est bien cela, madame Taylor ?

– Sauf votre désir de montrer le sérieux avec lequel vous avez préparé cette affaire, maître, où voulez-vous en venir ? demanda le juge Engelhardt.

– J'y arrive, Votre Honneur.

– Ce n'est pas trop tôt !

L'avocate se tourna de nouveau vers le témoin.

– Madame Taylor, dans votre longue et impressionnante expérience des enfants turbulents...

– Maître Laval ! fit Engelhardt d'un ton menaçant.

– Pardon, Votre Honneur. Madame Taylor, êtes-vous jamais tombée sur un quatrième type d'élèves montrant les mêmes symptômes ? Agités ? Incapables de se concentrer ?

– Un quatrième type ? s'étonna Mme Taylor.

– Oui. Des enfants ni surdoués, ni stupides, ni atteints de TDA, mais pourtant turbulents, incapables de se concentrer et qui pourraient, en outre, se révéler d'un tempérament agressif ?

– Je ne vois pas du tout ce que vous voulez dire.

– Madame Taylor, avez-vous déclaré que durant votre longue carrière d'enseignante, vous avez découvert et signalé, je crois, dix-sept cas d'enfants maltraités ?

– Oui, c'est exact.

– Et que seize de ces affaires ont entraîné des procès ?

– Et des condamnations ! ajouta l'institutrice, presque trop vite.

– Nous pouvons donc affirmer que vous avez de solides références en matière de détection de sévices subis par des enfants. Maintenant, dites-moi... Quels étaient, dans ces différents cas, les indices décisifs ?

– Les indices ne sont jamais les mêmes.

– Oh ? Des indices différents ? fit l'avocate en feignant la surprise. Par exemple ?

– Parfois, c'est très facile à déceler, expliqua Mme Taylor. Des traces. Des ecchymoses. Des bleus, des marques rouges. Dans certains cas, des cicatrices qui révèlent des blessures anciennes.

– En d'autres termes, des indications évidentes, voire éclatantes.

– Dans certains cas seulement. D'autres sont beaucoup plus difficiles à détecter.

– Et comment vous débrouillez-vous, dans ces cas-là, pour dénicher les traces de sévices ? demanda Hortense Laval, parfaitement consciente que le juge n'aimait pas les mots qu'elle employait.

– Ce sont les cas les plus délicats, admit Mme Taylor en se rengorgeant un peu. Si un enfant est somnolent en classe, trop tendu, qu'il a des poches sous les yeux, je peux estimer qu'il a un problème de sommeil parce qu'il est victime de mauvais traitements chez lui.

– Et vous le signalez...

– En espérant que l'infirmière ou l'assistante sociale va suivre le cas de cet enfant, afin de découvrir s'il y a vraiment perpétration de mauvais traitements.

– Maintenant, docteur... pardon, madame Taylor – l'avocate s'était corrigée avant que le juge n'ait eu le temps de réagir –, il est donc possible qu'un enfant manifeste une certaine turbulence, des difficultés à se concentrer, qu'il devienne agressif, sans pour autant montrer de marques physiques, bleus ou cicatrices, sans souffrir de TDA ni être somnolent ni avoir des poches sous les yeux... et qu'il soit tout de même victime de mauvais traitements ?

Levinson, qui avait eu, jusqu'à cet instant, l'esprit aussi confus que le témoin, se leva brusquement :

– Objection ! Objection !

– Oui, maître ? l'encouragea Engelhardt.

– Ce témoin n'est pas qualifié pour répondre à une question aussi hypothétique !

– Objection retenue ! répondit promptement Engelhardt.

– Je vous demande pardon, Votre Honneur, insista l'avocate, ce n'est pas moi, mais vous-même qui l'avez qualifiée d'expert en matière d'enfants maltraités.

– Ma petite...

De nouveau, il l'invita à s'approcher, d'un geste de son index tout-puissant.

Cette fois, Levinson l'accompagna.

– Où diable voulez-vous en venir avec cet interrogatoire ? demanda le juge.

– Je veux tout d'abord savoir jusqu'à quel point ce témoin est un expert. Ensuite, je veux découvrir ce qu'il sait exactement du type particulier de sévices dont j'ai l'intention, au cours de cette affaire, de démontrer l'existence. Parce que ce témoignage, aussi passionnant soit-il, est totalement dénué de rapport à l'objet de cette audience.

Engelhardt examina l'argument, puis :

– Reformulez votre question. Sans faire appel à son opinion d'expert.

Hortense Laval s'adressa au témoin :

– Pendant vos dix-sept années d'enseignement, madame Taylor, avez-vous jamais entendu parler d'un cas où la rébellion aurait été le signe ou le symptôme de sévices subis par un enfant ?

– Non, jamais.

– Dans ce cas, Votre Honneur, je demande que ce témoignage soit rayé du procès-verbal.

– Rejeté ! déclara immédiatement Engelhardt. A vous, maître Levinson !

– Pas de questions ! répondit Levinson, soulagé.

Cela mit fin au séjour prolongé de Mme Taylor dans le box des témoins.

Mais Levinson était très préoccupé par la discussion qui s'était tenue devant le bureau du juge et par la tentative de son adversaire pour faire rejeter le témoignage de Mme Taylor.

28

En fin d'après-midi, dans son petit cabinet du Bureau d'assistance judiciaire, Bernard Levinson avait la main posée sur son téléphone. Tambourinant des doigts sur le combiné, il préparait sa prochaine manœuvre. Devant lui était posé un carnet de notes, où il avait souligné les mots « docile » et « indocile ».

Il décida de tenter le coup. Il décrocha son téléphone, composa le numéro qu'il avait noté un peu plus tôt.

— Hortense Laval, j'écoute.

— Bernie Levinson, maître Laval.

Il eut l'impression qu'elle était surprise.

— Maître Laval, je veux tout d'abord vous féliciter pour la manière dont vous avez mené votre contre-interrogatoire, tout à l'heure. Très habile.

— Pour une femme... ou pour une débutante ? rétorqua-t-elle d'un ton vif.

— Pour un avocat, fit-il.

— J'aimerais bien que le vieil Engelhardt soit du même avis.

— C'est le cas. Je le connais bien, croyez-moi. Ce que vous voyez, c'est simplement de la jalousie. Il voudrait encore être jeune et batailler devant la cour. Au lieu de quoi, c'est lui, désormais, qui doit agir en qualité d'arbitre.

– C'est pour cela que vous m'appeliez ? Pour me rassurer ?

– Bien au contraire, dit Levinson. C'est moi qui ai besoin d'être rassuré.

Hortense Laval en doutait, mais elle décida de jouer le jeu.

– Je serais ravie de vous donner toutes les assurances possibles.

– En écoutant attentivement votre contre-interrogatoire, j'ai été frappé par deux mots. « Docile » et « indocile ». Ce qui m'amène à croire qu'il y a peut-être plus dans cette affaire que ce qui est visible. Ou que le docteur Wallace croit qu'il y a plus.

– Et quand bien même, que proposez-vous ? demanda prudemment sa jeune consœur.

– J'aimerais vous rencontrer. Vous, et le docteur Wallace. Une rencontre officieuse. En totale confiance et sans préjudice pour aucune partie.

– Dans quel but ?

– Les deux parties joueront cartes sur table. Nous verrons si nous pouvons régler cette affaire à l'amiable avant qu'elle ne devienne trop embrouillée.

– Je dois en référer à mes clients, vous comprenez.

– Bien sûr, fit-il. Rappelez-moi.

– Je ne pourrai pas le faire avant l'audience de demain.

– Ne vous inquiétez pas, la rassura Levinson. Engelhardt m'accordera bien un renvoi de deux jours.

– D'accord. Je ferai de mon mieux.

Machinalement, Levinson lâcha :

– Bravo !

Il se corrigea instantanément.

– Excusez-moi !

Hortense Laval raccrocha en souriant. Ce pauvre Levinson, se dit-elle, il est trop vieux pour apprendre.

Elle appela successivement son patron, Kirk Spalding, l'administrateur de l'hôpital, le docteur Wagner, et Corinne Wallace. Sa conversation avec Spalding fut très brève.

Sa première question fut :

— Sans préjudice ?

— Oui, monsieur.

— Avec la perspective d'un règlement à l'amiable ?

— Oui.

— Pour l'enquête préliminaire et tout procès civil éventuel ?

— Nous ne sommes pas allés jusque-là, avoua-t-elle.

— C'est les deux ou rien ! dit Spalding d'un ton ferme.

— Je comprends, monsieur.

Elle eut beaucoup moins de mal avec Wagner.

— Faites tout ce qu'il faut pour nous sortir de ce pétrin ! lui dit-il simplement.

Elle tomba enfin sur le docteur Wallace au moment où cette dernière achevait sa séance avec Benjamin Jackson, qui avait été repoussée à la fin de l'après-midi à cause de l'audience. En apprenant la proposition de Levinson, elle réagit immédiatement :

— Est-ce qu'il s'agit d'une ruse ?

— Non. Les avocats procèdent souvent de la sorte. Ils échangent des informations, ce qui peut déboucher sur un arrangement à l'amiable.

— Il n'y aura pas d'arrangement, Hortense ! C'est impossible. Cet enfant ne retournera pas chez sa mère tant qu'elle ne se fera pas soigner ! C'est définitif et sans appel.

— Je dois vous rappeler, docteur, que quoi que vous pensiez, la décision finale appartiendra au juge Engelhardt.

– Que proposez-vous ? fit Corinne Wallace après un instant de réflexion.

– Si nous montrons à Levinson les preuves dont nous disposons, il changera peut-être d'avis sur l'affaire. Il pourrait alors pousser sa cliente à modifier sa position.

– Et si ce n'est pas le cas ?

– Le pire qu'il puisse faire, c'est essayer de faire démolir votre témoignage par des experts. Si nécessaire, nous avons toujours notre témoin clé, le petit Benjie lui-même.

Le docteur Wallace envisagea rapidement les différentes options, puis :

– D'accord, voyons-le.

Considérant que c'était le médecin qui avait l'emploi du temps le plus encombré, Bernard Levinson, Hortense Laval et elle-même décidèrent de se retrouver le lendemain, à midi, dans son bureau du Centre pour la protection de l'enfance.

Levinson, laissant de côté toutes les tactiques et autres stratagèmes juridiques, alla droit au but.

– Laval, vous nous avez fait toute une histoire, hier, avec ce garçon qui est « docile » parfois et « indocile » à d'autres moments – ce qui signifie, au sens le plus simple du terme, qu'il était parfois contrôlable, et que parfois il ne l'était pas. Moi, j'ai l'intuition...

Il frotta son pouce contre son index.

– Je sens que quelque chose se dissimule sous cette histoire de « docile » et d'« indocile ». Quelque chose que je dois savoir si je veux mener correctement cette affaire. Je veux dire, la mener dans l'intérêt de ma cliente et dans celui de la justice. Alors, si vous avez des preuves que je ne connais pas, ou des informations d'ordre médical ou psychiatrique dont je n'ai pas eu connaissance, il vaudrait beaucoup mieux jouer cartes sur table dès maintenant. Parce que si vous comptez sur l'effet de surprise comme arme secrète, je compte quant à moi sur Engelhardt pour me donner le moyen de surmonter cela.

Les deux femmes échangèrent un regard qui valait tous les discours. Elles étaient d'accord. Hortense Laval prit la parole.

— Si nous vous révélons certaines informations, est-ce que vous acceptez de les considérer comme absolument confidentielles ?

— Bien entendu, fit-il immédiatement.

L'avocate se tourna vers Corinne Wallace et l'encouragea d'un signe de tête à parler en toute liberté.

— Que vous a dit votre cliente à propos de cette affaire, maître Levinson ?

— Plus ou moins ce que vous avez entendu au tribunal. Son fils était indocile. Il vous a été confié. Il s'est enfui une première fois. On l'a retrouvé et ramené ici. Depuis, vous le gardez. Elle veut le récupérer. Ce qui, vous l'admettrez, est tout à fait naturel pour une mère.

— C'est tout ce qu'elle vous a dit ? demanda Corinne Wallace.

— Est-ce qu'il y a autre chose... ? Ah oui... Elle affirme que lors d'une de ses visites, l'enfant a voulu partir avec elle. Non seulement vous avez refusé, mais vous lui avez interdit de lui rendre visite.

— Elle vous a dit cela ?

— Vous gardez l'enfant. Et elle n'a pas le droit de le voir, n'est-ce pas ?

— Oui, c'est vrai. Mais ce n'est pas *toute* la vérité, fit Corinne Wallace.

– Que voulez-vous dire ? demanda-t-il.

– Ce qu'elle ne vous a pas dit, c'est que nous gardons Benjamin parce que votre cliente maltraite son enfant.

– Personne ne m'a jamais rien dit de tel. Vous disposez de preuves médicales ?

– C'est le genre de sévice qui ne laisse aucune marque visible. Rien que des marques mentales. Nous avons affaire, ici, à des sévices sexuels.

– Des sévices sexuels ? répéta Levinson, visiblement dubitatif.

– Je le tiens de l'enfant lui-même. Et j'y ai assisté, dit Corinne Wallace.

Levinson secoua la tête, incrédule.

– Il arrive que mes clients me racontent des histoires, mais ça... Vous dites que vous avez le témoignage de l'enfant ?

– Oui, répéta Corinne Wallace.

Un instant, Levinson eut l'air dépassé.

– Si ce que vous dites est vrai...

– C'est vrai, maître Levinson, je vous l'assure. Je pourrais vous donner les détails.

– Non, c'est inutile. Je dois décider ce que je vais faire. Comment traiter... Ce que je veux dire, c'est que les affaires que nous confie l'assistance judiciaire sont simples, d'habitude... Des procès mineurs sur des problèmes de propriété, des expulsions, parfois des questions liées à la garde des enfants, mais ça...

Apprendre qu'on lui avait menti n'était pas en soi un grand choc. Nombre de ses clients cherchaient moins à établir la vérité qu'à gagner leur procès. Mais il était visiblement secoué par cette révélation.

– Je vais interroger Mme Jackson, et je verrai ce qu'elle

319

a à me raconter. Si vous dites vrai, je parviendrai peut-être à la convaincre de retirer sa plainte.

— Maître Levinson, vous devez comprendre qu'il ne s'agit pas d'un procès ordinaire. Nous nous battons pour sauver un enfant dont la vie a déjà été gravement mise en péril par une mère malade. J'ai l'intention de sauver ce garçon !

— Que faut-il pour que cette affaire infecte trouve une issue pacifique ? demanda Levinson.

— Si Mme Jackson acceptait de suivre un traitement, et de le suivre jusqu'au bout, assez longtemps pour résoudre son problème, cela devrait aller.

— Et le garçon ?

— Je le garde ici jusqu'à ce que son traitement commence à montrer des résultats. Alors je demanderai à l'assistance publique de lui trouver une bonne famille d'accueil, où nous pourrons le placer jusqu'à ce que sa mère soit capable de s'occuper de lui.

— Je ferai mon possible, docteur.

En se levant, il remarqua la photo du petit Douglas, qu'elle avait placée dans un cadre neuf. Il se dit qu'il pouvait s'insinuer dans les bonnes grâces de son adversaire :

— Mon Dieu, quel beau petit garçon ! C'est le vôtre ?

— Oui. Oui, c'est le mien, répondit Corinne Wallace.

— Vous devez en être très fière.

— Oui. J'étais très fière de lui.

Levinson était confus. Il avait voulu lui faire un compliment, qui s'était transformé en une gaffe embarrassante.

— Pardonnez-moi, dit-il. Je suis vraiment navré.

Ce soir-là, dans le modeste logement des Jackson, Bernard Levinson interrogeait Melissa Jackson, loyalement soutenue par sa mère et sa sœur.

Sans révéler le détail de sa réunion avec Corinne Wallace et son avocate, il entreprit de lui expliquer la stratégie qu'elles allaient employer contre l'accusation d'internement illégal.

— Elles pourraient avancer que vous avez abusé sexuellement de votre fils, dit Levinson.

Melissa Jackson se leva si brusquement de sa chaise que celle-ci tomba en arrière.

— C'est un mensonge. C'est un mensonge ! hurla-t-elle. Elles disent ça pour ne pas me rendre mon fils, c'est tout, pour ne pas me le rendre !

— Calme-toi, Lissa ! intervint sa mère. Ce n'est pas en étant hystérique qu'on va démolir leurs mensonges.

— Non, maman, je ne me calmerai pas ! Je ne me calmerai pas, alors que ces gens, ce docteur, racontent ces saloperies sur mon compte ! Je vais la poursuivre pour calomnie, diffamation et tout ce qui s'ensuit ! De nos jours, les gens peuvent aller au tribunal et obtenir justice. Et obtenir du fric, aussi !

— Madame Jackson..., fit Levinson.

Il essayait de ramener la discussion sur un terrain un peu plus réaliste.

— Je vous rappelle tout de même que le docteur affirme détenir des preuves !

— Tu parles, qu'elle a des preuves ! hurla Melissa.

— Le docteur Wallace dit qu'elle a assisté elle-même aux sévices.

— Oh ça ! Si c'est ça qu'elle appelle une preuve... J'aimerais bien l'entendre affirmer ça au tribunal. Je lui dirais deux ou trois choses. Et ce juge Engelberg, ou je ne sais comment...

A l'instant où Melissa Jackson avait dit : « Oh ça ! »,

321

Bernard Levinson avait eu un désagréable pincement au cœur : non seulement sa cliente lui cachait des informations essentielles, mais en plus elle lui mentait.

– Madame Jackson, qu'entendez-vous par « ça » ? Qu'est-ce qui s'est passé ?

– Qu'est-ce qui s'est passé ? Il ne s'est *rien* passé ! Rien du tout ! Sauf dans l'imagination dégueulasse de cette femme. Les psychiatres ! Tout le monde sait bien qu'ils ne pensent qu'au sexe ! Pour eux, tout se ramène à ça !

– Oui, mais que s'est-il passé pour exciter son imagination ?

– Je rendais visite à Benjie... Voilà encore un exemple, d'ailleurs. Elle s'obstine à l'appeler Benjamin. Comme si c'était quelqu'un d'autre que le Benjie que je connais et que j'aime. Je vous jure que quand il reviendra à la maison, il n'y aura plus de « Benjamin » !

– Madame Jackson... Que s'est-il passé ?

– Je suis là, je passe un moment avec mon garçon, qui est retenu prisonnier depuis des jours et des jours. Depuis des semaines ! Tout le monde prétend que les hôpitaux, aujourd'hui, essaient de se débarrasser au plus vite de leurs malades, mais pas ce docteur ! Elle veut le garder à tout jamais. Si vous voulez mon avis, il y a quelque chose de pas naturel dans la manière dont elle s'intéresse à mon fils !

Levinson l'interrompit sèchement :

– *Que s'est-il passé*, madame Jackson ?

La mère intervint à son tour :

– Lissa, raconte à maître Levinson...

Melissa se calma un peu, puis récita, d'une voix dénuée d'émotion :

– Je rendais visite à Benjie. Une chouette visite. Le moment était venu de m'en aller. Je me suis penchée vers lui pour l'embrasser, pour lui dire au revoir. Comme l'aurait fait n'importe quelle mère. C'est exactement à ce moment-là qu'elle, elle est entrée dans la pièce. Je ne sais pas ce qui a traversé son esprit pervers, mais il n'y avait rien d'autre. Un baiser d'au revoir. Si c'est une raison suffisante pour garder mon fils dans cet hôpital, eh bien, il n'y a plus de justice dans ce monde.

— A mon avis, c'est sûr que ça n'a pas l'air de sévices, confirma la mère. Mais c'est vrai qu'aujourd'hui on vous fait un procès dès que vous engueulez votre gosse.

Levinson réfléchit à la version de Melissa. Son intuition professionnelle lui disait que tout cela était pure invention. Le médecin lui avait dit la vérité. Comment pouvait-il amener sa cliente à regarder les faits en face ?

— Madame Jackson, si ce que vous dites est vrai...

— Bien sûr que c'est vrai !

— Si ce que vous dites est vrai, reprit-il, ils pourront toujours présenter assez d'arguments pour impressionner le juge Engelhardt. Après tout, c'est votre parole contre celle d'un médecin. C'est pourquoi je vous suggère...

— Le juge Engelhardt saura qui dit la vérité, moi ou ce foutu docteur !

Il n'avait pas eu l'intention d'en faire état. Il avait d'ailleurs promis de ne rien dire. Mais les réactions de Melissa Jackson étaient si violentes, si éloignées de la réalité, qu'il sentit que continuer à se taire vouerait à l'échec toute velléité de trouver un compromis.

— Il n'y a pas que la parole du docteur, madame Jackson. Ils ont le témoignage de Benjie !

— Vous voulez dire qu'ils ont déformé l'esprit de mon garçon pour qu'il leur dise des mensonges contre sa mère ? Raison de plus pour le faire sortir de cet endroit !

– Selon moi, madame Jackson, au lieu de nous battre, nous devrions essayer de trouver un compromis.

– Quel genre de compromis ? fit la mère.

– Melissa pourrait accepter de suivre un traitement. De la sorte, votre famille pourrait être réunie dans un délai assez bref.

– Un traitement ? Je n'ai pas besoin d'un traitement ! J'ai besoin de mon fils. Voilà de quoi j'ai besoin !

– Si nous attaquons, madame Jackson, vous risquez qu'on vous interdise à jamais de le revoir.

– Ils ne peuvent pas faire ça ! Ils n'oseront pas !

– Madame Jackson, je vous conseille de réfléchir à ce que je vous ai dit. Je vous appellerai demain matin.

Il était presque arrivé à la porte. Elle le rappela :

– Est-ce que ça signifie que vous m'abandonnez, que vous abandonnez mon affaire ?

– Non. Il est de mon devoir moral et professionnel de continuer, et je continuerai. Mais j'espère que vous tiendrez compte de mes conseils.

Le lendemain matin, quand Bernard Levinson arriva au Bureau d'assistance judiciaire, son téléphone sonnait. Il décrocha.

– Maître Levinson, fit la voix de Melissa Jackson, nous nous battrons jusqu'au bout ! Monter mon fils contre moi ! Elle ne s'en sortira pas comme ça !

– C'est votre dernier mot, madame Jackson ?

– Oui ! s'écria-t-elle avant de raccrocher.

Il considéra la situation. Il savait qu'il n'avait pas le choix. Il appela Hortense Laval.

– J'ai essayé, maître. Sans succès. Je vais devoir tenir compte de la volonté de ma cliente.

— Dommage. Cette affaire pourrait devenir abjecte.

— Des deux côtés, répondit Levinson, un peu tristement. Parce que je vais devoir défendre ma cliente avec tous les moyens dont je dispose. A partir de maintenant, tous les coups sont permis.

— Ma cliente dit la vérité, vous le savez parfaitement.

— Maître Laval, je suis avocat. J'ai une cliente à défendre. Déontologiquement, je dois respecter sa volonté. Et je le ferai.

29

Le juge Engelhardt, de toute évidence, était affligé d'apprendre que les parties en présence dans l'affaire « Jackson contre l'hôpital public du comté, docteur Corinne Wallace et autres » n'étaient pas parvenues à un accord pour résoudre leur différend. Il était pourtant tellement sûr qu'elles y arriveraient, qu'il avait déjà demandé aux avocats d'une autre affaire de se tenir prêts. Cela contribuait à alimenter sa mauvaise humeur. L'autre raison était un souci personnel, qui le fit s'adresser encore plus abruptement à Hortense Laval.

– Maître, êtes-vous prête à procéder à la défense en cette affaire ?

– Oui, Votre Honneur.

– Appelez votre premier témoin !

– Sarah Robinson, annonça l'avocate.

Sarah Robinson, en sa qualité d'assistante sociale, avait eu maintes fois l'occasion de témoigner au tribunal – soit en faveur d'enfants malheureux, soit en faveur de parents infortunés. Elle connaissait donc la procédure. Elle se dirigea vers le box des témoins, prêta serment, monta les deux marches, donna son nom et son métier au greffier. Elle était prête à répondre aux questions.

Pour la qualifier et donner toute sa valeur à son témoignage, l'avocate lui demanda de résumer sa formation et l'expérience acquise dans son travail. Dès que ce fut établi, elle lui demanda :

— Etes-vous allée au domicile de Melissa Jackson ?

— Oui, répondit Sarah.

Après avoir consulté ses notes, elle ajouta :

— C'était le 12 mai 2001.

— Quel était le but de cette visite ?

— Le docteur Wallace m'avait demandé de procéder à l'enquête habituelle. Celle que l'on mène lorsque le bien-être d'un enfant est en jeu.

— Qu'implique une telle enquête ?

— Le cadre de vie de l'enfant. Nous devons savoir si le logement est sain, assez spacieux pour satisfaire ses besoins élémentaires. De qui se compose la cellule familiale. Les conditions de couchage. L'hygiène. L'alimentation. L'ambiance générale. Savoir si tout cela est compatible avec les soins et l'éducation dont un enfant a besoin.

— Qu'avez-vous découvert en menant cette enquête chez les Jackson ?

— Mme Jackson était très hostile à l'idée de faire l'objet d'une enquête. Elle a essayé de me claquer la porte au nez. J'ai presque dû forcer mon chemin pour entrer chez elle.

— Et une fois dans les lieux, qu'avez-vous découvert ?

— C'est un endroit assez médiocre, dans une de ces vieilles maisons de Jefferson Street. L'appartement sent très nettement une odeur de vieille cuisine. Plus une sorte de parfum bon marché.

— Qu'avez-vous remarqué d'autre ?

— L'évier de la cuisine débordait de vaisselle sale. Le mobilier était assez abîmé. Tous les sièges du salon avaient besoin d'une nouvelle garniture. D'une manière générale, cela constituait un tableau déprimant. Mais il y avait un téléviseur, avec un écran de quatre-vingts centimètres et une télécommande.

– Dites-nous quelle impression vous a faite Mme Jackson ?

– Globalement, je l'ai dit, elle était hostile. Elle était particulièrement hostile au docteur Wallace et à ses relations avec Benjamin.

– Que vous a-t-elle dit à propos du docteur Wallace ?

– Votre Honneur, intervint Levinson, toute conversation entre ma cliente et Mme Robinson doit être envisagée à la lumière des circonstances...

– Votre tour viendra, maître Levinson. Continuez, maître Laval.

Sarah Robinson, qui consultait de temps en temps ses notes, parla des récriminations de Melissa Jackson à l'égard du docteur Wallace. Elle rapporta combien la mère de Benjamin se trouvait démunie, au point de devoir compter sur l'aide sociale. Et comment elle se servait de cette excuse à propos des problèmes qu'elle avait avec son fils.

– Est-ce qu'elle vous a parlé de ses relations avec d'autres hommes ?

– Objection ! s'exclama Levinson. Cela n'a aucun rapport avec l'affaire que nous jugeons ici.

Engelhardt réfléchit un instant, puis :

– Poursuivez, maître.

– Madame Robinson ?

– Sa réponse m'a semblé si bizarre que je l'ai notée.

Sarah se pencha sur ses notes et se mit à lire, sans inflexion particulière.

– « Vous voulez savoir s'il y a un homme dans cette maison. Eh bien, demandez-le franchement ! Non, aucun homme ne vit dans cette maison ! Rien que Benjie et moi. Nous nous avons, l'un l'autre, et ça nous suffit amplement. »

— Merci, madame Robinson, fit Hortense Laval en passant le relais à Levinson.

L'avocat savait parfaitement que sa consœur avait mené l'interrogatoire de l'assistante sociale pour qu'il culmine sur : « *Nous nous avons, l'un l'autre, et ça nous suffit amplement.* » Toute sa stratégie pour défendre l'hypothèse de sévices sexuels reposait sur ces mots. Il savait ce qu'il avait à faire : il devait discréditer le témoin par tous les moyens et diminuer la valeur de son témoignage.

Il s'approcha d'elle, le carnet de notes à la main.

— Madame Robinson, pensez-vous qu'une femme qui dépend de l'aide sociale soit incapable d'être une bonne mère ?

— Je n'ai jamais dit cela, répondit Sarah.

— Pensez-vous que quelqu'un qui vit dans un de ces appartements pauvres de Jefferson Street soit incapable d'élever un enfant ?

— Je n'ai pas dit cela non plus.

— Mais vous avez insisté sur les difficultés que connaît cette femme.

— Le formulaire, maître. Le formulaire que nous devons remplir après notre visite. Ce sont les premières questions qu'on doit poser. Le quartier, le logement, etc. J'ai strictement suivi la procédure réglementaire.

— Vous avez fait allusion à l'état du mobilier, qui serait vieux, et des sièges, qui auraient besoin d'une nouvelle garniture.

— Oui, maître.

— Est-ce un crime ?

— Non, maître. Je me suis contentée de rapporter la

329

situation physique de cet appartement, telle que je l'ai constatée. Comme c'était mon devoir de le faire.

— Est-ce qu'une personne qui dépend de l'aide sociale est autorisée à posséder un téléviseur ?

— Oui.

— Est-ce que le service de l'assistance sociale définit avec précision la taille maximale du téléviseur que peut posséder une personne qui dépend de l'aide sociale ?

— Bien sûr que non.

— Pourtant, vous avez cru bon d'inclure dans votre rapport la présence dans l'appartement de Mme Jackson d'un téléviseur de quatre-vingts centimètres. Et comme si cela ne suffisait pas, vous l'avez condamnée parce qu'elle avait *aussi* une télécommande. Imaginez : cette femme possède une télécommande ! Est-ce que vous essayez de suggérer à ce tribunal que cette pauvre femme est une personne indolente, paresseuse ? Trop paresseuse pour se lever et traverser son salon pour changer de chaîne ? Est-ce qu'il ne vous est pas venu à l'esprit, madame Robinson, que presque tous les téléviseurs, de nos jours, sont équipés d'une télécommande ?

— Oui, je le sais, répondit Sarah Robinson.

— Et pourtant, vous avez cru bon de mentionner cela dans votre soi-disant rapport.

La voix de Levinson exprimait toute la douleur d'un homme outragé. Il eut l'air de se préparer à poursuivre, puis demanda brusquement :

— Madame Robinson, est-il exact qu'on vous a explicitement envoyée au domicile des Jackson pour y relever le maximum de détails capables de jouer en leur défaveur ?

— Non, maître, ce n'est pas vrai, répondit Sarah Robinson.

– Avez-vous téléphoné au préalable pour prendre rendez-vous ?

– Non, maître.

– Avez-vous prévenu Mme Jackson d'une manière quelconque de votre passage chez elle ?

– Non, maître. Nous ne procédons jamais de la sorte.

– Vous débarquez chez les gens comme ça, comme si vous tombiez du ciel ? ironisa Levinson.

– Nous voulons observer les circonstances normales de leur vie de tous les jours. Le contexte dans lequel l'enfant mène son existence quotidienne. C'est notre travail.

– Ainsi vous pouvez fureter un peu partout ? Dans la cuisine, par exemple ? Pour vous assurer – que Dieu me pardonne – qu'on n'a pas oublié de faire la vaisselle après le petit déjeuner ?

– Il y avait l'équivalent de plusieurs jours de vaisselle sale, dans cet évier, insista Sarah.

– De combien de jours ?

– Comment le saurais-je ? Je n'ai pas compté.

Corinne Wallace réalisa soudain que Levinson avait délibérément agressé Sarah pour la mettre sur la défensive. Elle donna un coup de coude à Hortense Laval pour la faire intervenir.

– Je ne veux pas me mettre le juge à dos en formulant une objection sans un véritable motif juridique, chuchota l'avocate.

– Madame Robinson, reprit Levinson, comment savez-vous qu'il y avait l'équivalent de plusieurs jours de vaisselle sale, si vous n'avez pas compté ?

– Si vous vous occupez d'une maisonnée, vous savez ce genre de choses.

– Je suppose que vous, vous vous occupez d'une maisonnée ?

– Oui, maître.

– Eh bien, vos compétences en matière d'entretien et de maisonnée devraient vous permettre de nous donner une estimation du volume de vaisselle sale entassée dans l'évier de Mme Jackson !

Cette fois, Hortense Laval se leva.

– Votre Honneur...

Elle n'eut pas besoin d'aller plus loin. Engelhardt réprimanda son adversaire :

– Maître Levinson, la cour est d'avis que vous avez poussé assez loin l'interrogatoire dans cette direction. Trop loin, en fait. Si vous n'avez pas d'autres zones à explorer, je vous suggère de renvoyer le témoin.

Levinson semblait en avoir fini avec son contre-interrogatoire. Il tourna les talons. Ce faisant, il jeta un coup d'œil à son carnet et fit mine de remarquer un détail important.

– Oh ! avant de vous rendre votre liberté, madame Robinson... Est-ce que j'ai bien compris ce que vous avez dit tout à l'heure...

Levinson lut ses notes à haute voix.

– « Le docteur Wallace m'avait demandé de procéder à l'enquête habituelle, celle que l'on mène lorsque le bien-être d'un enfant est en jeu. » C'est bien ce que vous avez dit ?

– Oui. Oui, c'est bien cela.

– Est-ce que cela relève de la routine ? Je veux dire, est-ce ainsi qu'on vous attribue des affaires, en général ?

– Non. En général, les affaires découlent d'une plainte. On nous ordonne de mener notre enquête. Et si nous soupçonnons l'existence de mauvais traitements infligés à un enfant, nous confions l'affaire au Centre pour la protection de l'enfance du docteur Wallace.

— Mais pas cette fois, remarqua Levinson sur un ton exagérément soupçonneux.

— Oh ! ce n'est pas la première fois qu'un cas nous est confié par le centre !

— Mais c'est inhabituel, insista Levinson.

— Oui, avoua Sarah Robinson.

— Ce qui suggère que le docteur Wallace montrait un intérêt particulier pour cette affaire.

— Elle montre un intérêt particulier pour toutes les affaires ! s'exclama Sarah Robinson.

— Bien sûr, bien sûr, dit Levinson sans cacher son scepticisme.

30

Pour renforcer leur système de défense, le docteur Wallace suggéra à Hortense Laval de faire témoigner une des institutrices de Benjamin sur les changements intervenus dans son caractère. C'était un indice très important dans la découverte des sévices qu'il avait subis. En outre, cela pourrait étayer le témoignage du docteur. Et cela conforterait certainement celui de Benjamin, qui devait être le point culminant de la défense. Et, espérait-elle, du procès tout entier.

Hortense Laval trouva l'institutrice la plus qualifiée pour témoigner au sujet de Benjamin Jackson. Millicent Broderick avait environ quarante-cinq ans. Elle enseignait depuis quatorze ans dans la même école. Quand l'avocate l'interrogea, elle découvrit une femme qui s'exprimait facilement, sûre d'elle quand elle évoquait ses souvenirs et ses opinions – une femme qui semblait capable de résister aux questions ironiques et blessantes dont Levinson se montrait friand.

Une rencontre suffit, et Hortense Laval put appeler Mme Broderick à la barre. C'était une femme robuste, simple et naturelle, avec des cheveux bruns qu'elle montait en chignon au-dessus de son crâne. Le docteur Wallace trouvait miraculeux qu'elle parvienne à un tel résultat, à la fois impeccable et décontractée.

Le jour où elle se présenta au tribunal, Mme Broderick

portait une jupe plissée en flanelle grise, un chemisier de coupe nette et un gilet bordeaux qui convenaient parfaitement à l'attitude calme et détendue qu'elle avait adoptée. Quand on l'appela à la barre, elle ne montra aucune hésitation. Elle prêta serment et déclina son nom et son adresse au greffier. Avant de s'asseoir dans le box, elle se tourna vers le juge.

— Votre Honneur, j'espère que vous ferez en sorte que cela ne dure pas trop longtemps. Car je suis ici pendant les heures de classe.

Engelhardt n'avait pas l'habitude qu'on l'interpelle aussi cavalièrement.

— Je ferai de mon mieux, madame, promit-il.

Hortense Laval lui emboîta le pas et alla droit au but.

— Madame Broderick, je vous prie, parlez-nous brièvement de votre expérience dans l'enseignement.

Aussi succinctement que possible, l'institutrice passa en revue sa formation à l'école normale ; ses premières années d'enseignement à la campagne ; son transfert en ville, où elle enseignait depuis quatorze ans. D'une année sur l'autre, elle s'occupait des troisième, quatrième et cinquième années de primaire, selon les besoins de l'établissement.

— Est-ce dans ce contexte, demanda l'avocate, que vous avez eu parmi vos élèves un garçon du nom de Benjamin Jackson ?

— Oui, répondit-elle d'un ton sec.

— Benjamin a-t-il été votre élève à plusieurs reprises ?

— Oui, en effet.

— Comment cela se fait-il ?

— Comme je l'ai déjà dit, fit Mme Broderick, irritée de devoir revenir sur une question qu'elle croyait réglée, on me confie tour à tour une classe de troisième, de quatrième

335

ou de cinquième année. C'est ainsi que j'ai eu Benjamin en troisième année, il y a deux ans, et en quatrième l'an dernier.

– Avez-vous remarqué des changements dans son comportement, entre ces deux années ?

– Eh bien, en troisième année, c'était un garçon normal, très sage. Très intelligent. Très ponctuel, aussi. Toujours prêt à répondre aux questions.

Elle imita le geste des écoliers qui lèvent la main pour qu'on les interroge.

– J'ai souvent pensé que ce gosse devait avoir la main levée quand il est venu au monde. Je dois avouer que c'était un garçon très séduisant. Si je devais le définir d'un mot, ce serait « excellent ». Un excellent élève.

– Vous dites que c'était le cas en troisième année. Et en quatrième ? demanda l'avocate.

– Oh ! il y avait une grande différence !

– Comment se manifestait le changement ?

– Tout d'abord, il n'était plus aussi assidu en cours. Il venait ou il ne venait pas, sans raison apparente. Et quand l'école téléphonait chez lui, sa mère semblait ignorer où il se trouvait. Ou elle semblait ne pas s'en soucier.

– Objection ! s'exclama Levinson.

– Objection rejetée ! déclara le juge. Laissons-la finir. Ce témoin doit aller retrouver ses élèves.

Mme Broderick remercia le juge d'un signe de tête énergique, comme s'il s'agissait d'un élève méritant.

– Madame Broderick, reprit Hortense Laval... Vous disiez que son assiduité laissait à désirer. Et puis ?

– Quand il venait en classe, il était turbulent. Bruyant. Toujours en train de provoquer du désordre. De faire l'intéressant. Ce garçon n'avait plus aucune discipline.

– Lui avez-vous parlé de sa conduite ?

– Oh ! plusieurs fois !

– Comment réagissait-il ?

– J'allais y venir, répliqua l'institutrice sur un ton impatient, comme si elle avait été indûment interrompue. Quand j'essayais de lui parler, il ne réagissait pas. De même quand je l'ai envoyé chez le principal. Cet enfant, qui était si bruyant et si bavard en classe quand il était censé se taire, était absolument silencieux, presque morose, quand le principal ou moi nous l'interrogions.

– Ce que vous avez pu observer chez Benjamin vous permet-il de conclure qu'il était docile en troisième année, et que pour une raison ou pour une autre, il est devenu indocile en entrant en quatrième année ?

– Oui, absolument.

– Je vous remercie, madame Broderick, fit l'avocate.

Mme Broderick se leva, croyant que son témoignage était terminé. Elle s'apprêta à quitter le box des témoins. Mais Bernard Levinson intervint :

– Un instant, madame Broderick, s'il vous plaît.

– Oui..., répondit-elle en s'enfonçant dans son siège.

Afin de la désarmer, Levinson feignit de s'excuser :

– Je sais que vous êtes très occupée. Je connais votre dévouement pour votre travail, et je sais à quel point vos élèves vous importent. J'essaierai donc d'être bref.

Il n'en a absolument pas l'intention, se dit Corinne Wallace.

– Madame Broderick, j'aimerais que vous éclairiez ma lanterne sur quelques points évoqués dans votre témoignage.

– Si je peux vous être utile..., répondit-elle d'un ton circonspect.

– Vous avez affirmé qu'en troisième année, Benjamin était assidu en classe, brillant, impatient de répondre à toutes les questions de la maîtresse. La main toujours levée pour qu'on l'interroge.

– Oui, en effet.

– Quel âge avait-il, à l'époque ?

– Je dirais... sept ans, sept ans et demi.

– Quand il était votre élève en quatrième année – quand il était, je vous cite, « indocile » –, quel âge avait-il alors ?

– Huit ans et demi. Peut-être neuf.

– Pendant combien de temps avez-vous enseigné, madame Broderick ? demanda Levinson.

– En tout ?

– Nous allons nous contenter de la période où l'on vous a confié des classes de troisième, quatrième et cinquième année de primaire.

– Douze ans, répondit-elle.

– Pendant cette période, avez-vous jamais remarqué la moindre différence entre des garçons de sept ans et des garçons de neuf ans ?

– J'ai connu Benjamin à sept ans et demi et huit ans et demi, corrigea-t-elle.

– Ne chipotons pas pour quelques mois, dit Levinson.

– Maître Levinson, il y a une différence énorme entre un enfant de sept ans et un enfant de neuf ans ! le gronda-t-elle.

– Précisément ! Oui. Nous avons donc affaire à un garçon qui est docile et coopératif à sept ans...

– Sept ans et demi, le corrigea-t-elle de nouveau.

– D'accord, fit Levinson. Nous avons affaire à un garçon qui est docile et coopératif à sept ans et demi, et qui commence à mûrir et à contester à l'âge de neuf ans.

338

– Huit ans et demi.

– Ne nous laissons pas embrouiller par les chiffres, madame Broderick, sans quoi nous perdrons de vue le véritable problème. Tous les garçons, en grandissant, deviennent péremptoires, ils ont tendance à se rebeller. Ils deviennent « indociles », pour reprendre le mot que vous employez. Je me trompe ?

– Maître Levinson, plusieurs milliers de garçons me sont passés entre les mains en douze ans. J'ai pu observer les changements qui se produisent. Ce que je veux souligner, à propos de Benjamin Jackson, c'est que je n'avais jamais vu un changement aussi radical se produire chez un garçon en l'espace d'une année.

Levinson n'était toujours pas sûr de comprendre l'importance, pour la défense, de la différence entre « docile » et « indocile ». Mais il savait que c'était essentiel, et qu'il devait continuer à se montrer offensif.

– Madame Broderick, vous avez parlé de « changement aussi radical », à propos de Benjamin Jackson. Voudriez-vous expliquer à la cour quelle est la différence avec un simple changement ?

Le juge Engelhardt décida d'intervenir.

– Maître Levinson, fit-il, cette femme sacrifie son temps et celui de son école pour témoigner à ce procès. Faut-il vraiment couper les cheveux en quatre ? Ce tribunal notera qu'un garçon d'un âge déterminé est différent de ce qu'il était un an plus tôt. Nous sommes d'accord ?

– Si la défense n'a pas l'intention de démontrer que le changement subi par Benjamin est différent du changement subi par n'importe quel autre garçon entre sept ans et demi, d'une part, et huit ans et demi ou neuf ans d'autre part, je n'ai aucune raison, en effet, de poursuivre dans cette direction, Votre Honneur.

— La défense a-t-elle l'intention d'en rester là sur cette question ?

Corinne Wallace attira son avocate vers elle. Elles échangèrent quelques mots chuchotés, puis Hortense Laval se leva :

— Non, Votre Honneur, nous n'en resterons pas là.

Levinson avait compris que les mots « docile » et « indocile » revêtaient bel et bien une importance cruciale. Assez grande, en tout cas, aux yeux de Corinne Wallace pour que Hortense Laval prenne le risque de refuser la proposition du juge. Cela jouerait un rôle essentiel dans son témoignage. Il devait s'y préparer.

Pour dissimuler sa percée sur le terrain de la défense, il reprit sa dernière question.

— Madame Broderick, comment définissez-vous la différence entre un « changement » et un « changement radical » ?

— Les enfants suivent une évolution normale – appelons cela une évolution « hormonale » –, une évolution à laquelle l'éducateur s'attend, qu'il est curieux de découvrir, qui l'amuse parfois. C'est ce que j'appelle un changement normal.

— Et un « changement radical » ? insista Levinson.

— Lorsque ça va plus loin que l'évolution prévue.

— Prévue par qui ?

— Par l'éducateur, bien entendu.

— En d'autres termes, madame Broderick, si un enfant change trop rapidement à votre gré, vous le faites passer de la catégorie « docile » dans la catégorie « indocile ». C'est bien cela ?

– Ce n'est pas du tout cela, et vous le savez parfaitement !

Feignant d'être mortellement offensé, Levinson en appela au juge :

– Votre Honneur ?

– Je vous en prie, madame Broderick, vous n'êtes pas censée ergoter avec l'avocat de l'accusation.

– Dans ce cas, répliqua l'institutrice, que l'avocat de l'accusation s'abstienne de me dire quels sont mes critères et de m'expliquer comment fonctionne mon cerveau !

– Pardonnez-moi, madame Broderick, fit Levinson. Pouvons-nous au moins nous accorder là-dessus : l'opinion que l'éducateur se fait de la conduite d'un enfant est une appréciation subjective, fondée sur sa longue expérience.

– Oui, je suis d'accord, admit Mme Broderick.

– Et cela vaut pour les mots « docile » et « indocile ». Il s'agit de catégories subjectives, que le professeur établit en fonction de ses critères et de ses attentes ?

– Oui, je suis d'accord.

– Merci beaucoup, fit Levinson comme s'il en avait fini avec elle.

Puis une dernière idée lui vint. C'est l'impression, en tout cas, qu'il voulut donner.

– Oh ! madame Broderick... Connaissant le soin avec lequel vous choisissez les mots que vous employez... Est-ce que je me trompe, ou avez-vous dit que Benjamin Jackson était un garçon « séduisant » ? Est-ce bien le mot que vous avez employé ? Ou suis-je une fois de plus en train de trahir votre pensée ?

– Oui, en effet, j'ai dit que c'était un garçon très séduisant.

Sentant qu'il avait tiré ce qu'il pouvait d'un témoin aussi hostile, il la libéra avec des remerciements polis.

A la table de la défense, Hortense Laval et Corinne Wallace savaient que Levinson avait marqué des points. Mais il était trop tôt pour estimer si c'était important.

Bernard Levinson, lui, se disait que c'était peut-être le moment de faire quelques recherches en bibliothèque. Et de consulter un ou deux experts.

31

Comme elle passait la plus grande partie de ses journées au tribunal, Corinne Wallace s'arrangeait pour voir en fin d'après-midi les patients qui avaient le plus besoin d'elle. Ils étaient jeunes et malléables, et ils s'adaptaient facilement, dès lors qu'ils étaient sûrs qu'on ne les priverait pas de leur séance avec elle. Seul le docteur Simon Freedman avait remarqué son épuisement.

Il attendait devant le bureau de Corinne, lorsque Benjamin Jackson sortit de sa séance quotidienne avec elle.

— Salut, Benjamin, fit Freedman.

— Bonjour, docteur Sim, répliqua le garçon.

Mais Freedman vit qu'il avait l'air morose. La séance avait dû être difficile pour lui. Difficile aussi pour son médecin, par conséquent. Il en eut la confirmation en ouvrant la porte du bureau. Renversée en arrière dans son fauteuil, Corinne Wallace effectuait des mouvements du cou et de la tête pour essayer de se libérer de la tension accumulée. Il s'approcha d'elle sans un mot et se mit à lui masser les épaules jusqu'à ce qu'elle se détende un peu.

— Merci, Sim, fit-elle, plus à l'aise.

— Tu as besoin d'un bon dîner et de beaucoup de sommeil, lui dit-il. Et je veux être là pour m'assurer que tu en profites. Allez !

Il lui prit la main et l'aida à se lever. Ils étaient face à face, tout près l'un de l'autre. Il l'embrassa. Elle se serra contre lui. C'était plus qu'une étreinte. Elle se cramponnait, comme si elle avait besoin de lui.

— Tu ne peux pas continuer à faire deux boulots à la fois. Ou bien tu défends une cause au tribunal, ou bien tu es médecin. Pas les deux.

— Cela ne durera pas longtemps, répondit-elle.

— C'est toi qui ne tiendras pas longtemps. Pas à ce rythme. Annule toutes tes séances jusqu'à la fin de ce procès.

— C'est impossible. Surtout avec Benjamin. Il faut qu'il soit le plus fort possible quand on l'appellera pour témoigner.

— Il avait un air, tout à l'heure... Je parie que la séance a été rude. Vous avez parlé de son témoignage ?

— Oui.

— Et alors ?

— Il continue à se sentir coupable. Il se fait des reproches. Il aime toujours sa mère. A ses yeux, elle est parfaite. Il en déduit que tout cela est sa faute à lui.

— Tu ne t'attendais tout de même pas à ce qu'il guérisse en quelques mois, hein ?

— Non. Mais j'aurais bien aimé.

— Dans l'immédiat, il faut que tu manges un morceau. Puis je te mets au lit.

— Pas ce soir, Sim.

— Oh... ! Je ne pensais pas à cela. Ce soir, je veux simplement prendre soin de toi. T'accompagner chez toi. Te mettre au lit. Te faire un gros baiser, puis éteindre la lumière et sortir le plus doucement possible, en espérant que tu trouveras le sommeil que tu mérites – et dont tu as besoin.

– Comme tu le faisais pour Julia à la fin ? demanda-t-elle.

Elle avait posé la question gentiment, mais cela le prit de court.

– Je n'y avais pas pensé. Mais je crois en effet que je commence à ressentir pour toi ce que je ressentais pour elle.

– Pendant ses derniers jours ?

– Pendant ses derniers jours, avoua-t-il. Je crois que sans m'en rendre compte, je me suis mis à penser à toi comme je pensais à elle. J'ai l'impression que tu es en danger. Que ta carrière est en danger. Je m'inquiète pour toi, pour ce procès. Et pour les conséquences qu'il pourrait avoir sur notre vie.

– Comment l'issue de ce procès pourrait-elle nous affecter ?

– Je peux t'affirmer une chose. Si cette enquête préliminaire conclut en ta défaveur, il y aura inévitablement un procès en dommages et intérêts. Et ils auront de fortes chances d'obtenir gain de cause. Ne t'imagine pas que Wagner va payer de grosses sommes sans essayer de te faire porter le chapeau. Tu seras le méchant, dans cette affaire. Il y aura des rumeurs de négligence. Le conseil d'administration exigera ta tête. Et on oubliera tout ce que tu as fait de bien. Tu vas te retrouver dans une situation impossible.

– C'est tout ce que tu trouves pour me rassurer ?

– Je veux que tu saches que si tu devais partir, je partirais avec toi. Nous trouverons bien .un endroit où nous pourrons exercer ensemble notre métier.

– Tu es sur la liste pour prendre la tête du service de pédiatrie, un jour ou l'autre. Je ne te laisserai pas te sacrifier pour moi.

– Pour qui d'autre veux-tu que je me sacrifie ?

– Sim... Sim chéri, il est bien trop tôt pour nous faire des promesses aussi solennelles.

– Je voulais seulement que tu le saches...

– Parfait. Je le sais, dit-elle pour le calmer.

Elle changea de sujet.

– Puisque tu en parlais... j'ai faim ! Allons-y.

Elle lui résuma l'audience du jour devant des sandwiches et du café. Elle lui raconta à quel point Millicent Broderick était efficace et maîtresse d'elle-même. Même avec le juge. Et comment elle avait manœuvré Levinson.

– Si tout va aussi bien que tu le dis, pourquoi es-tu inquiète ? demanda Sim.

– Ça se voit tant que ça ? fit-elle en posant sa tasse de café.

– Pour moi, oui.

Puisqu'elle avait lancé le sujet, il fallait qu'elle parle.

– Levinson. On s'imagine que les avocats de l'assistance judiciaire sont nuls. Eh bien, lui, il est bon. Il est même très bon. Bien que j'aie du mal à comprendre comment un avocat qui sait que son client a tort peut se démener à ce point pour lui trouver des arguments. Et continuer à parler d'éthique.

– Est-ce vraiment différent du chirurgien qui s'obstine à opérer quand il sait presque à coup sûr que ça ne servira à rien ? La satisfaction de réussir l'impossible, je suppose.

– Quelles que soient ses raisons, Levinson a une manière de poser les questions, en choisissant certains mots, qui est très perturbante.

– Ce n'est peut-être qu'un écran de fumée, parce qu'il ne peut rien faire d'autre.

– J'aimerais le croire.

– Tu es inquiète à l'idée de témoigner demain ?

– Hortense et moi avons passé le problème en revue par deux fois. Ce que je dois prouver, et comment je m'y prendrai pour le prouver. Je ferai ce que j'ai à faire. Quelles que soient les ruses de Levinson.

– Alors tu n'as pas à t'inquiéter. Entre ton témoignage et celui de Benjamin, qui racontera toute l'histoire, le juge n'aura aucune raison de ne pas statuer en ta faveur.

Il la laissa devant chez elle. Car ils savaient parfaitement ce qui arriverait s'il entrait pour la « mettre au lit ».

Pendant que Corinne et Simon avalaient leurs sandwiches et leur café, Bernard Levinson se trouvait à la bibliothèque. Non pas la bibliothèque du palais de justice, mais la bibliothèque médicale du comté. Il était plongé dans des livres sur la maltraitance des enfants. Et il prenait beaucoup de notes. A dix heures, juste avant que le bibliothécaire ne l'appelle pour fermer, il empila ses livres, rassembla les feuillets couverts de notes et rentra chez lui. Il avait un long trajet en voiture pour rejoindre sa banlieue. Cela lui donnait le temps de réfléchir à ce qu'il avait découvert.

Ses lectures lui avaient appris au moins une chose. Il comprenait clairement la différence entre « docile » et « indocile ». Lorsqu'un enfant qui était depuis toujours sage et obéissant devenait soudain difficile, turbulent et indocile, il se pouvait parfaitement que sa rébellion exprimât qu'il subissait des sévices.

Les fragments du puzzle commençaient à se mettre en place. Benjamin, dont tout le monde disait que c'était un gosse adorable, devenait du jour au lendemain difficile et violent. Ce qui amenait un psychiatre compétent comme

Corinne Wallace à soupçonner des sévices. Elle étudiait le cas et découvrait l'origine et la nature des sévices.

Dans ces conditions, protéger les intérêts de sa cliente posait un problème juridique et moral. Il envisagea de demander au juge Engelhardt l'autorisation d'abandonner l'affaire et de la confier à un autre membre du bureau d'aide judiciaire.

Quand il arriva chez lui, il savait qu'il ne prendrait pas le risque qu'on lui reproche de fuir une affaire difficile. En utilisant ce qu'il venait d'apprendre, il ferait de son mieux. C'était un peu plus encourageant qu'il n'avait cru tout d'abord.

Il était sûr d'avoir matière à brouiller, voire à saboter le témoignage du docteur Wallace. Et s'il parvenait à faire durer assez longtemps son contre-interrogatoire, le juge Engelhardt pourrait se lasser et le témoignage perdrait de son impact.

Mais s'ils faisaient venir l'enfant, comme Hortense Laval l'en avait menacé, il faudrait qu'il trouve autre chose. Le juge n'accepterait certainement pas qu'il fasse traîner en longueur le contre-interrogatoire d'un gosse de dix ans. Dans ces conditions, le témoignage de Benjamin pourrait être accablant.

Il se glissa à côté de sa femme, qui dormait depuis plusieurs heures, après avoir vérifié que les enfants étaient endormis. Il avait décidé de redoubler de prudence. De ne pas devancer l'adversaire. De ne pas essayer de prévoir trop longtemps à l'avance.

Au Vietnam, il avait combattu sur un bombardier. Il avait appris l'importance des « cibles improvisées ». Quand la météo ou un autre impondérable les empêchait d'atteindre la cible prévue, un pilote ou un bombardier à l'œil perçant devait être capable de localiser un objectif imprévu et de réaliser tout de même un beau score.

Les choses se passaient souvent ainsi, au tribunal. Le faux pas d'un témoin, la remarque déplacée d'un adversaire, la décision inattendue ou bizarre d'un magistrat : n'importe quoi pouvait offrir tout à coup une cible improvisée. Il procéderait donc ainsi pour mener cette affaire qui suscitait en lui des intérêts si contradictoires. Il entendait la voix du père de famille qu'il était : Assure une défense symbolique, et que la justice s'exerce comme nous, les avocats, nous souhaitons qu'elle s'exerce quand nous en parlons abstraitement. Mais l'avocat en lui voulait relever le défi : dans un cas difficile comme celui-ci, sa victoire serait d'autant plus forte, même s'il détestait sa cliente.

Epuisé par ses réflexions, il sombra dans un sommeil de plomb.

32

Les acteurs principaux de l'affaire « Jackson contre l'hôpital public du comté, docteur Corinne Wallace et autres » étaient rassemblés. Le docteur Wallace et son avocate, Hortense Laval ; la plaignante, Melissa Jackson, et son avocat, Bernard Levinson. La mère de Melissa était là pour soutenir sa fille, avec l'air vigilant et belliqueux du rapace prêt à tout pour protéger sa progéniture.

La tension était à son comble, car il était dix heures vingt et le juge Engelhardt, d'ordinaire si ponctuel, n'était pas arrivé. Tout le monde savait que le docteur Wallace allait assurer sa défense, ce jour-là, et tout le monde s'attendait à une confrontation violente avec maître Levinson. Pour que la famille Jackson puisse récupérer le petit Benjamin, Levinson allait devoir s'efforcer d'anéantir le témoignage du médecin. Enfoncer assez de clous pour diminuer son impact sur le verdict.

Plus ils attendaient, plus la tension montait. Il n'y eut qu'un incident, lorsque le docteur Simon Freedman entra dans la salle pour apporter son soutien au témoin.

Levinson se leva aussitôt pour contester sa présence :

— Qui est cet homme, et que fait-il dans une procédure censément privée, sinon confidentielle ?

— Le docteur Freedman exerce dans le service de pédiatrie de l'hôpital, fit Corinne Wallace.

– Il n'a rien à faire ici ! déclara Levinson.

– Il est ici en qualité de spectateur intéressé, expliqua Corinne Wallace.

Craignant une manœuvre juridique d'Hortense Laval, Levinson insista :

– Je m'oppose à sa présence dans cette salle.

– Maître Levinson, intervint Hortense Laval, si vous contestez sa présence parce que vous croyez qu'il peut être un témoin potentiel, je vous donne ma parole que je n'ai pas l'intention de le faire venir à la barre. Il n'existe donc aucun motif légal de lui interdire d'assister à l'audience.

C'est à cet instant précis que le juge Engelhardt fit son entrée. D'un simple coup d'œil, il sentit la tension qui régnait entre les deux parties.

– Bon Dieu, mais que se passe-t-il, ici ?

Tout le monde comprit qu'il avait été retardé par un événement des plus désagréables.

– Est-ce que cet homme est un témoin potentiel ? demanda-t-il quand on lui eut exposé le problème.

– Non, Votre Honneur, répondit Hortense Laval.

– Alors, pourquoi tout ce cirque ? Qu'il reste, s'il en a envie.

Engelhardt s'assit dans son fauteuil de cuir à haut dossier. Il était prêt à ouvrir la séance.

– Maître Laval, je crois que vous en avez fini avec le témoin d'hier, et que vous êtes prête à continuer ?

– Oui, Votre Honneur. J'appelle le docteur Wallace à la barre des témoins.

A la table de la défense, Corinne Wallace rassembla les notes dont elle aurait besoin pendant son témoignage. Assis au premier rang du public, Sim Freedman crut voir trembler légèrement sa main gauche, qui tenait les notes. Cela confirmait son inquiétude de la veille au soir.

Corinne prêta serment, déclina son identité et s'assit. Hortense Laval, debout devant la table de la défense, commença son interrogatoire. Elle demanda au témoin de décliner ses qualités : formation médicale, spécialisation en psychiatrie infantile et expérience sur le terrain. Elle fit en sorte que sa cliente mentionne les divers projets auxquels elle avait été associée, les articles qu'elle avait publiés, les ouvrages spécialisés auxquels elle avait participé et le grand nombre de colloques sur les enfants victimes de mauvais traitements où elle avait eu l'occasion d'intervenir.

Ayant établi les références de sa cliente, elle lui demanda :

— Voulez-vous expliquer à ce tribunal, docteur, dans quelles conditions vous avez connu Benjamin Jackson ?

Corinne Wallace se tourna vers le juge Engelhardt. Elle lui raconta en détail sa première rencontre avec le garçon, sa conduite vulgaire, agressive, destructrice. Elle lui expliqua qu'elle avait dû l'empêcher de commettre des actes de destruction délibérés sur les jouets des autres enfants.

— Que s'est-il passé ensuite, docteur ?

— En parlant avec sa tante, j'ai découvert que la personnalité de cet enfant s'était profondément modifiée, passant d'un caractère docile et obéissant à une violente agressivité. Techniquement, pour moi, c'était très significatif.

— Expliquez-nous ce que vous voulez dire, docteur, fit l'avocate.

— Un changement aussi profond et aussi soudain peut être — c'est souvent le cas — le premier signe extérieur de révolte d'un enfant contre les sévices qu'on lui a fait subir.

— Je n'en suis pas si sûr, intervint le juge. Je peux vous assurer que mon petit-fils n'a jamais subi de sévices — à moins de considérer comme tels un excès d'attention et de cadeaux. Il traverse pourtant une période semblable à ce que vous décrivez... Ce gosse était gentil, adorable et affectueux. Depuis qu'il est devenu passionné d'Internet, il est impossible ! Renfrogné et insolent, même à mon égard.

— Puis-je continuer, Votre Honneur ? demanda Hortense Laval.

— Allez-y, allez-y, fit-il.

Son ton exprimait son scepticisme : la poursuite d'un interrogatoire sur ce thème aurait peu de chances de le faire changer d'avis.

— Une fois alertée par vos observations, docteur, qu'avez-vous fait ?

— J'ai commencé à soumettre l'enfant à un traitement.

— Qu'est-ce que le traitement vous a révélé, docteur ?

— Si le tribunal m'y autorise, je voudrais me référer à une étude sur les enfants maltraités, qui pourrait nous aider à comprendre les événements dont je parlerai tout à l'heure.

— Prenez le temps qu'il faudra, docteur, fit le juge. Parce que j'ai l'impression que nous allons avoir besoin de pas mal d'explications.

Forte de cette autorisation — même si le juge la lui accordait à contrecœur —, Corinne Wallace se lança :

— Votre Honneur, une enquête très importante révèle qu'un enfant qui est victime de sévices sexuels traverse une série de phases, toujours les mêmes.

— Etes-vous en train de dire à ce tribunal, docteur, que l'enfant en question a été victime de sévices sexuels ?

— Oui, Votre Honneur.

— De la part de qui ?

— De la part de sa mère.

Melissa Jackson et sa mère se levèrent d'un bond pour protester bruyamment.

– C'est un scandale, Votre Honneur ! Un mensonge ! Un mensonge ignoble ! Nous allons poursuivre ce docteur et cet hôpital pouilleux, et leur prendre jusqu'à leur dernier dollar !

La mère et la fille parlaient en même temps, mêlant leurs dénégations, leurs cris de protestation et leurs menaces. Jusqu'au moment où le juge Engelhardt frappa violemment du marteau sur son bureau.

– Silence ! Je veux que le silence se fasse dans ce tribunal !

Puis, voyant qu'on ne lui obéissait pas :

– Asseyez-vous, mesdames, et fermez-la !

Cette dernière injonction sembla porter ses fruits. Les deux femmes se laissèrent tomber sur leur siège. Sonnées.

Pendant cet éclat, Levinson n'avait pas cherché à intervenir ni essayé de faire taire ses clientes. Il était plutôt satisfait, car cette scène préparait le terrain pour sa future intervention.

– Reprenez, docteur, je vous prie, fit le juge dès que le calme se fut rétabli.

– Le syndrome infantile d'accommodation aux violences sexuelles se déroule suivant cinq phases, expliqua Corinne Wallace. Nous nous intéresserons aux quatre premières.

– Quatre, répéta le juge.

Il s'attendait à subir un long exposé, ce qui ne le réjouissait pas.

Corinne Wallace décida d'être aussi brève que possible.

– L'enfant victime de sévices sent que ce qui se passe n'est pas bien. Que son tortionnaire le lui ait demandé ou non, parfois sous la menace, il sait qu'il doit garder le secret.

Voici la première phase : le *secret*. Si les sévices se poursuivent, l'enfant se sent de plus en plus impuissant. La plupart du temps, son bourreau est une personne qu'il connaît, en qui il a confiance, et à laquelle il se sent incapable de résister. En d'autres termes, l'enfant est une victime dépourvue de tout recours. Il n'a personne auprès de qui il pourrait trouver un soulagement. La deuxième phase correspond à ce sentiment de totale *impuissance*.

» La troisième est la plus triste. Les sévices se prolongent, l'enfant ne trouve pas d'issue. La seule chose qu'il peut faire pour ne pas sombrer dans la folie, c'est d'accepter la situation. C'est l'*accommodation*. L'enfant accepte une situation terrifiante qu'il est incapable de changer. D'une certaine manière, il devient le complice de son bourreau.

Engelhardt intervint, impatient.

– J'espère que nous approchons de la conclusion de votre exposé, docteur ?

– Oui, Votre Honneur. Nous en venons à la quatrième phase, celle qui répondra à votre question : l'*aveu différé*. L'enfant est déchiré par ses conflits internes. Sa souffrance affective est devenue insupportable. Sans parler de ce besoin terrible d'accorder sa vie tout entière aux sévices. De vivre une vie de mensonge pour les dissimuler. Plus le conflit découlant du fait qu'il est victime d'un adulte en qui il a confiance. Plus le fait d'être soumis aux menaces de cet adulte, qui se réaliseraient s'il révélait le secret. La confusion insupportable créée par cette lutte interne le pousse finalement à se libérer de ce terrible secret.

» Mais il ne peut pas se contenter de prendre la parole et de le révéler, ce secret. Ce serait une trahison à l'égard du parent qui abuse de lui. Il connaît peut-être aussi l'exemple d'autres enfants dans son cas, qui ont parlé, et qu'on a accusés de mensonge. Tous ces facteurs militent contre une divulgation franche.

» Quelle solution lui reste-t-il ? Une seule. Se rebeller. Nous savons que ces enfants disposent de plusieurs moyens pour le faire. Certains fuguent. D'autres choisissent le suicide. D'autres encore adoptent la solution de Benjamin Jackson, précisément. Ils tentent d'attirer l'attention sur eux en se montrant agressifs, vulgaires, en détruisant des objets. C'est comme s'ils hurlaient : « Que quelqu'un, quelque part, n'importe comment, me regarde ! M'écoute ! J'ai ce terrible secret et je ne peux pas continuer à vivre avec ça. Faites attention à moi. Sinon je vais continuer, jusqu'au moment où je ferai quelque chose de vraiment mal, à mes dépens ou aux dépens de quelqu'un d'autre ! » Voilà la phase quatre. Celle où se trouvait Benjamin Jackson quand je l'ai connu.

— Cet exposé de psychiatrie théorique est parfait, docteur, fit le juge Engelhardt. Mais comment savoir si cela s'applique au cas présent ? Ce tribunal exige qu'on lui fournisse la preuve qu'il y a eu des sévices. Ce que la plaignante dément avec énergie.

— C'est foutrement vrai ! s'exclama Melissa Jackson d'une voix forte.

— Madame Jackson, fit le juge, encore un écart de ce genre et je vous fais expulser.

Il se tourna vers Corinne Wallace.

— Docteur, je ne peux statuer dans cette affaire sur la base de théories psychiatriques. Aussi passionnantes soient-elles. Il me faut des preuves de ces sévices, pour autant qu'ils aient eu lieu.

— Nous vous écoutons, docteur, fit Hortense Laval.

— J'ai compris ce qui se passait d'une manière étrange,

Votre Honneur. Pas sous la forme de mots, d'accusations ni d'aveux directs. Dans le cours du traitement, confronté à certaines situations difficiles, Benjamin a fait ce que font d'autres patients dans le même cas. Il est devenu violent. Un jour, il a essayé de m'agresser physiquement. Une autre fois, il a détruit une photographie, dont il savait qu'elle m'était chère. Une photographie de mon fils, mort dans un accident d'avion.

— Je suis navré, docteur, fit le juge Engelhardt en se penchant vers elle. J'ignorais...

Corinne Wallace ne s'interrompit pas pour réagir à cette remarque.

— Dans les deux cas, voici ce qui est le plus important, Votre Honneur : après s'être rebellé, après s'être montré agressif, destructeur, après avoir donné libre cours à sa colère et mesuré les conséquences de son accès de rage, Benjamin est devenu repentant. Il voulait être pardonné. Se réconcilier avec moi. Il s'est approché de moi d'une manière très inhabituelle. Il est venu sur mes genoux. Visiblement, il attendait quelque chose de ma part. Je n'ai pas du tout compris de quoi il s'agissait. Tout à coup, réalisant que je ne ferais rien, il a ouvert son pantalon, et il y a glissé la main pour sortir son pénis et me le présenter. C'est alors que j'ai commencé à comprendre. Il m'a suffi de lui poser quelques questions pour lui soutirer ce qui se passait précisément entre sa mère et lui.

— C'est un mensonge odieux ! hurla Melissa Jackson en se dressant.

Engelhardt donna un violent coup de marteau sur le bureau.

— Faites sortir cette femme de ce tribunal ! ordonna-t-il au planton en uniforme.

Pour la première fois, Levinson intervint.

– Votre Honneur, si je peux me permettre... Ma cliente vient d'être l'objet de l'accusation la plus monstrueuse qu'on puisse proférer devant une mère. Si elle est incapable de refréner son angoisse et son indignation, je peux affirmer qu'elle réagit comme le ferait n'importe quelle mère en réponse à une accusation aussi évidemment mensongère. C'est pourquoi je prie la cour de se montrer magnanime en l'occurrence et de bien vouloir excuser l'emportement passager d'une pauvre mère – dont je vous promets qu'il sera le dernier.

– Maître Levinson, dit le juge, je compte sur vous pour faire en sorte qu'une telle perturbation ne se reproduise plus.

– Je peux vous assurer, Votre Honneur, que cela ne se reproduira plus.

– Maître Laval, poursuivez, je vous prie.

Au lieu d'interroger le docteur Wallace, l'avocate se tourna vers le juge.

– Votre Honneur, je suis obligée de vous avertir. Les propos qui vont suivre risquent d'être extrêmement désagréables à vos oreilles, comme à celles du sténographe et du planton. Mais dans l'intérêt de la recherche de la vérité, et pour la protection d'un mineur, Benjamin Jackson, contre des sévices futurs, ce témoignage est essentiel.

– Maître Laval, je vois que vous n'avez pas l'habitude de ces procédures. Je pourrais vous raconter des histoires – des histoires entendues dans ce tribunal – qui feraient se dresser vos cheveux sur votre tête... Alors, foin de scrupules. Procédez !

– Docteur, reprit Hortense Laval, voulez-vous dire à ce

tribunal ce que vous a appris le témoignage de votre patient ?

— Il est évident, Votre Honneur, intervint Levinson, que le docteur Wallace s'apprête à embarquer pour un long voyage sur le terrain du témoignage indirect.

— Des conversations entre un médecin et son patient, dans cette situation particulière, peuvent difficilement être qualifiées de témoignage indirect, protesta Hortense Laval.

— Ce qui amène une autre question, argua Levinson. Son avocate elle-même admet que le témoignage qu'elle a l'intention de produire devant nous concerne des conversations entre un médecin et son patient. Conversations qui sont censées rester secrètes. Ce secret, cette *confidentialité*, n'appartient pas au médecin, mais au patient. Je suis sûr que maître Laval n'a pas l'intention de prétendre qu'un mineur, un enfant de dix ans et demi, est légalement autorisé à renoncer à son droit à la confidentialité. Et il y a un autre aspect qui rend ce témoignage inopportun. Est-ce que maître Laval a l'intention de dire à ce tribunal que ces conversations constituent des aveux contre l'intérêt du patient, et sont, par conséquent, libérées des contraintes de la confidentialité ?

— Bien sûr que non, répliqua Hortense Laval.

— Dans ces conditions, et sur la base des objections que je viens de formuler, je demande à la cour d'interdire au témoin de rapporter toute allusion à des faits que son patient a pu aborder avec elle dans le cadre de leurs relations médicales !

— Votre Honneur, répliqua maître Laval, je demande que les déclarations de ce témoin soient admises sous réserve de confirmation. Si son témoignage n'est pas corroboré par mon prochain témoin, Benjamin Jackson, nous accepterons qu'il soit rayé du procès-verbal.

— Maître Levinson ? demanda le juge.

— Dans ce cas, je retire mes objections.

Avant de reprendre son interrogatoire, Hortense Laval essaya de comprendre la stratégie de Levinson. Tout d'abord, il avait opposé une série d'objections juridiques pour le moins discutables. Mais dès qu'elle avait mentionné son intention de faire témoigner le petit Benjie, Levinson avait annoncé qu'il retirerait toutes ses objections. Savait-il quelque chose qu'elle ignorait ? Ou anticipait-il le contre-interrogatoire de Benjamin ?

Mais elle n'avait pas le temps d'approfondir. Le juge attendait. Le témoin était prêt.

— Docteur, fit-elle, vous nous avez dit que l'enfant était monté sur vos genoux. Voyant que vous ne faisiez pas ce qu'il attendait de vous, il a entrepris de se dénuder. Qu'est-il arrivé ensuite ?

— En réponse à mes questions, il m'a raconté ce qui se passait entre lui et sa mère.

— C'est un mensonge ! hurla Melissa Jackson.

— Maître Levinson..., fit le juge.

Levinson prit sa cliente par le bras et l'entraîna énergiquement dans un coin de la salle. Du box où elle se trouvait, Corinne Wallace comprit, aux grands gestes de l'avocat, que celui-ci n'était pas seulement furieux. Peut-être menaçait-il Melissa Jackson de renoncer à la défendre. Quand il regagna la table de la défense avec elle, elle était toute pâle et avait retrouvé son calme.

— Reprenez, docteur, fit le juge.

— Cela ne me plaît pas de devoir vous donner tous les détails, mais je ferai de mon mieux. Le rituel que j'ai découvert se déroulait comme suit. La mère de Benjamin se montrait d'une extrême sévérité. Elle lui imposait tellement de restrictions qu'il se trouvait fréquemment en train de violer les règles. Chaque fois qu'il désobéissait, elle se mettait en colère contre lui. De sorte qu'il devait mériter son pardon en se soumettant au même rituel. En se dénudant devant elle, pour qu'elle puisse caresser et embrasser son pénis jusqu'à ce qu'il parvienne à l'orgasme.

– Docteur, je suppose que vous choisissez avec le plus grand soin les mots que vous employez, dit le juge d'un ton grave.

– Oui, Votre Honneur.

– Et ce rituel se répétait ?

– Oui, Votre Honneur. Très souvent. Comme c'est elle qui fixait les règles – des règles très rigoureuses – elle pouvait décider à quel rythme il les violerait. Elle contrôlait donc le nombre et la fréquence de ces scènes. L'enfant était totalement à sa merci. Toujours en proie à la crainte de l'offenser. Toujours impatient de mendier son pardon. Même s'il savait instinctivement que ce qui se passait était terriblement mal. Mais il n'avait aucun moyen de protester ou de refuser. Si je me réfère au principe du syndrome infantile d'accommodation aux violences sexuelles, dans lequel il existe de nombreuses façons de manifester la révolte, je pense que nous devons nous réjouir que Benjamin ait choisi celle que nous connaissons. C'est grâce à cela qu'il a fini par venir à notre Centre pour la protection de l'enfance. Quand sa tante nous l'a amené, elle se plaignait d'un garçon violent, incontrôlable et indocile. Nous avions affaire, en réalité, à un enfant terrifié, en réaction violente contre les sévices sexuels qu'on lui faisait subir.

Le juge réfléchissait aux conclusions du docteur.

Hortense Laval s'abstint momentanément de poser d'autres questions.

– Docteur, demanda brusquement Engelhardt, avez-vous des preuves... Je veux dire, des preuves physiques, tangibles, qui puissent corroborer votre témoignage ?

– Votre Honneur, je sais qu'il s'agit d'une question qui va de soi pour un homme qui a présidé un grand nombre d'affaires d'abus sexuels. D'habitude, il y a des preuves de dommages physiques. Défloration lorsque la victime est une petite fille. Plaies et irritation anales quand il s'agit de petits garçons. Mais dans ce cas, vu la nature particulière des sévices, le docteur Freedman n'a pas décelé de symptôme physique évident.

Le juge hocha la tête, l'air grave, comme s'il répugnait à admettre l'existence de tels comportements.

– Vous voulez dire, docteur, que cette femme a vraiment...

Incapable de prononcer les mots, le juge fit un geste expressif.

– Cela ne fait aucun doute, Votre Honneur. Un enfant n'aurait pu imaginer les détails qu'il m'a fournis.

Hortense Laval reprit son interrogatoire.

– Y a-t-il eu d'autres signes, docteur, pour vous convaincre que de tels faits se produisaient entre Benjamin et sa mère ?

– Oui. Un incident très précis. Au début du séjour de Benjamin à l'hôpital, sa mère avait reçu l'autorisation de lui rendre visite, dans les conditions normales. Un jour, Benjamin était en retard à sa séance quotidienne avec moi. Je suis allée voir s'il se trouvait dans sa chambre. La porte était verrouillée de l'intérieur.

– Une porte verrouillée, dans un service où l'on garde des enfants ? fit le juge.

– Il y en a quelques-unes, Votre Honneur. Certains enfants sont si traumatisés qu'ils ne trouvent le sommeil que lorsqu'ils savent que leur porte est fermée à clé, la nuit, et qu'ils sont à l'abri des prédateurs. Ce jour-là, donc, la porte de Benjamin était fermée. J'ai dû frapper plusieurs fois avant qu'il ne vienne m'ouvrir. Il était là, avec sa mère. Elle se trouvait dans le fauteuil. Il était debout, bien entendu. Mais l'atmosphère de culpabilité qui flottait dans la chambre m'a dit tout ce que je voulais savoir. Et si cela n'avait pas été le cas, l'air embarrassé de la mère aurait été une confirmation suffisante.

Melissa allait se lever pour protester, mais Levinson la retint par le bras.

– Etes-vous en train de dire à ce tribunal, docteur, que ce genre de chose arrive même dans les hôpitaux ?

– Vous pouvez trouver cela incroyable, Votre Honneur. Mais nos archives sont pleines de centaines de cas de femmes qui souffrent du syndrome de Munchausen. Avez-vous entendu parler de cette pathologie ?

– S'agit-il de ces femmes qui simulent une maladie – elles seraient même capables de produire de véritables symptômes – et qui se présentent à l'hôpital pour qu'on les soigne ?

– C'est cela, Votre Honneur. Mais il existe une variante. Le syndrome de Munchausen par procuration. Dans ce cas-là, les femmes commettent des actes nocifs pour rendre leurs enfants malades afin qu'ils soient admis, eux, à l'hôpital.

– Quel est le rapport avec l'affaire qui nous occupe ? demanda le juge.

– On a filmé certaines de ces femmes, à l'hôpital, en train d'injecter des substances dangereuses à leurs enfants. Leur but est de leur inoculer certaines infections pour satisfaire leur compulsion pathologique, leur désir d'attirer l'attention du corps médical. Certaines ont été surprises en train d'administrer le poison à leurs enfants, alors que l'hôpital les soignait pour la maladie qu'elles-mêmes avaient provoquée.

– C'est vrai, fit le juge à contrecœur, nous avons eu à juger une affaire semblable, il y a quelques années. Je n'y comprenais rien, et je ne comprends toujours pas.

– Voyez-vous, Votre Honneur, quand je dis que les sévices dont était victime Benjamin Jackson pouvaient lui être infligés à l'hôpital, je n'exagère pas. La plaignante est une femme très malade. Je lui ai proposé de la soigner, avec pour objectif que sa famille puisse se reformer un jour prochain. Mais elle a refusé.

– Elle a refusé qu'on la soigne, répéta pensivement le juge.

– Cette femme est dangereuse, Votre Honneur. Elle constitue un danger pour son fils, et pour elle-même. Elle a absolument besoin de suivre un traitement.

Le juge hocha la tête, mais ne dit rien.

– J'en ai terminé avec ce témoin, dit Hortense Laval.

Levinson se leva instantanément, impatient de commencer son contre-interrogatoire. Mais le juge, toujours sous l'emprise du témoignage du médecin, l'arrêta :

– Nous allons nous accorder une petite pause.

Avec un soulagement visible, il frappa du marteau et descendit promptement de son estrade.

33

Bernard Levinson était un homme honnête, bon père de famille, qui avait pris son petit déjeuner avec sa femme et ses deux enfants, avant de déposer ces derniers à l'école, sur le chemin du tribunal. Il se leva pour se livrer à un exercice pour lequel on le disait très doué. Mais qui, ce jour-là, ne lui plaisait guère.

D'habitude, le Bureau d'assistance judiciaire lui demandait d'assurer la défense de plaignants trop pauvres, trop mal informés ou qui maîtrisaient trop mal l'anglais pour être capables de défendre leurs droits ou de lutter contre ceux qui tentaient de profiter d'eux. Quand il gagnait, obligeait une grande firme, un service public ou une compagnie d'assurances à accepter un compromis et parvenait à une issue acceptable pour le bénéfice de son client, il était fier de son travail.

Mais pas ce jour-là. Il avait essayé de convaincre sa cliente de retirer sa plainte. Il avait tenté de lui faire accepter une solution amiable. Mais il avait découvert qu'elle était la proie de deux démons : un orgueil pathologique et, surtout, l'appât du gain. Un appât du gain nourri par l'avalanche d'histoires qu'elle entendait à la télévision ou ailleurs, où l'on racontait comment les gens parvenaient à extorquer des millions de dollars aux hôpitaux et aux médecins sous les prétextes les plus futiles. Sa cliente était persuadée que si elle l'emportait devant le tribunal des affaires familiales et récupérait son fils, elle pourrait poursuivre l'hôpital et le docteur Wallace pour séquestration arbitraire et pour calomnie auprès de son fils, monté contre elle. Tout cela, prétendait-elle, pourrait lui rapporter plusieurs de ces millions mythiques.

Levinson avait été incapable de la faire changer d'avis. En désespoir de cause, il avait envisagé d'aller voir le juge Engelhardt et de lui demander de déclarer sa plainte irrecevable. Mais il savait que celle-ci semblait trop crédible pour que le juge la rejette.

Voilà pourquoi, ce matin-là, il se leva : pour accomplir le travail auquel l'avaient formé des années de pratique professionnelle. Défendre les intérêts d'un client – que ce fût judicieux ou non –, comme ce client lui avait demandé de le faire. C'était un boulot infect, parfois, comme le disait souvent un de ses confrères qui avait travaillé avant lui à l'aide juridique. « Mais quelqu'un doit le faire. »

Bernard Levinson s'approcha du témoin. Ses années de plaidoirie lui disaient que, aussi compétente fût-elle, cette femme n'avait pas l'expérience des salles d'audience – contrairement à ces psychiatres qui étaient devenus de véritables témoins professionnels et passaient plus de temps dans les tribunaux qu'à soigner leurs patients. Avec les séries de questions qu'il avait préparées, Levinson pensait que l'attaquer serait aussi facile que tirer sur un éléphant dans un couloir. C'était le genre de situation où il s'en voulait d'être si efficace.

– Docteur, durant votre carrière de psychiatre infantile, avez-vous rencontré le cas d'un enfant qui avait été docile et soumis jusqu'à l'âge de huit ou neuf ans, avant de devenir plus extraverti, plus démonstratif ?

– Bien sûr, il y a des cas où un enfant subit ce genre de changement, dit Corinne Wallace. Mais jamais un changement aussi prononcé que celui observé ici.

– Docteur, je vous demande de répondre simplement à la question, la coupa Levinson. Avez-vous jamais vu de tels cas ?

– C'est une question générale, qui ne s'applique pas au cas présent.

– Votre Honneur ? fit Levinson pour demander au juge d'intervenir.

– Docteur, veuillez répondre simplement aux questions de l'accusation et laisser la cour décider ce qui s'applique ou non au cas que nous jugeons aujourd'hui.

– Il est donc vrai, reprit Levinson, qu'un changement dans la conduite d'un enfant ne signifie pas toujours qu'il est victime de sévices.

– Oui.

– Puis-je affirmer sans risque d'erreur que dans votre pratique professionnelle, vous avez rencontré des garçons qui étaient démonstratifs, agressifs et destructeurs, mais qui n'étaient pas victimes de mauvais traitements ?

– Oui. Les cas de trouble du déficit de l'attention, les TDAH, provoquent parfois ce genre de choses.

– Et pourtant, dans le cas qui nous intéresse, vous n'avez pas sauté sur la conclusion qu'il pouvait s'agir de TDAH. Pourquoi ?

– Maître Levinson, je ne « saute » jamais sur des conclusions. Dans le cas de Benjamin, je n'avais pas d'idée préconçue. Il s'agit d'une des règles fondamentales de ma profession. N'avoir aucune idée préconçue quand nous commençons à interroger un patient. Nous interdisons de la sorte à nos présomptions d'influencer nos questions et de suggérer un diagnostic. Notre diagnostic doit se former exclusivement en fonction des réponses du patient.

— Il a donc fallu autre chose que ce simple changement dans la conduite de cet enfant pour vous donner une raison de soupçonner l'existence de sévices, conclut Levinson.

— Oui.

— Quelle est cette « autre chose » ?

— C'est difficile à définir.

— Pour le bénéfice de la cour, veuillez au moins essayer, insista Levinson. Par exemple, quand avez-vous eu cette soudaine révélation, dans le cas de Benjamin Jackson, qu'il subissait des sévices ?

— Cela n'a pas été soudain, répondit-elle. Et ce n'était pas simplement une « révélation ».

— Appelez cela comme vous voulez, docteur. Qu'est-ce qui vous a suggéré que votre patient était victime de sévices ?

— Il y a eu un certain nombre d'indices. Sa fugue en est un.

— Sa fugue ? fit Levinson d'un ton ironique. Docteur, je me suis enfui de chez moi trois fois avant d'atteindre l'âge de douze ans. En fait, je ne connais pas un seul enfant qui ne se soit pas enfui de chez lui, ou qui n'ait menacé de le faire, avant d'avoir dix ans.

Le docteur Wallace ne se laissa pas impressionner.

— La fugue n'est qu'un signe. Mais s'il apparaît en conjonction avec d'autres éléments – un rythme cardiaque plus rapide que la moyenne, une tension légèrement supérieure aux normes et une irritation urétrale (autant de symptômes mis en évidence par les examens du docteur Freedman), sans compter la conduite agressive et hostile de Benjamin –, on peut considérer que cela forme un tout.

Un tableau général, qui exige qu'on envisage les sévices comme l'élément déclencheur de l'ensemble.

– *Irritation urétrale*, reprit Levinson... Si je comprends bien ce que cela signifie, je dois poser la question : n'est-ce pas à l'âge de neuf ou dix ans que les garçons commencent à prendre conscience de leur sexualité ? Qu'ils essaient de l'expérimenter par la masturbation ? Une activité susceptible de provoquer, précisément, une irritation urétrale.

– Maître Levinson, ou bien vous déformez mes propos à dessein, ou bien vous êtes trop stupide pour comprendre.

– Votre Honneur ! s'exclama l'avocat, feignant d'être vexé par l'insulte.

– Docteur, je vous prie de respecter l'amour-propre de maître Levinson, déclara Engelhardt. Les avocats qui plaident devant nous sont les représentants les plus sensibles de l'espèce humaine. Alors peu importe ce que vous pensez de maître Levinson. Je vous en prie, gardez votre opinion pour vous. Comme nous le faisons tous. Contentez-vous de répondre aux questions.

Il se débarrassait ainsi de la plainte de Levinson tout en lui faisant comprendre que la patience de la cour avait, elle aussi, des limites.

– Docteur, je fais appel à votre avis d'expert. Diriez-vous que l'irritation urétrale chez un enfant est la preuve qu'il est victime de sévices, et qu'elle ne peut avoir d'autres causes ?

– Bien sûr que non.

– Dans ce cas, qu'avons-nous ici... Un garçon de dix ans qui se rebelle, qui fugue, et qui montre à l'examen des signes d'irritation urétrale. Additionnons tout cela et nous avons un enfant victime de sévices ! fit Levinson pour tourner en dérision le témoignage du médecin.

— Ce que « nous avons ici », maître Levinson, c'est un enfant dont les actes révèlent qu'il a été victime de sévices et démontrent, en outre, comment ces sévices ont été perpétrés.

— Docteur, est-ce qu'il est possible – attention, je dis bien : « possible » – que dans le cas de Benjamin Jackson vous ayez violé une de vos règles ?

— Je ne pense pas, répondit-elle sèchement.

— Oh ! je ne suggère pas que vous l'ayez fait intention-nellement ! fit Levinson sur un ton faussement contrit. Il nous arrive à tous de faire des choses que nous ne devrions pas faire. Et nous les faisons sans en être conscients. Comme traverser la rue au feu vert. Ou mettre une lettre à la boîte sans l'affranchir. Ou envoyer un chèque sans le signer.

— S'agit-il d'une question à laquelle je dois répondre, maître Levinson ?

— Je formulerai ma question ainsi : serait-il possible, docteur Wallace, que sans le vouloir, vous ayez montré un intérêt particulier pour le cas de Benjamin Jackson ?

Il poursuivit de plus en plus rapidement, faisant se télé-scoper les mots et les idées pour éviter qu'elle ne l'inter-rompe :

— Et que, par conséquent, vous ayez fait à votre insu ce que vous prétendez ne jamais faire ? Qu'en l'occurrence, avec à l'esprit un diagnostic préconçu, vous ayez posé vos questions de façon à diriger ses réponses, jusqu'à ce que vous lui soutiriez l'aveu que vous attendiez de lui ? Qu'il avait été violé par sa mère. De sorte que sous prétexte de le protéger contre de nouveaux sévices, vous avez créé de toutes pièces un motif médical et psychiatrique de le

370

séparer de sa mère. Pour le garder pour vous toute seule, comme un fils de substitution. Est-ce que c'est possible ?

– Non seulement ce n'est pas possible, mais le simple fait de le suggérer est odieux ! répliqua Corinne Wallace.

– C'est pourtant ce qui s'est passé ! fit Levinson.

– Ce patient a été confiné à l'hôpital pour deux raisons. D'abord, parce que j'ai pensé que la gravité de son état exigeait un traitement quotidien, au lieu des séances hebdomadaires que nous proposons à nos patients externes. Ensuite, pour mettre fin aux sévices dont il était victime, il était nécessaire de l'éloigner de sa mère.

– Ainsi vous avouez qu'il était dans votre intention, depuis le début, d'enlever le petit Benjamin à sa mère !

– Je proteste contre le fait que vous utilisiez les termes « depuis le début », rétorqua Corinne Wallace. Son hospitalisation ne s'est imposée que le jour où la durée des sévices et leur nature destructrice sont devenues évidentes.

Levinson marqua une pause, comme s'il s'interrogeait sur le bien-fondé de ses prochaines questions. En fait, il donnait au témoin un délai qui aiguillonnait sa curiosité et, par conséquent, son inquiétude. Quand il sentit qu'il avait atteint son but, il feuilleta les pages de son carnet de notes et passa à une nouvelle série de questions.

– Docteur, vous avez fait allusion à un épisode dans lequel votre patient, Benjamin Jackson, s'est mis en colère à propos de quelque chose qui s'était passé pendant la séance – au point qu'il s'est emparé d'une photo encadrée sur votre bureau et qu'il a essayé de la détruire.

– Oui.

Elle se demandait où Levinson voulait en venir, cette fois.

– Vous avez aussi mentionné, n'est-ce pas, qu'il s'agissait

d'une photographie de votre fils, disparu tragiquement dans un accident d'avion ?

— Oui, maître, répondit Corinne Wallace, de plus en plus tendue.

Assis au premier rang des sièges réservés au public, Sim Freedman se raidit. Il se demanda si Levinson oserait impliquer le fils de Corinne dans cette affaire.

— Quel âge avait votre fils à l'époque de ce tragique événement, docteur ?

— Je ne vois pas le rapport avec la présente affaire !

— Votre Honneur, puis-je avoir une réponse à ma question ? demanda Levinson.

— Quel est le rapport, maître ? fit le juge.

— Votre Honneur, j'aurai l'occasion de le développer un peu plus tard. Puis-je demander une réponse, sous réserve de connexion ultérieure ?

Engelhardt hésitait.

— Maître Levinson, je vous conseille vivement de l'établir, cette connexion...

L'avocat revint vers le témoin.

— Quel âge avait votre fils lorsqu'il est mort, docteur ?

Corinne Wallace s'adressa au juge.

— Je ne souhaite pas rouvrir ce chapitre de mon existence, puisqu'il n'a aucun rapport avec cette affaire !

— Docteur, expliqua le juge, je sais ce que vous ressentez. Et si j'étais l'avocat de l'accusation, croyez-moi, je respecterais votre vie privée. Mais en la circonstance, l'avocat de l'accusation a le droit de vous poser la question. Par conséquent, je vous prie de lui répondre.

— Au moment de sa mort, Douglas, mon fils, avait dix ans.

— Le même âge que le patient dont il est question

aujourd'hui, fit remarquer Levinson, comme en passant. Docteur, je vous pose la question en toute bonne foi, et je suis sûr que vous n'y verrez pas malice : est-il possible que votre jugement et vos actes aient été motivés ou affectés, à votre insu, par cette similitude ?

– Je suis médecin depuis assez longtemps pour être capable de séparer ma vie privée et ses blessures de ma vie professionnelle.

– Pourtant, quand vous avez décrit l'épisode où votre patient a détruit la photographie posée sur votre bureau, vous avez déclaré qu'il était tellement rongé par le remords qu'il a cherché à obtenir votre pardon. Et qu'il a agi dans ce but, en essayant d'avoir avec vous le même genre d'activité sexuelle que celle, selon vous, que sa mère lui impose.

– Oui, c'est vrai, répondit Corinne Wallace, qui ne comprenait toujours pas où il voulait en venir.

– Il est certain qu'un garçon aussi agressif et destructeur que le Benjie que vous nous avez décrit n'aurait pas été immédiatement bourrelé de remords, si quelque chose que vous aviez fait ou dit n'avait provoqué chez lui une telle réaction.

– Je crains de ne pas vous suivre.

– Docteur, est-il possible que la malheureuse coïncidence en vertu de laquelle Benjie a plus ou moins l'âge de votre fils ait affecté votre jugement ? Qu'elle vous ait rendue plus sensible à sa situation ? Qu'elle vous ait rendue exagérément prudente ? Exagérément soupçonneuse ? Capable de conclure trop vite qu'il était victime de sévices ?

– Non !

– Etes-vous en train de dire à la cour que vos réactions ne sont absolument pas influencées par la ressemblance entre votre patient et votre fils ?

— Oui.

— J'ai vu la photographie en question, docteur.

— Et alors ?

— Il est évident qu'il existe une ressemblance frappante entre ces deux enfants, surtout au niveau des yeux.

Cette fois, Sim Freedman bondit.

— Votre Honneur, je trouve la stratégie de maître Levinson parfaitement scandaleuse. Il essaie d'attribuer au docteur Wallace...

— Qui êtes-vous, monsieur ? fit le juge en cognant du marteau sur son bureau. Et que faites-vous ici, à part vous immiscer dans cette procédure ?

— Je suis le docteur Simon Freedman, le pédiatre attaché au cas de Benjamin Jackson. Je sais comment le docteur Wallace s'en occupe, et je sais qu'elle ne s'est pas permis...

Le marteau du juge retentit une fois de plus.

— Docteur ! Docteur, vous compliquez cette affaire bien plus que vous ne l'imaginez. Si l'on doit vous appeler comme témoin, que faites-vous ici pendant l'intervention d'un autre témoin ? Maître Laval ne vous a donc pas expliqué cela ?

— Je ne suis pas ici en qualité de témoin, répondit Freedman.

— Que faites-vous ici, alors ?

— Je... Je soutiens moralement le docteur Wallace.

— Eh bien, j'ai une mauvaise nouvelle pour vous, docteur. Le soutien moral ne vous donne pas le droit d'interrompre cette audience. Je vous demanderai par conséquent de quitter cette salle !

Conscient d'avoir aggravé par sa maladresse la situation de Corinne, Freedman fit demi-tour et sortit de la salle à grands pas.

— Reprenons, maître ! ordonna Engelhardt.

— Docteur, avec tout le respect que je vous dois, je vous demande instamment de faire appel à votre mémoire et d'interroger votre conscience professionnelle. Pouvez-vous dire à ce tribunal s'il est possible que la manière dont vous vous êtes occupée de ce cas ait été influencée d'une manière quelconque par la similitude des âges et la ressemblance entre votre patient et votre fils ?

Corinne Wallace garda le silence. Puis :

— J'admets qu'il existe une ressemblance. Mais je conteste absolument avoir laissé cet élément influencer le moins du monde mes décisions et mon jugement professionnel.

— Je suis sûr, docteur, que vous admettrez qu'en dépit de toute leur pratique professionnelle, les psychiatres sont des êtres humains comme les autres. A ce titre, ils sont soumis aux mêmes émotions et aux mêmes faiblesses que n'importe lequel d'entre nous. Cela étant dit, niez-vous que cela aurait pu vous arriver *à votre insu* ?

— Quelle que soit la façon dont vous formulez votre phrase, maître Levinson, je récuse catégoriquement vos insinuations. Si n'importe quel autre patient des deux sexes, noir ou blanc, de cinq ou de vingt-cinq ans, avait présenté les mêmes symptômes, avait eu les mêmes gestes et les mêmes réactions, je serais arrivée aux mêmes conclusions et j'aurais pris les mêmes mesures que dans le cas dont nous parlons ! Mon jugement sur les patients et les traitements que je prescris n'ont jamais été affectés par la tragédie qui a frappé mon fils !

Levinson secoua la tête. Il n'avait pas l'air consterné de l'avocat qui a échoué à faire changer d'avis son témoin. Il avait l'air triste.

— Je dois avouer, fit-il, qu'une femme qui affirme une

chose pareille doit manquer singulièrement d'instinct maternel !

Hortense Laval se leva immédiatement.

— Objection ! J'exige que cette remarque ignoble soit rayée du procès-verbal !

Sans donner au juge le temps de réagir, Levinson prit les devants :

— Je retire cette phrase. Et je vous présente mes excuses.

Puis il entama la dernière phase de son offensive.

— J'ai encore une question à poser au témoin. Docteur, je ne me rappelle pas bien... Pendant votre témoignage, avez-vous apporté à ce tribunal la moindre preuve matérielle, en plus de vos propres observations et commentaires ?

— J'ai rapporté ce que mon patient a dit et fait.

Levinson fit mine de réfléchir à voix haute, comme si cette réponse ouvrait un nouveau champ d'investigation.

— Vous avez « rapporté » ce que votre patient a « dit et fait ». Eh bien, docteur, je ne suis pas un spécialiste de ce genre de procédure, mais il me semble... J'ai entendu dire, en tout cas, que les psychiatres qui traitent ce genre de cas conservent des enregistrements, sur bande magnétique et cassette vidéo, de ce que leur patient « dit et fait ». Je me trompe ?

— C'est une pratique courante, en effet.

— Mais vous n'avez pas joint ces documents, sonores ou vidéo, à votre témoignage.

— Non.

— Vous voulez dire que dans ce cas particulier, vous n'avez pas suivi la « pratique courante » ?

— J'avais une bonne raison...

– Oh ! j'en suis persuadé ! Et je suis tout aussi persuadé que la cour est impatiente de connaître cette raison.

Corinne Wallace se tourna vers le juge.

– Votre Honneur, il est courant, quand on interroge un enfant soupçonné d'être victime de mauvais traitements, notamment de sévices sexuels, de faire des enregistrements sonores et vidéo pour une analyse ultérieure et, le cas échéant, pour les futures procédures judiciaires.

– Je le sais parfaitement, la coupa le juge Engelhardt. Pourquoi ne l'avez-vous pas fait ?

– Un élément essentiel de cette procédure est que nous devons être absolument honnêtes avec l'enfant. Nous lui expliquons que tout ce qu'il dira va être enregistré. On peut même lui montrer les caméras et le magnétophone. C'est ce que j'ai fait, la première fois que j'ai interrogé Benjamin. Mais la deuxième fois, alors qu'il sentait peut-être qu'il pouvait me révéler ce qui se passait, il a refusé de parler si je n'éteignais pas ces appareils. Il ne me révélerait pas le secret, le terrible secret de sa mère. J'ai dû prendre une décision. Eteindre les caméras et le magnétophone. Ou perdre ce qui pouvait être la seule occasion d'entendre mon patient parler librement. J'ai pris la décision que je considérais comme la plus efficace sur le plan professionnel.

– Vous n'avez donc pas ces preuves formelles ? fit Engelhardt d'un air contrarié.

– Non, Votre Honneur.

Hortense Laval se leva :

– Votre Honneur, nous présenterons des preuves formelles d'une nature encore plus convaincante grâce à notre prochain témoin.

– Je l'espère, fit Engelhardt sceptique. Je l'espère vraiment.

Levinson était très satisfait. En mêlant habilement deux séries de questions, il avait établi, premièrement, que des libertés énormes avaient été prises avec la pratique psychiatrique normale ; deuxièmement, que l'état émotionnel du témoin pouvait parfaitement avoir été à l'origine de tels écarts. Cela diminuait l'impact de son témoignage. Cela pourrait peut-être même l'invalider tout à fait.

La dernière remarque du juge l'avait convaincu qu'il avait réussi.

— Plus de questions, fit-il, soulagé.

Il fourrait ses notes dans son porte-documents lorsque Hortense Laval, en sortant, passa devant lui.

— Comment se sent-on, maître, après une bonne journée de travail comme celle-ci ? murmura-t-elle, furieuse.

— Dégueulasse, avoua-t-il.

34

Plus tard dans l'après-midi, Hortense Laval appela la secrétaire du juge pour lui demander une audience à son bureau. La secrétaire l'informa que le juge avait pour principe de ne jamais recevoir seul un des avocats qui s'opposaient dans une affaire. Si cette rencontre avait lieu, ce serait en présence de maître Levinson. La jeune avocate aurait préféré éviter cela. Mais la secrétaire insista : le juge était inflexible là-dessus.

Bien que cela risquât de la priver de l'effet de surprise, Hortense Laval donna son accord.

Il était presque cinq heures quand on l'introduisit chez le juge. Elle fut étonnée de découvrir que Levinson était déjà là. En outre, le juge Engelhardt était en train de glousser en entendant une plaisanterie de son adversaire.

A son entrée, le sérieux reprit ses droits. Le juge se tourna vers elle, l'air grave.

— Eh bien, maître, qu'y a-t-il de si urgent et de si particulier que nous ne puissions discuter librement au tribunal durant les heures d'audience ?

— Ma cliente et moi devions d'abord prendre une décision.

— Votre décision étant prise, visiblement, en quoi cela me concerne-t-il ? Et maître Levinson ?

– Nous souhaitons que notre prochain témoin soit entendu *in camera*.

– Ici ? Dans ma salle d'audience ?

– Il m'est impossible d'accepter, intervint Levinson.

D'un geste, Engelhardt le fit taire.

– Je vous écoute, maître, dit-il à l'avocate.

– Votre Honneur, on va demander à cet enfant de rapporter des événements douloureux qui ont beaucoup d'importance dans sa vie. Des événements qui impliquent sa mère. En fait, il va l'accuser d'un crime abominable. Si elle se trouve à côté de lui à ce moment-là, les yeux fixés sur lui, cela peut provoquer chez lui un traumatisme insurmontable.

Levinson ne put retenir le plaideur qui sommeillait en lui.

– Ce « petit garçon » a presque onze ans, Votre Honneur ! Et nous savons qu'il a été reconnu coupable d'effraction et de tentative de vol dans un magasin. Il est loin d'être innocent, et sûrement assez effronté pour venir témoigner au tribunal. S'il doit accuser sa mère d'un « crime abominable », elle doit être là pour l'entendre. Comment puis-je la défendre si elle n'est pas en mesure d'entendre les accusations proférées contre elle et de m'informer de leur exactitude ou de leur inexactitude ?

– Vous aurez tout le temps qu'il faudra pour cela, répondit Hortense Laval. Nous vous fournirons une retranscription de son témoignage. Votre cliente et vous-même pourrez y répondre.

Levinson secoua la tête, l'air lugubre.

– Votre Honneur, ai-je besoin de rappeler à ma consœur notre droit constitutionnel élémentaire ? Le droit de l'accusé à faire face à son accusateur. Aucune exception n'est prévue, quels que soient l'âge, le sexe ou la race de l'accusateur !

– Les circonstances sont particulières, avança Hortense Laval. S'il ne s'agissait pas d'un enfant...

– Si cet enfant n'avait que quatre, cinq, six ou même sept ans, Votre Honneur, je ne dis pas... Mais c'est un garçon blasé, de onze ans ou presque. Non, j'insiste, nous avons le droit non seulement d'être présents, mais de procéder à un contre-interrogatoire si nous le désirons.

– Notre ami maître Levinson a tout à fait raison, maître, dit Engelhardt. L'enfant témoignera au tribunal !

– Dans ce cas, nous demandons que la poursuite de ces auditions soit renvoyée à deux jours.

– Sur quels motifs ? demanda Engelhardt.

– Nous avons besoin de temps pour préparer notre témoin, fit Hortense Laval.

– J'aimerais savoir quelle forme prendra cette « préparation », Votre Honneur. Le docteur Wallace va-t-elle lui apprendre *ce qu'il doit dire* ? Et maître Laval lui souffler *comment* le dire ? Je refuse tout ajournement. Si cet enfant doit dire la vérité, pourquoi aurait-il besoin d'une préparation ?

– Votre confrère pose une question fort pertinente, maître, fit le juge.

– Nous n'avons pas l'intention de lui dicter ce qu'il doit dire. Il dira simplement la vérité. Mais nous voulons qu'il subisse le moins possible le stress qui accompagne les témoignages en justice. Vous avez vu assez de témoins adultes souffrir de ce tourment. Imaginez l'effet que cela peut produire sur un enfant.

Engelhardt semblait dubitatif. Mais une autre question le troublait.

– Cela pose un autre problème... Un conflit entre la mère d'un patient et un hôpital, c'est une chose. Mais vous décidez d'appeler l'enfant à témoigner... J'aurais dû désigner un avocat pour l'enfant dès le début. Le faire maintenant, former un avocat au dossier, prendrait beaucoup trop de temps...

Il réfléchit encore un instant, puis :

– Eh bien, je ferai moi-même fonction d'avocat de l'enfant dans cette affaire.

En guise de mise en garde à l'intention d'Hortense Laval, il ajouta :

– Je vous préviens, je peux être redoutable. Maintenant, que me demandez-vous ?

– Deux jours. Et la permission d'utiliser votre salle d'audience un des deux jours.

– Utiliser ma salle d'audience ? fit Engelhardt comme si l'on menaçait sa juridiction.

– Oui, dit Hortense Laval.

– Puis-je vous demander pour quoi faire ?

– Pour nous aider à préparer notre témoin.

– Maître ? fit le juge en se tournant vers Levinson.

– Je m'oppose à cette idée, Votre Honneur. Mais si vous avez l'intention d'accéder à cette requête pour le moins inhabituelle, je retirerai mon objection, à condition d'être autorisé à être présent et à observer ce qui se passe.

– Pour autant qu'il n'y ait pas intrusion, nous n'avons aucune objection, fit Hortense Laval.

– Eh bien, affaire conclue, annonça Engelhardt.

Le lendemain matin, le petit tribunal d'Engelhardt était obscur et désert. Pas de plaideurs, pas d'avocats, pas de témoins ni de spectateurs.

A neuf heures précises, comme il en avait reçu l'ordre, le planton en uniforme ouvrit les lourdes portes en chêne et se dirigea vers le compteur électrique. Il actionna trois interrupteurs. Tous les plafonniers s'allumèrent. Il revint à la porte :

– Parfait, maître, vous pouvez disposer des lieux.

Hortense Laval, le docteur Corinne Wallace et le petit Benjamin Jackson entrèrent. Bernard Levinson les suivait de près. Il s'assit lourdement au troisième rang, sur le siège le plus proche de l'allée. Prêt à observer la scène. Et, si nécessaire, à protester. Quand Benjamin et les deux femmes arrivèrent devant la rampe qui séparait le public des parties en présence, le docteur Wallace lui dit :

– Regarde autour de toi, Benjamin. Regarde bien cette salle.

Il prit son temps, examina la salle d'audience, le plafond, les bancs du public, les tables de la défense et de l'accusation, l'estrade où siégeait le juge, le box des témoins, en un long panoramique de trois cent soixante degrés.

– Nous ne sommes pas à la télévision, Benjamin. C'est un vrai tribunal. Et il y aura un vrai juge. De vrais avocats et de vraies personnes. Ici, on fait venir des gens pour les entendre. C'est ce qu'on appelle des témoins. Après-demain, c'est toi qui seras appelé à la barre des témoins. Nous allons répéter, étape par étape. Pour commencer, nous allons entrer, comme nous venons de le faire. Tous les trois, maître Laval, toi et moi, nous allons nous asseoir à notre table.

Hortense Laval et Corinne Wallace firent ce que cette dernière avait dit. L'avocate avança une chaise pour Benjamin. Il hésita, jusqu'au moment où le docteur tapota le siège.

Dès qu'il fut assis, l'avocate se leva et s'adressa à la table du juge, comme si le magistrat était là.

— Votre Honneur, je souhaite appeler mon témoin, Benjamin Jackson.

Corinne Wallace le fit se lever. Debout, il attendit l'ordre suivant.

— C'est maintenant que tu dois aller jusqu'au box des témoins, expliqua le docteur.

Il s'avança lentement et rejoignit l'avocate, qui l'attendait devant le box.

— Bien, Benjamin. Tu te rappelles ce qui se passe ensuite, tu as déjà vu ça à la télévision ?

Il acquiesça.

— Ouais... C'est à ce moment-là qu'ils disent : « Est-ce que vous jurez de dire la vérité », tout ça, et que Dieu vous vienne en aide.

— Oui, sauf que le juge peut te demander si tu sais ce qu'est un serment. Tu sais ce que c'est ?

Manifestement, le mot le déroutait.

— Un serment, lui expliqua Hortense, c'est quand tu jures de dire la vérité.

— Oh ! je dirai oui, si c'est ça qu'il veut ! répondit vivement Benjamin.

— Et si le juge te demande ce qu'est un serment ?

Il était perplexe, car ça devenait un peu plus compliqué.

— S'il te demande quelle est la différence entre dire la vérité et dire un mensonge ?

— La plupart des gens disent que c'est mal de mentir. La plupart.

— Et toi, qu'en penses-tu ? lui demanda Hortense.

— Je crois que c'est mal de mentir.

– C'est ce qu'il faudra répondre au juge, s'il te le demande.

Hortense Laval entendit Levinson qui s'éclaircissait la gorge en guise d'avertissement. Elle se tourna vers lui :

– Je lui demande simplement de répéter au juge ce qu'il vient de me dire.

Elle revint à Benjamin.

– Benjamin, si le juge est satisfait de ta réponse, le secrétaire te demandera ton nom. Tu le lui diras. Puis tu iras dans le box des témoins... Eh bien, fais-le, vas-y.

Elle l'encouragea, d'une légère pression sur l'épaule. Il monta la marche et entra dans le box.

– Assieds-toi, Benjamin.

A côté du fauteuil, il semblait tout petit... Son regard balaya le tribunal.

– Le juge sera là, sur cette estrade, et il te regardera. Je commencerai à te poser des questions. Tu devras y répondre franchement. Peu importe ce que diront les gens qui se trouveront dans la salle, et ce qu'ils feront. Tu dois répondre franchement à toutes les questions. Quand je t'interrogerai. Quand maître Levinson t'interrogera. Ou encore si le juge te pose des questions. Tu réponds franchement. Tu comprends ?

– Oui, madame, répondit-il d'un ton respectueux.

– Bon, il y a autre chose, Benjamin...

Elle s'approcha de la table de l'accusation, déserte pour le moment.

– Maître Levinson, qui se trouve maintenant dans le fond de la salle, sera assis ici. Mais il ne sera pas seul. Il y aura deux autres personnes avec lui. Ta mère. Et ta grand-mère.

Corinne Wallace vit que l'enfant se raidissait.

– Benjamin, poursuivit Hortense Laval, même si elles sont là, même si elles ont les yeux fixés sur toi, parce que tu es un témoin, il faudra toujours dire la vérité. Est-ce que tu comprends ?

Il hocha la tête. Mais il était évident que cela lui coûtait.

– C'est pour cela que tu seras là. Pour dire la vérité.

De nouveau, il hocha la tête.

– Recommençons depuis le début. Retourne à la table. Nous repartirons de là.

Dès qu'il se fut assis à côté du docteur Wallace, Hortense Laval se leva et annonça :

– Votre Honneur, j'appelle mon témoin, Benjamin...

Elle s'interrompit.

– Maître Levinson, puisque vous êtes là, puis-je vous demander... ?

Elle lui fit signe d'approcher et de prendre place derrière la table de l'accusation. Il se leva à contrecœur et s'avança dans l'allée pour jouer un rôle dans un exercice qu'il n'approuvait pas.

Hortense Laval recommença. Elle appela Benjamin à la barre. Cette fois il se leva sans qu'on ait besoin de l'encourager. Il alla vers le box. Sans qu'on le lui demande, il leva la main droite pour prêter serment. Mais Hortense l'arrêta :

– Laisse le juge décider s'il veut que tu prêtes serment ou pas. Il te posera peut-être les questions dont on parlait tout à l'heure, sur la vérité et le mensonge.

Elle lui fit signe d'entrer dans le box des témoins et de s'asseoir.

– Regarde la salle d'audience autour de toi, regarde tout le monde. Moi. Le docteur Wallace. Maître Levinson. Ta maman. Ta grand-mère. Le juge. Tout le monde.

Depuis le fauteuil des témoins, il surplombait la salle.

Corinne Wallace l'observa attentivement, en quête d'un changement. Il semblait un peu moins tendu que tout à l'heure. Hortense Laval lui fit répéter le rituel encore trois fois. Chaque fois, il semblait un peu plus à l'aise. Chaque fois, l'avocate lui répétait :

— Dis la vérité. Tu n'as rien d'autre à faire. Peu importe qui t'interroge, maître Levinson, le juge ou moi. Tu dois dire la vérité. Tu as compris ?

Il acquiesçait, chaque fois un peu plus assuré.

Hortense Laval s'approcha de la table de la défense et dit doucement au docteur Wallace :

— Il est prêt.

35

Le surlendemain matin, à dix heures précises, le juge Gustav Engelhardt prit place dans sa petite salle d'audience. Devant lui, à la table de la défense, il vit Hortense Laval et le docteur Corinne Wallace. Et le petit Benjamin Jackson, dont les yeux bleus le fixaient avec appréhension – sans doute à cause de ce que lui avait dit l'avocate l'avant-veille. A l'autre table, étaient assis Bernard Levinson, sa cliente, Melissa Jackson, et la mère de cette dernière.

La tension entre les deux groupes était tangible. Le juge se dit qu'il fallait absolument la refréner. Il souhaitait que l'affaire se règle dans la dignité requise par l'honneur de la justice. Pour éviter toute interruption extérieure, voulue ou non, il ordonna :

– Que le planton verrouille la porte !

Levinson attaqua immédiatement.

– Votre Honneur, au nom de ma cliente, j'ai le devoir de protester. C'est un viol de son droit constitutionnel à un procès équitable et public !

– Mettez-vous en doute mon impartialité dans cette affaire, maître Levinson ?

Aucun avocat n'oserait répondre à cela par l'affirmative.

– Bien sûr que non, Votre Honneur. Mais sur la question du droit fondamental de ma cliente à obtenir un procès public...

– Maître, sur cette question, vous allez devoir me traîner devant la Cour suprême. Je ne permettrai pas qu'un témoignage comme celui que nous allons entendre soit donné en pâture aux vautours de la télévision et de la presse à sensation. Planton, qu'on ferme la porte !

Dès que ce fut fait, il se tourna vers Hortense Laval :

– Maître, vous pouvez appeler votre témoin.

– J'appelle à la barre... Benjamin Jackson.

Comme on le lui avait appris, le garçon se leva et se dirigea vers le box des témoins. Quand il passa entre les deux tables, sa mère ne put s'empêcher de tendre la main pour le toucher.

– Madame Jackson ! l'avertit le juge.

– Pardonnez-moi, Votre Honneur, mais je n'ai pas vu Benjie depuis...

– Madame, la coupa le juge, à partir de cet instant je vous interdis de dire ou de faire quoi que ce soit ! Un mot, un geste, et je vous expulse de ce tribunal !

Melissa Jackson baissa les yeux. Ce n'est qu'après un certain temps qu'elle osa regarder le juge.

Selon la procédure normale, le secrétaire s'avança avec une bible pour faire prêter serment au témoin. Mais le juge le devança :

– Benjamin, sais-tu ce que ça signifie, quand on pose la main sur la Bible ?

– Oui, monsieur, il faut lever l'autre main. Comme ça.

– Je veux dire, est-ce que tu sais ce que ça signifie de poser la main sur la sainte Bible et de jurer de dire la vérité, toute la vérité et rien que la vérité ?

– Oui, monsieur, ça s'appelle un serment, répondit Benjamin.

– Et qu'est-ce que ça veut dire ?

– Que je dois dire la vérité.

– Il faudra t'en souvenir. Secrétaire, faites-lui prêter serment.

Cela étant fait, Benjamin monta dans le box des témoins et s'assit sur le bord du fauteuil. Il essayait de regarder droit devant lui, mais il ne pouvait éviter le regard implorant de sa mère. Alors il fixa le docteur Wallace. Il se sentait bien plus à l'aise ainsi.

Quand il eut décliné son identité au sténographe, Hortense Laval s'approcha de lui et commença à l'interroger.

– Benjamin, est-ce que tu connais le docteur Wallace ?

– Oui, madame.

– J'aimerais que tu dises au juge dans quelles circonstances tu l'as connue.

– J'étais... Je faisais comme qui dirait... Je faisais des bêtises...

– Quel genre de bêtises ?

– Je séchais l'école... je me bagarrais... je cassais des affaires... pas les miennes... les affaires d'autres enfants... des choses comme ça. Je faisais toujours des choses que maman m'interdisait.

– Benjamin, quand tu dis « je faisais toujours des choses que maman m'interdisait »... est-ce que ça arrivait souvent ?

– Ouais, je crois. Ma maman, vous voyez, elle est plutôt sévère. Elle dit toujours que je dois me conduire comme il faut. Que je dois faire ci et pas faire ça. Mais il y a un million de fais-ci et deux millions de fais-pas-ça. Alors j'ai tout le temps des problèmes avec elle. Si bien qu'un jour, elle a dit qu'elle ne pouvait rien tirer de moi, et elle m'a envoyé chez tante Sophie. Mais au bout de quelque temps, tante Sophie m'a conduit à cet endroit, où le docteur travaille. Je ne voulais pas y aller. Je ne voulais pas que quelqu'un d'autre me dise ce que je devais faire... et surtout je ne voulais pas que quelqu'un, n'importe qui, s'occupe de ce que j'ai dans la tête...

— Que s'est-il passé quand ta tante Sophie t'a emmené là-bas ?

— J'ai commencé par casser des choses... les affaires des autres enfants.

— Et puis ?

— Cette dame... Je ne savais pas que c'était le docteur Wallace... Elle est venue me chercher, elle m'a emmené dans son bureau, et on a parlé.

— Parlé ? De quoi ?

— De certaines choses.

— Certaines choses en particulier ? demanda Hortense Laval.

— Pas vraiment. Je ne m'en souviens pas.

— Et puis ?

— Et puis je ne suis plus retourné là-bas. Pendant un certain temps, en tout cas. Jusqu'au jour...

Benjamin s'interrompit brusquement.

— Jusqu'au jour... ?

— C'est la fois où je me suis enfui. J'ai rencontré un type. Il m'a expliqué comment je pouvais gagner cinquante dollars. Alors j'ai fait comme il disait. J'ai grimpé dans la bouche d'aération, au supermarché, et je suis entré dans le magasin. J'étais prêt à faire ce qu'il m'avait demandé quand cette saloperie d'alarme...

Il réalisa que son langage ne convenait pas dans un tribunal. Il leva les yeux vers le juge, qui le regardait, penché au-dessus de son bureau.

— Désolé, monsieur.

— Continue !

— Alors la police est arrivée et elle m'a arrêté.

— Que s'est-il passé ensuite ?

— Le docteur Wallace et l'autre docteur, le docteur Freedman, sont venus me chercher. Je crois que c'est parce qu'elle s'inquiétait pour moi. Ou qu'elle m'aimait bien, j'sais pas...

— Benjamin, quand tu parlais avec le docteur Wallace, est-ce que tu t'entendais toujours bien avec elle ? Je veux dire, est-ce que tu étais toujours d'accord avec elle ?

— Non, madame.

— Il t'est arrivé de te mettre en colère contre elle ?

Benjamin hésita un instant avant de répondre.

— Oui, madame.

— Est-ce qu'il est arrivé que tu te mettes *vraiment* en colère contre elle ?

— Je me suis mis en colère des tas de fois. Elle me posait toujours les mêmes questions.

— Et ça te mettait en colère ?

— Oui, madame.

— Pourquoi ? demanda Hortense Laval.

— Sais pas... Peut-être parce que je n'aime pas répondre aux questions.

— Est-ce qu'il est arrivé que tu sois en colère contre elle au point de faire quelque chose ? D'abîmer quelque chose qui se trouvait sur son bureau, par exemple ?

Benjamin baissa les yeux sur ses mains serrées, posées sur ses genoux.

— Ouais. Il y avait une photographie sur son bureau. Dans un beau cadre, avec du verre et tout. Je l'ai pris et je l'ai cogné sur le coin du bureau. Ça l'a mis en miettes. Et j'ai bien vu que ça faisait beaucoup de peine au docteur.

— Que s'est-il passé ensuite, Benjamin ?

– Je... J'étais vraiment mal... Comme si j'avais quelque chose à l'estomac... J'ai voulu lui dire que je regrettais vraiment.

– Qu'as-tu fait ?

– Elle était dans son fauteuil, là... Je suis allé vers elle, et je me suis assis sur ses genoux pour me réconcilier avec elle.

– Pourquoi as-tu fait cela, Benjamin ?

– Parce que je fais toujours ça quand je veux me réconcilier, répondit-il.

– Que s'est-il passé ?

– Rien. Elle ne savait pas comment faire. Alors j'ai dû... j'ai dû lui montrer.

– Comment lui as-tu montré ?

A ce moment précis, Melissa se mit à haleter si bruyamment que le regard de son fils, qui était parvenu jusque-là à l'éviter, se fixa sur elle. Il se raidit et resta silencieux. Elle continua à haleter, comme si elle avait une crise d'asthme. Levinson lui versa un verre d'eau, mais sa crise l'empêchait d'avaler une goutte. L'avocat se leva et s'adressa au juge.

– Votre Honneur, ma cliente semble victime d'un malaise de nature indéterminée. Puis-je vous demander une brève suspension de séance ?

– Bien sûr, fit Engelhardt. Quinze minutes !

Tandis que Levinson escortait sa cliente à l'extérieur du tribunal, le juge Engelhardt se pencha vers son jeune témoin.

– Si tu as besoin d'aller aux toilettes, fiston, c'est le moment ou jamais. Ou si tu veux boire un peu d'eau.

Mais Benjamin était trop sonné, même pour répondre au juge. Il resta là, sans bouger. Ses grands yeux bleus fixaient un point dans le vide. Il essayait de se dissocier de cette situation qui faisait tant souffrir sa mère. Il ne l'avait jamais vue, auparavant, victime d'une crise de ce genre.

Elle va peut-être mourir, se dit-il, il y a des gens qui meurent de choses comme ça. Dix fois par jour, on entend les sirènes des ambulances qui emmènent les gens aux urgences. Et le soir, à la télévision, on apprend qu'une femme est morte avant d'arriver à l'hôpital. Ça arrive tout le temps, ça arrive tout le temps.

Il pensa à toutes les mises en garde de sa mère, à toutes les fois où elle lui avait dit ce qui lui arriverait, à elle, s'il trahissait leur secret. Il avait envie de sauter de ce fauteuil, de sortir à toute vitesse du tribunal et de s'enfuir. Peu importe où il irait. L'important, c'était de partir en courant ! Mais la peur le paralysait.

Le quart d'heure de suspension s'était écoulé trop lentement pour tout le monde. Le docteur Wallace ne connaissait que trop bien la raison de la mise en scène de Melissa. Pour Hortense Laval, la suspension avait interrompu le témoignage de Benjamin à un moment crucial. Le juge Engelhardt, conscient de tous ces facteurs, était impatient d'aller au plus vite au fond de ce témoignage.

Levinson finit par rentrer, seul. Il expliqua à la cour que sa cliente avait besoin d'un autre quart d'heure pour se reprendre et retrouver son souffle.

— Si elle a besoin d'un médecin, proposa le juge, je vous rappelle que nous en avons un de permanence, toujours prêt, en cas d'urgence.

— Oh non ! ce ne sera pas nécessaire, fit Levinson très vite.

Cet avocat donne de fichus bons diagnostics, se dit Corinne Wallace. Surtout pour les crises simulées. Mais elle ne pouvait rien faire.

Dès que la plaignante eut retrouvé une respiration normale et repris sa place à la table de l'accusation, le juge Engelhardt ordonna à Hortense Laval de poursuivre son interrogatoire.

— Benjamin, fit l'avocate, nous parlions de ce qui se passait avec le docteur Wallace. Tu étais sur ses genoux, et elle ne savait pas ce qu'elle était censée faire... Tu te rappelles ?

— Oui, madame.

— Que s'est-il passé, ensuite ?

— Je... Il fallait que je lui montre...

— Qu'as-tu fait ? Dis-le au juge.

— Je... je...

Benjamin était incapable de continuer.

— Qu'as-tu fait, Benjamin ? Il faut que tu dises la vérité au juge.

— Je... J'ai juste baissé la fermeture Eclair... de mon pantalon.

— Et ensuite ? Qu'as-tu fait ?

Les rides qui se creusaient sur son front témoignaient de la violence du conflit qui se déroulait en lui. Finalement, il ne trouva pas la force de répondre. Hortense Laval essaya de l'encourager.

— Benjamin... qu'as-tu fait ensuite ?

Il ne pouvait pas répondre. Son regard était fixé au-delà d'Hortense Laval, loin de sa mère, loin de Corinne Wallace. Il aurait voulu se trouver n'importe où sur cette Terre, mais pas dans cette salle d'audience, à faire ce qu'il faisait.

Le docteur Wallace se leva et s'adressa au juge.

— Puis-je vous parler quelques instants ?

Levinson se dressa immédiatement :

— Votre Honneur ?

– Je suis sûr, maître Levinson, que le docteur Wallace sait parfaitement qu'il ne peut s'agir d'une réunion *ex parte*. N'est-ce pas, docteur ?

– Je n'ai rien à redire à la présence de maître Levinson, répondit-elle.

– Nous allons nous retrouver dans mon antichambre. Je suspends la séance jusqu'à mon retour.

Il frappa un coup de marteau et descendit de son estrade.

Dans l'antichambre, le juge Engelhardt se servit une tasse de café. Il en proposa une au médecin et à Levinson, qui refusèrent. Il se renversa en arrière dans son fauteuil et avala une gorgée.

– Docteur, je vous écoute.

– Votre Honneur, j'ignore si vous avez présidé beaucoup d'affaires de sévices perpétrés sur des enfants...

– Trop pour pouvoir les compter, dit-il.

– Alors vous devez savoir ce qu'un enfant éprouve quand on le contraint à témoigner contre un de ses parents. Ici, il s'agit même d'un parent unique puisque Benjamin n'a jamais connu son père. Il rechigne, naturellement, à dire quoi que ce soit qui pourrait faire du mal à sa mère. Or, c'est exactement ce que nous lui demandons.

– Chère madame, vous ne pensez pas que je sais déjà tout cela ? demanda le juge.

– Parfait ! Car j'ai l'intention de vous demander de modifier la procédure en vigueur dans votre tribunal.

– Ce qui veut dire ? demanda le juge d'une voix doucereuse.

– Je voudrais poursuivre moi-même l'interrogatoire du témoin.

– A la place de maître Laval ?

– Je suis beaucoup plus proche de ce garçon. Je pense qu'il se sentira plus à l'aise avec moi. Plus libre de parler.

Le juge avala une autre gorgée de café.

– Levinson ?

L'avocat était face à un conflit intérieur. Sa compassion pour le témoin en proie à ses tourments s'opposait à son devoir de défendre les intérêts de sa cliente. Sa conscience professionnelle exigeait qu'il fût au service de cette dernière, dont il désapprouvait totalement les buts et les intentions.

– Je dois dire ceci, Votre Honneur – officieusement, bien entendu. Je considère que cet écart vis-à-vis de la procédure est plein d'embûches. Comment pouvez-vous être sûr, par exemple, ou comment puis-je être sûr que le docteur, malgré toutes ses bonnes intentions, n'exerce pas une influence sur le témoin ? Après tout, il est placé sous sa garde depuis des semaines. Elle le voit tous les jours. Je n'ai aucun moyen de savoir ce qu'elle lui a dit...

– Je n'ai pas essayé de l'influencer, d'aucune manière... sauf pour qu'il dise la vérité ! déclara Corinne Wallace. Parce que l'expression de la vérité est le nœud de l'affaire.

– Je ne formule aucune accusation contre vous, docteur. Je n'ai pas dit que vous aviez indûment influencé cet enfant. Mais vous devez admettre que nous ne sommes pas à l'abri d'une influence involontaire. Ce processus que vous, les psychiatres, appelez le transfert. L'enfant peut s'être attaché à vous au point qu'il dira tout et fera tout pour vous faire plaisir. Même si vous ne le lui avez jamais demandé. Et même si ce n'est pas la vérité.

– Docteur ? fit le juge, relayant la question de Levinson.

– Vous voyez ce qui se passe, Votre Honneur. La mère de cet enfant ne le quitte pas des yeux. Elle le supplie, elle le met en garde, elle le menace pour qu'il ne dise pas la vérité. Parce que la vérité pourrait lui coûter le seul parent qu'il ait jamais connu, le seul foyer qu'il ait jamais eu. Croyez-vous que dans ces conditions, vous l'entendrez, la vérité ?

Le juge réfléchit un instant, puis se tourna vers Levinson.

– Maître, si le docteur promet de ne pas essayer d'influencer le témoin, de ne pas lui suggérer des réponses ou des idées, acceptez-vous qu'elle l'interroge ?

– Seulement si l'on m'autorise à interrompre l'interrogatoire à tout moment, si j'estime qu'elle va trop loin, fit-il.

– Docteur ?

– Bien sûr.

– Parfait, déclara le juge.

36

Quand le juge, Levinson et le docteur Wallace regagnèrent la salle d'audience, ils trouvèrent Benjamin de retour à la barre des témoins, Hortense Laval debout à côté de lui, comme pour le protéger contre ce que sa mère pourrait faire ou dire pour l'influencer. Melissa Jackson et sa mère, côte à côte à leur table, chuchotaient. Il était évident que Melissa avait pleuré, car sa mère lui tamponnait les yeux avec un mouchoir humide.

Corinne Wallace prit Hortense Laval à part pendant un moment, et elles eurent une brève conversation chuchotée.

Le juge prit place.

– Docteur...

Corinne Wallace se dirigea vers la barre des témoins. Elle vit combien son patient était tendu. Comme s'il la suppliait de ne pas lui poser de questions.

– Benjamin, je veux que tu te détendes. Personne ne te fera de mal. Tout ce que nous voulons, c'est que tu dises la vérité au juge. Alors il te protégera. C'est son travail. Protéger les enfants. Tu n'as donc aucune raison de t'inquiéter. Contente-toi de répondre à mes questions. Tu as compris, Benjamin ?

Il acquiesça, toujours très inquiet.

– Maintenant, Benjamin, revenons en arrière. Tu parlais au juge de la photographie qui se trouve sur mon bureau.

— Oui, docteur.

— Est-ce que tu savais qui était sur cette photographie ?

— Oui...

— Qui cela ?

— Votre fils...

— Est-ce que tu le savais quand tu as cassé le cadre ?

Il hésita.

— Je le savais...

— Est-ce pour cela que tu l'as cassé ? Parce que tu étais jaloux de lui ?

— Je crois...

— Est-ce que tu savais, quand tu l'as cassé, que ça me ferait de la peine ?

Il ne répondit pas. Elle insista :

— Benjamin, est-ce que tu savais, quand tu l'as cassé, que ça me ferait de la peine ?

— Ouais, admit-il.

— Est-ce que tu te rappelles pourquoi tu voulais me faire du mal ?

Il secoua la tête.

— Tu dois répondre, fiston, le pressa le juge.

— Non, docteur...

— Mais tu te rappelles ce qui s'est passé juste après ?

— Oui...

— Dis-le au juge.

— Comme je l'ai déjà dit... Je suis allé sur vos genoux.

— Et puis ?

— Et puis... Et puis...

Il luttait avec les mots. Il avait la bouche tordue, comme s'ils étaient là, prêts à sortir, mais qu'il n'osait pas les prononcer.

Elle se retint de l'encourager. Il fallait lui donner le temps de rassembler la volonté nécessaire pour raconter ce qui s'était passé.

Mais il était incapable de continuer. Alors elle lui rappela :

— Tu as déjà dit au juge que tu avais baissé la fermeture Eclair de ton jean. Explique-lui pourquoi tu as fait cela.

Il secoua la tête.

— Benjamin ? Dis au juge pourquoi tu as fait cela, insista Corinne Wallace.

Les mains serrées sur ses genoux, raide comme une statue, il regardait fixement devant lui, s'efforçant d'éviter le regard du docteur Wallace. Il semblait avoir perdu l'usage de la parole.

Le juge Engelhardt décida d'intervenir.

— Ecoute, fiston, tu as prêté serment. Rappelle-toi ce que tu m'as dit : prêter serment, ça signifie que tu dois dire la vérité. Alors réponds au docteur.

— Benjamin, pourquoi as-tu baissé la fermeture Eclair de ton jean ?

— Je... Non, je n'ai pas fait ça, parvint-il à articuler.

Le juge était stupéfait. Il s'empourpra. Il se pencha vers le garçon. Il le surplombait presque.

— Est-ce que j'ai bien entendu, fiston ? Tu as dit que tu n'avais pas défait ta fermeture Eclair, c'est ça ?

— Oui, monsieur, fit Benjamin après un court silence. C'est ce que j'ai dit.

Sur ces mots, il tourna le dos à Corinne Wallace et au juge et fixa le mur derrière lui.

— Puis-je rafraîchir la mémoire du témoin ? demanda Corinne Wallace.

Levinson se leva immédiatement.

– Votre Honneur ! s'exclama-t-il. Je dois rappeler notre accord sur l'interdiction d'instruire le témoin...

– Approchez-vous !

Dès qu'ils se retrouvèrent devant la table du juge, celui-ci s'adressa à eux. Il chuchota, mais il parlait d'un ton sec.

– Maître, nous nous trouvons à un point très étrange et très délicat de cette affaire. Nous devons aller jusqu'au fond. Vous allez devoir me faire confiance pour faire la différence entre « rafraîchir la mémoire du témoin » et lui « bourrer le crâne ». A la seconde même où j'aurai le sentiment que le docteur exerce une influence indue sur celui-ci, non seulement je mettrai fin à son interrogatoire, mais je l'expulserai de ce tribunal. Cela vous semble juste, maître Levinson ?

– Oui, Votre Honneur. A condition que je conserve mon droit au contre-interrogatoire.

– Bien entendu.

Ils regagnèrent leur place – Levinson et Hortense Laval à leurs tables respectives, Corinne Wallace devant le témoin.

– Vous pouvez continuer, docteur.

– Benjamin...

Il la coupa brusquement :

– Benjie.

Elle était prise de court par ce retour soudain à son diminutif. Est-ce qu'il était en train de subir un processus de régression psychologique ? En dépit de tout le travail qu'ils avaient accompli ensemble, est-ce qu'il était redevenu le petit garçon perturbé et rebelle du début ? Ou se servait-il simplement de ce nom pour faire plaisir à sa mère, qu'il trahirait tout à l'heure, quand il révélerait au juge son terrible secret ? Corinne Wallace n'avait pas le temps d'étudier les différentes hypothèses, car Engelhardt attendait avec impatience les révélations promises. Il fallait qu'elle accélère le mouvement.

— D'accord, *Benjie*. Veux-tu dire au juge... Est-ce que tu m'as dit que chaque fois que tu désobéissais à une des règles édictées par ta maman, un des nombreux fais-ci ou ne-fais-pas-ça, elle avait l'habitude de te prendre sur ses genoux ? Est-ce que tu m'as dit ça ?

— Non, docteur.

Le juge Engelhardt se pencha vers le témoin.

— Benjamin..., reprit Corinne Wallace.

Il la corrigea de nouveau :

— Benjie !

— *Benjie*. Est-ce que tu te rappelles m'avoir raconté comment elle baissait la fermeture Eclair de ton jean...

Il ne la laissa pas finir sa phrase.

— Non, je n'ai jamais dit ça.

— Qu'elle mettait la main dans ton jean pour chercher ton « truc »...

— Non ! Non !

— Tu ne te rappelles pas m'avoir dit qu'elle sortait ton « truc » et...

— Non ! Jamais ! Ça n'est jamais arrivé ! Jamais ! Jamais !

Une fois de plus, Benjamin tourna le dos au docteur et au juge et fixa le mur.

Engelhardt décida de lui poser lui-même quelques questions.

— Tourne-toi vers moi, fiston. Regarde-moi en face !

Benjamin se retourna lentement.

— Regarde-moi !

Benjamin leva les yeux jusqu'à son visage.

— Eh bien, fiston, explique-moi ça ! Tout à l'heure, tu

me dis que ta mère avait défait la fermeture Eclair de ton pantalon. Maintenant, tu me dis que ce n'est pas vrai. Quand as-tu dit la vérité ? La première fois ou la seconde ?

— Cette fois-ci, murmura Benjamin.

— Et quand le docteur t'a demandé ce que ta mère faisait, que tu as répondu qu'elle ne faisait rien de tout ça, tu disais aussi la vérité ?

— Oui, monsieur.

— Votre Honneur..., intervint Corinne Wallace.

Le juge la fit taire d'un ton sec :

— Votre tour viendra, docteur !

Il se tourna de nouveau vers l'enfant :

— Dis-moi, Benjie, sais-tu pourquoi tu es ici maintenant ?

— Le docteur veut me retirer à ma mère...

— Sais-tu pourquoi ?

— Non, monsieur. J'aime ma maman.

— Ce n'est pas la question que je t'ai posée, fiston. Je t'ai demandé pourquoi le docteur Wallace veut te retirer à ta mère ?

— Parce que... A cause de certaines choses que j'ai dites... sur ma maman.

— Quel genre de choses ? demanda le juge.

— Si vous permettez, Votre Honneur, je peux vous expliquer..., fit Corinne Wallace.

— Docteur ! C'est moi, désormais, qui mène cet interrogatoire.

Il se tourna vers Benjamin.

— Quel genre de choses, fiston ?

— Que ma maman prenait mon « truc ». Et qu'elle l'embrassait. Et que ça faisait du bien. Ce genre de choses.

— Est-ce que des choses semblables sont arrivées, fiston ?

– Non, monsieur.

– Mais tu as dit le contraire au docteur ?

– Oui, monsieur.

– Pourquoi avoir dit ces mensonges au docteur ?

– Parce que.

– Parce que *quoi* ? insista le juge.

– Parce que... Parce que ma maman est toujours sur mon dos. Tout le temps en train de dire : « Fais ci, fais ça. Fais pas ci, fais pas ça... » Des millions de fais-ci et des millions de fais-pas-ça. Tout ce que je faisais, ça m'attirait une punition. Un jour, j'ai décidé de me venger. Alors j'ai inventé. J'ai tout inventé. Peut-être que maintenant elle me fichera la paix...

Le juge Engelhardt resta un moment silencieux. Il s'écria soudain :

– Docteur ! Maîtres ! Je vous attends dans mon antichambre !

Cette fois-ci, il ne prit pas le temps de s'asseoir ni de se détendre avec une tasse de café. Il arpenta le bureau devant ses trois interlocuteurs, comme un officier indigné.

– Qu'est-ce qui se passe, ici, bon Dieu ? grogna-t-il. Un gosse vient dans mon tribunal, il nous raconte une histoire, et cinq minutes plus tard il nous en sert une autre complètement différente. Puis il avoue que tout ça n'était qu'un tissu de mensonges...

– Votre Hon..., dit Corinne Wallace.

Il la coupa si abruptement qu'elle n'eut pas le temps de finir sa phrase.

– Je vais vous dire ce que je pense. Ce témoin, ce malheureux garçon, a subi un lavage de cerveau. Il a été préparé... par vous, docteur, à me livrer le scénario que vous avez concocté ! Oh ! au début, il a essayé de suivre vos instructions ! Jusqu'au moment où il a regardé sa mère en face. Du coup, il n'a pas pu aller plus loin. Tant que c'était maître Laval qui l'interrogeait...

» Et vous... docteur ! Vous qui avez entraîné cet enfant à dire ce qu'il fallait, vous venez me voir, et vous me dites : *Laissez-moi m'en occuper et je lui ferai dire la vérité !* En fait, on dirait bien que quand on le pousse à dire la vérité, tout votre scénario se dissout de lui-même. Docteur, est-ce que vous réalisez dans quel imbroglio juridique vous vous trouvez ? Est-ce que vous avez entendu parler de la subornation de témoin ? Ça s'applique à tout le monde. Pas uniquement aux avocats, mais à n'importe quelle personne qui aide ou incite quelqu'un qui témoigne devant un tribunal à commettre le parjure ! Si vous avez quelque chose à dire, allez-y, c'est le moment !

— La première chose que je veux vous dire, c'est que rien de tout ce qui arrive ne me surprend, commença Corinne Wallace.

Engelhardt inspira profondément, comme s'il allait se lancer dans une nouvelle diatribe. Mais elle ne lui en laissa pas le temps.

— Votre Honneur, vous devez essayer de comprendre comment fonctionne le cerveau d'un enfant victime de sévices...

— Vous m'avez déjà dit tout cela ! *Laissez-moi l'interroger, Votre Honneur. Je lui ferai dire la vérité.* Et c'est ce que vous avez fait. Mais vous n'avez pas obtenu la vérité que vous attendiez. Docteur, je commence à comprendre le point de vue de la mère, dans cette affaire. Et le point de vue défendu par maître Levinson. D'une certaine manière, pour je ne sais quelle raison, vous vous servez de cet enfant.

406

– Ce n'est pas vrai ! protesta Corinne Wallace.

Imperturbable, Engelhardt continua à dérouler sa version des faits.

– Vous voulez cet enfant pour vous. Vous voulez qu'il remplace le fils que vous avez perdu. Croyez-moi, docteur, je ne veux pas ignorer ni minimiser votre chagrin. Il n'est de pire douleur, en ce monde, que celle d'un père ou d'une mère qui perd un enfant. Mais vous ne pouvez pas calmer vos souffrances en faisant souffrir une autre femme. En lui prenant son enfant. En enfermant celui-ci dans un endroit auquel vous seule avez accès. Mon tribunal ne le permettra pas !

– Quand Votre Honneur aura fini..., dit Corinne Wallace.

Une autre idée traversa l'esprit du juge.

– Il y a une minute, vous disiez que vous n'étiez pas surprise. Or, vous aviez tout de même l'air surpris !

– J'ai été surprise par son désir qu'on l'appelle de nouveau Benjie. Mais pas par le changement dans son témoignage.

– Vous n'allez tout de même pas me dire que vous vous y attendiez ?

– Non, je ne m'y attendais pas. Mais je savais que c'était possible.

– Bon Dieu, docteur, mais qu'est-ce que tout cela veut dire ?

– Si Votre Honneur voulait bien m'écouter jusqu'au bout...

– Prenez votre temps, chère madame. Prenez tout le temps qu'il vous faut. Car vous êtes sur le point de subir les foudres de la Justice !

– Vous vous rappelez, Votre Honneur, que je vous ai

expliqué quel rôle tiennent, dans la vie d'un enfant maltraité, l'hostilité et la rébellion...

– Oui, oui, je m'en souviens, répondit Engelhardt. Il s'agit de je ne sais plus quel syndrome.

– Du syndrome infantile d'accommodation aux violences sexuelles.

– C'est cela ! Quelque chose avec des phases... comme chez les alcooliques. Quatre phases, n'est-ce pas ?

– La quatrième phase, Votre Honneur, l'*aveu différé*, prend souvent, au début, la forme de la rébellion. L'enfant, qui ne supporte plus de vivre avec son secret infâme, se révolte. C'est exactement ce qu'a fait Benjamin.

– Vous m'avez déjà dit tout ça ! fit le juge sur un ton impatient.

– Non, je ne vous ai pas tout dit, Votre Honneur. Il y a la cinquième et dernière phase du syndrome.

– Pourquoi ne m'en avez-vous pas parlé avant ?

– Parce que je croyais que dans ce cas-ci, ce ne serait pas nécessaire.

– Et cette cinquième phase, quelle est-elle ? demanda le juge sur un ton qui ne faisait rien pour dissimuler son scepticisme.

– C'est précisément ce à quoi vous venez d'assister dans ce tribunal. La *rétractation*. Une fois que l'enfant s'est déchargé de son fardeau, au lieu de se sentir soulagé, il est assailli par les remords, qui remontent à la surface. Toutes les menaces qu'on a fait planer au-dessus de sa tête lui semblent prêtes à se réaliser. Il commence à se dire : « Maintenant que j'ai divulgué le terrible secret, ils vont me prendre ma maman, exactement comme elle me l'a dit. Ils vont la mettre en prison. Je n'aurai plus de maison. Je n'aurai plus personne. Je serai tout seul dans ce monde terrible, elle m'avait prévenu. Je ferais mieux de me rétracter. Complètement. De leur faire croire qu'il ne s'est rien passé. Alors tout recommencera comme avant. Elle me dira ce qu'il faut faire et ce qu'il ne faut pas faire. Et chaque fois que je désobéirai, elle me fera monter sur ses genoux. Elle ouvrira mon jean et nous jouerons au petit jeu, comme avant. Pour toujours. Je sais que ce n'est pas bien. Je déteste ça, mais c'est mieux que de me retrouver tout seul. Alors je vais leur dire, à tous, que j'ai menti. Que j'ai tout inventé. » Voilà comment fonctionne l'esprit d'un enfant victime de sévices, Votre Honneur. Vous en découvrez ici un exemple particulièrement triste. La seule chose qui me trouble, c'est que j'ignore si sa rétractation est consciente ou non...

— Tout cela semble tellement logique, docteur, que je serais presque tenté de vous croire... A un détail près. Je dois être guidé par les témoignages que l'on produit devant moi, dans ce tribunal. Et j'ai entendu cet enfant qui disait que c'était un mensonge, qu'il avait tout inventé, qu'il ne s'était rien passé. Tant que vous ne m'apporterez pas la preuve du contraire, je suis obligé de croire ce que j'ai vu et entendu dans la salle d'audience. Aucune théorie fantaisiste, aucun syndrome concocté par un professeur. Des faits !

Levinson attendait ce moment pour intervenir.

— Votre Honneur, au vu des circonstances, au nom de ma cliente, j'exige que Benjamin Jackson soit autorisé à quitter l'hôpital et qu'on le rende à sa mère.

— Vous n'avez pas le droit de faire ça, Votre Honneur ! s'exclama Corinne Wallace.

— Docteur, fit Engelhardt d'un ton sévère, il ne faut jamais dire à un juge « Vous n'avez pas le droit » !

Il poursuivit, d'un ton radouci :

– Je n'aime pas du tout ce que je vois. Votre proposition, Levinson, n'est donc pas totalement déplacée. Mais s'il y a le moindre risque que cet enfant soit violenté par sa mère, je ne peux décider de le renvoyer chez elle.

Corinne Wallace attendait, morte d'inquiétude. Elle avait envie d'intervenir, mais Hortense Laval l'en avait dissuadée d'un signe de tête discret.

– Je vais vous dire ce que je crois être le mieux, dans l'intérêt de ce gosse. Jusqu'à ce que je prenne une décision pour une famille d'accueil, qu'il reste à l'hôpital, hors de portée de sa mère.

Corinne Wallace était infiniment soulagée. Mais le juge ajouta :

– Néanmoins, docteur Wallace, vous n'aurez aucun contact avec lui durant tout le temps qu'il restera là.

– Mais il est au milieu d'un traitement, protesta-t-elle.

– Je veux votre parole, docteur. Sans quoi vous ne me laisserez pas le choix. Je devrai le renvoyer chez lui.

A contrecœur, Corinne Wallace céda.

– Vous avez ma parole, dit-elle tristement.

– Les choses en resteront là jusqu'à ce que j'aie consulté l'assistance sociale, annonça le juge.

Ils avaient quitté le bureau d'Engelhardt, et ils regagnaient le tribunal.

– Ce que j'ai fait, dit Levinson, il fallait que je le fasse.

– Je comprends, dit Corinne Wallace.

– C'est ma cliente, fit-il en guise d'explication.

– Bien sûr. Votre « devoir » professionnel...

– Entre nous... Nous pouvons parler officieusement, n'est-ce pas ?

– Oui.

– Entre nous, je me réjouis qu'Engelhardt n'ait pas renvoyé le garçon chez lui. Officiellement, docteur... J'ai bien peur que cette affaire soit loin d'être finie.

– Votre cliente est une malade mentale, Levinson, le prévint Corinne Wallace.

– Je ne suis pas psychiatre, docteur. Je ne suis qu'un avocat. Un avocat qui fait son boulot.

37

Le téléphone sonna. Il était un peu plus de cinq heures. Le docteur Wallace était en pleine séance avec une nouvelle patiente qui avait été envoyée au centre par le service de gynécologie de l'hôpital. Une fillette de douze ans, enceinte, avec un résultat positif au test de Wasserman de détection de la syphilis.

Comme il était exceptionnel qu'Evie la dérange au milieu d'une séance aussi importante, elle comprit qu'il s'agissait d'une réelle urgence. Sa première pensée fut pour Benjamin. Après ce qui s'était passé au tribunal ce jour-là, il avait fait subir quelque chose à quelqu'un. Ou à lui-même.

Elle fut soulagée de constater qu'il s'agissait d'une convocation dans le bureau du docteur Wagner. Elle avait le temps d'achever sa séance avec sa nouvelle patiente.

A six heures moins vingt, Corinne Wallace se présenta chez l'administrateur de l'hôpital. On la fit entrer sur-le-champ. Elle se retrouva en présence du docteur Wagner, qui se leva promptement pour l'accueillir, de l'avocate Hortense Laval et de son supérieur, le digne et grisonnant Kirk Spalding.

Dès qu'elle vit l'air contrit et mal à l'aise d'Hortense Laval, elle comprit ce qui se passait. Comme son patron le lui avait demandé, Hortense Laval avait rapporté les événements de l'audience du jour. Spalding avait appelé l'administrateur pour le mettre au courant. Le docteur Wagner, véritable chef d'entreprise depuis qu'il occupait ses nouvelles fonctions, avait réuni son conseil de guerre pour tenter de redresser la situation.

– Ce qui s'est passé au tribunal, aujourd'hui, docteur, commença-t-il, est malheureux. Très malheureux. M. Spalding abordera tout à l'heure l'aspect juridique de cette affaire. Pour ce qui concerne l'hôpital, cela n'aurait pas pu arriver à un plus mauvais moment. Comme je l'expliquerai plus tard.

D'un geste courtois, il passa la parole à Spalding. Avec son élégance habituelle, l'homme de loi raffiné ajusta ses lunettes à monture dorée et se lança dans ce qui ressemblait fort à un cours adressé à des étudiants de la faculté de droit.

– Cher docteur Wallace, je dois admettre très humblement qu'à côté des décisions liées à des questions de vie ou de mort qui constituent le fardeau quotidien du médecin, le travail de l'avocat ressemble à une corvée, interminable, mais nécessaire. Pinailler pour chaque détail d'un dossier. S'assurer qu'on emploie toujours le mot qui convient. Prévenir le moindre soupçon de danger susceptible de menacer le client. Telle est notre responsabilité. Et nous l'assumons du mieux que nous pouvons.

» C'est la raison de ma présence. Le soupçon... La vague possibilité... du danger qui menace mon client. Les événements qui se sont déroulés dans ce tribunal doivent vous être extrêmement pénibles. Je compatis, croyez-moi. Parce que j'ai connu ça, moi aussi. Avoir un témoin favorable, tout préparé, et le voir se rétracter au dernier moment...

– Il y a une raison..., fit Corinne Wallace.

Mais Spalding la devança.

— Je sais, je sais. Maître Laval, ici présente, m'a tout expliqué. Cette histoire de syndrome. C'est sans doute très important, d'un point de vue médical. Mais d'un point de vue juridique, ce qui s'est passé pourrait avoir des conséquences autrement plus fâcheuses. Si cette femme décide de poursuivre l'affaire au civil contre l'hôpital...

Cette fois, c'est Corinne Wallace qui l'interrompit.

— Cette femme est psychologiquement très malade !

— C'est exactement le genre de personnage qui lance ce genre de procès, riposta Spalding. Ce que j'essaie de vous dire, si vous voulez bien me permettre, docteur, c'est que si nous sommes assignés dans un procès au civil, notre témoin clé sera très précisément le témoin qui vous a si lamentablement fait faux bond aujourd'hui. S'il se rétracte de nouveau, nous sommes finis. En outre, j'ai le sentiment – très désagréable – que notre compagnie d'assurances essaiera de se défiler, sous n'importe quel prétexte technique.

— Benjamin a dit la vérité la première fois, insista Corinne Wallace. Et si on me laisse travailler avec lui, je m'assurerai que c'est ce qu'il fera la prochaine fois.

— Occasion qui vous a été refusée par le juge, si j'ai bien compris, lui rappela Spalding.

— Je pense être capable de le faire changer d'avis dès que sa colère sera retombée.

— Je vais vous dire : si jamais ce n'était pas le cas, nous devons préparer notre campagne. Voici ce que je recommande à M. Wagner. Nous prenons les devants pour désamorcer le reproche qui nous est fait par la mère de séquestrer son fils.

— Comment allons-nous nous y prendre ?

– De la manière la plus simple du monde, fit Spalding. En le laissant partir.

– En le laissant partir... Et où l'envoyons-nous ?

– Docteur, je me contrefiche de l'endroit où vous l'envoyez, du moment qu'il quitte cet hôpital ! Si nous sommes poursuivis en justice – peu importe si c'est ridicule –, nous pourrons dire au tribunal que le jour où l'histoire du gamin a été sujette à caution, nous l'avons libéré sur-le-champ. Nous prouverons ainsi notre bonne foi et éviterons peut-être les dommages et intérêts. Quant aux autres frais, ils seront négligeables.

– Vous n'avez vraiment pas le choix, Corinne, vous comprenez ? ajouta le docteur Wagner.

– Je ne peux pas libérer cet enfant, ni en l'envoyant chez sa mère ni en le confiant à une famille d'accueil. Pas dans l'état de fragilité où il se trouve actuellement.

– Ma chère, reprit Wagner sur un ton condescendant, il ne s'agit plus vraiment de votre responsabilité personnelle. C'est la politique de cet hôpital. Nous devons le protéger contre les risques d'un procès ruineux. Surtout par les temps qui courent.

– De nos jours, ajouta Spalding, les jurys font la pluie et le beau temps.

– Sans parler des articles que ça pourrait nous valoir, renchérit Wagner. Inutile, j'espère, de vous faire un dessin de ce que pourraient faire de cette histoire les journaux à sensation de cette ville. Quant aux vautours de la télévision... « Une mère se bat pour libérer son fils ! » ; « L'hôpital condamné pour avoir séparé un enfant de sa mère ! » ; « Un enfant séquestré à l'hôpital du comté ! » ; « Docteur, rendez-moi mon fils, supplie une mère ! » Ils s'en donneraient à cœur joie. Pensez à l'effet que ça aurait sur notre prochain appel de fonds. Ou quand vous organiserez votre campagne de Noël au profit du Centre pour la protection de l'enfance. Tôt ou tard, nous finirions par payer les pots cassés. Et avec ces fonds publics qui diminuent sans arrêt...

Il secoua la tête d'un air lugubre. De toute évidence, il s'attendait à ce qu'elle cède. Quand il comprit qu'elle n'en ferait rien, il suggéra :

— Si cela devait vous simplifier les choses, je pourrais vous débarrasser du problème.

Devant son expression ahurie, il crut bon de s'expliquer.

— Vous pourriez me laisser confier cet enfant à un autre psychiatre.

— Auquel vous donneriez l'ordre de le libérer ? Non. Ce garçon était mon patient, il le reste, et je ne l'enverrai pas à sa mère. Ni dans une famille d'accueil.

Spalding et Wagner échangèrent des regards et des signes de tête consternés, comme pour dire qu'il était vraiment impossible de faire entendre raison à une femme.

— Bien, fit Spalding.

Il en avait assez de cette réunion, finalement décevante.

— Si *quelqu'un* change d'avis, sachez que je serai à mon bureau demain matin à partir de neuf heures. Venez, Laval !

Les deux avocats sortirent. Spalding, sans chercher à dissimuler son mécontentement. Hortense Laval, l'air navré, comme si elle avait le sentiment d'avoir trahi une amie.

Dès qu'ils eurent refermé la porte, Wagner lança une autre attaque.

— Docteur Wallace, vous êtes au courant, pour Maxwell ?

— Que se passe-t-il ? demanda-t-elle d'un ton inquiet.

Maxwell, le chef du service de psychiatrie, était l'homme

416

qui avait autorisé la création du Centre pour la protection de l'enfance.

– Oh ! rien d'inquiétant...

– J'aime mieux ça. Aujourd'hui, quand on parle de quelqu'un en disant : « Vous êtes au courant pour... », ça annonce généralement de mauvaises nouvelles. Une crise cardiaque. Un cancer. Ou je ne sais quels ennuis. Non, je ne suis pas au courant pour Maxwell.

– Il a décidé de partir à la retraite. Nous cherchons donc quelqu'un pour le remplacer, très bientôt. J'ai l'intention de placer votre nom en tête de liste.

– Pour la direction du service de psychiatrie ?

– Responsabilité totale, non seulement du Centre pour la protection de l'enfance, mais du département tout entier.

– En échange de quoi, il me suffirait de libérer le petit Benjamin Jackson ?

– Je n'ai pas dit cela, répliqua Wagner, un peu moins cordial tout à coup.

– C'est peut-être la coïncidence qui m'y fait penser...

– Pensez plutôt à ce que je vais vous dire. Avec le pouvoir dont vous disposerez si vous occupez ce poste, imaginez ce que vous pourrez faire pour des centaines, des milliers de Benjamin Jackson. Risquer de tout perdre pour un seul gamin... Un enfant qui peut très bien ne pas être sauvé, au bout du compte... Ce n'est pas le choix le plus rationnel.

– Dans mon travail, je n'ai jamais de garanties. Je peux échouer complètement. Mais Benjamin doit avoir sa chance. Et sa chance, elle est ici ! Avec moi !

– Docteur, j'ai essayé d'éviter d'aborder un sujet que Spalding évoquait avant votre arrivée. Notre destin, celui de l'hôpital et le vôtre sont liés. Mais seulement si nous sommes l'un et l'autre guidés par les conseils de notre avocat. Si vous refusez de suivre ces conseils, nos chemins devront se séparer, si vous voyez ce que je veux dire.

– Je ne serai plus défendue par le cabinet Spalding, c'est ça ?

Wagner hocha la tête, comme s'il lui était pénible de reconnaître cette dure réalité.

– Je devrai me débrouiller toute seule. Et engager un défenseur...

– Et le payer.

– Je vois.

– Sans parler des conséquences possibles sur votre emploi dans cet hôpital. Et sur votre réputation professionnelle.

Voyant que cela ne semblait pas l'émouvoir, il ajouta :

– Je déteste en venir là, mais...

Elle savait que cette formule toute faite annonçait l'argument massue qu'il avait gardé pour la fin. Son dernier atout.

– Docteur Wallace, dans certains établissements, on pourrait considérer comme une faute professionnelle grave, presque une négligence, chez un psychiatre infantile, l'erreur de procédure que vous avez commise.

S'il avait eu l'intention de la surprendre, c'était réussi.

– Je me suis laissé dire que dans cette affaire, vous avez violé les règles. Vous n'auriez pas enregistré sur cassette ou sur CD le récit fait par l'enfant des sévices qu'il aurait subis. C'est exact ?

– Oui, c'est exact. Techniquement, dans ce cas, c'est parfaitement justifiable.

– Je croyais pourtant que nous le faisions toujours, argua Wagner.

418

– Nous le faisons toujours, sauf quand le médecin est d'avis que ce n'est pas judicieux.

Son ton cassant était censé mettre fin à cette conversation.

– Pour savoir si cet avis était justifié, je suppose que nous devrons prendre en considération les événements désastreux qui se sont déroulés aujourd'hui. Et toutes les conséquences qui pourront en découler, ajouta-t-il d'un ton menaçant. Mais la décision vous appartient, ma chère.

– Il faut que j'y réfléchisse, docteur, répondit-elle.

Elle quitta le bureau de Wagner en proie à des sentiments mitigés. Elle était en colère. Elle était blessée. Mais elle était surtout déçue par ses propres réactions. En dépit de son refus absolu de céder du terrain, elle avait une pointe d'angoisse rivée au creux de l'estomac. Non seulement les menaces de Wagner n'étaient pas négligeables, mais en outre elle découvrait qu'elle n'était pas à l'abri de la peur. Devoir quitter un hôpital à cause d'un procès et de gros dommages et intérêts pouvait faire d'elle un paria dans la profession. Elle pouvait être exclue des postes importants dans d'autres hôpitaux. Peut-être même inscrite sur une liste noire. Si on l'empêchait de travailler dans les hôpitaux, elle n'aurait plus beaucoup l'occasion de s'occuper d'enfants maltraités.

Elle s'en voulait d'avoir peur. Mais elle ne pouvait pas l'éviter.

Quand elle arriva au Centre pour la protection de l'enfance, les seules lumières allumées étaient celles dont le personnel de nettoyage avait besoin pour faire son travail. En entrant dans le couloir qui menait à son bureau, elle remarqua que celui-ci était éclairé. Elle accéléra le pas.

Simon Freedman, installé dans son fauteuil, lisait un numéro récent d'une revue de psychiatrie.

– Cette réunion a duré plus longtemps que je ne pensais, fit-il.

– Oh ! tu étais au courant ?

– Tout le monde est au courant.

– Les nouvelles vont vite, hein ?

– Avec tous les détails, et quelques enjolivements. Sortons d'ici, allons boire un verre, manger un morceau et parler de tout ça.

– Je t'en prie, Sim... J'ai eu une longue journée, très dure.

– Raison de plus pour boire un verre et dîner. Tu en as besoin.

Les menaces étaient trop fraîches dans son esprit. Elle avait besoin d'être seule. D'affronter tout cela seule. De prendre une décision sans l'aide de quiconque. Elle lui répondit donc d'un ton ferme et résolu :

– Non, Sim ! Je rentre. Je rentre chez moi.

Il la connaissait trop bien pour essayer de la forcer quand elle lui parlait sur ce ton. Il se leva avec un geste de soumission, l'embrassa sur la joue et se dirigea vers la porte. Avant de sortir, il se tourna tout de même vers elle :

– Puis-je te poser une question ?

– Une seule.

– Est-ce que Wagner a été dur ? Vraiment dur ? Au point de te menacer de représailles affreuses ?

– Il a d'abord essayé de m'acheter. Puis il m'a menacée. Oui.

– C'est bien ce que je pensais.

Il était parti. Elle était seule. Elle regrettait d'avoir été si sèche. Au moment où elle avait besoin de lui. Elle avait

420

découvert que lorsqu'elle avait un problème ou quelque chose à partager – de bonnes ou de mauvaises nouvelles –, c'était à Simon qu'elle pensait. De la même manière qu'elle pensait à Jim, jadis. Avant le début de tous ses ennuis.

Je ne veux pas revivre tout ça, se dit-elle, pas ce soir. J'ai assez de problèmes.

Mais avec la photographie de Douglas posée en évidence sur son bureau, dont les yeux bleus la contemplaient, elle ne put y échapper. Le divorce. La longue période d'angoisse qui avait précédé. La décision de justice qui fixait que Douglas passerait une partie de l'été avec son père. L'aéroport. Le dernier au revoir, le signe de la main et le sourire qu'il lui avait adressés avant de disparaître dans le couloir qui menait à l'avion. Et tout ce qui avait suivi. La longue nuit qui s'était achevée sur une plage de sable fin, à Long Island.

Elle sentit les larmes sur ses joues. Elle pleurait, alors qu'elle devait être forte ! Elle eut envie de s'écrier : « Sim ! Reviens ! J'ai besoin de toi ! »

Mais il était parti.

Moins d'un quart d'heure après son arrivée chez elle, le téléphone sonna. Elle pensa qu'il s'agissait peut-être de Wagner, avec de nouvelles menaces ou une requête quelconque. Elle décida de ne pas répondre. Elle changea d'avis juste avant la cinquième sonnerie.

– Allô, fit-elle prudemment.

– Corrie...

Elle se détendit. C'était Sim.

– Corrie... Maintenant que tu es chez toi et, j'espère, un peu moins tendue... Puis-je te poser quelques questions ?

– Oui.

– Puisque l'audience s'est tenue à huis clos, je n'en connais que les rumeurs. Dis-moi, est-ce qu'il est vrai que Benjamin a nié les sévices ? Il a fait ça ?

– Oui. Mais il y a une raison...

– Pour l'instant, peu importe la raison. Est-ce que le juge a pris sa décision ?

– Non, pas encore. Mais je ne peux rien prouver, sauf si je parviens à convaincre Benjamin de dire la vérité.

– Tu peux le prouver, la coupa-t-il.

– Que veux-tu dire ?

– Tu peux prouver qu'il t'a bien dit tout ça.

– Sans cassette ni CD ?

– Tu as un témoin.

– Il n'y avait per... Oh oui ! bien sûr !

– Oui ! J'étais là. J'ai tout entendu. J'ai tout vu. Derrière le miroir sans tain.

– Sans mon autorisation, et à mon insu ! Et c'était vraiment une chose à ne pas faire ! Totalement contraire à la déontologie ! J'avais promis à ce gosse que tout ce qu'il me dirait resterait entre lui et moi. C'était confidentiel. Absolument confidentiel. S'il apprend que j'ai manqué à ma parole...

– Mais tu n'as pas manqué à ta parole ! C'est moi qui l'ai fait.

– S'il *imagine* seulement que j'ai manqué à ma parole, toutes mes chances de l'aider seront anéanties.

– Corrie... Il y a d'autres enjeux que cet enfant. Il y a ta carrière.

– Mon Dieu, j'ai l'impression d'entendre Wagner !

– Corrie ! Ecoute-moi ! Je ne vais pas rester les bras croisés en te regardant détruire ta carrière. Je veux aller au tribunal. Je veux témoigner de ce que j'ai vu et entendu.

Je raconterai tout au juge. Quant à Benjamin... Ce n'est pas toi, c'est *moi* qui ai trahi la promesse que tu lui avais faite. Je l'ai fait à ton insu. La seule chose qui importe, c'est que la lumière se fasse dans ce tribunal.

— Sim, je connais cet enfant. Il va penser que je l'ai trahi. Cela gâchera à jamais nos rapports. Il n'aura plus jamais confiance en moi. Ni en aucun autre psychiatre. Je n'ai pas le droit de compromettre cette chance.

— Mais, Corrie...

— Non, Sim. Non ! insista-t-elle.

— Accorde-toi au moins une nuit de sommeil avant de décider.

— Demain, je n'aurai pas changé d'avis !

— Cor...

— Non, Sim ! Je ne peux pas te laisser témoigner.

A contrecœur, il raccrocha.

38

En sortant du tribunal, le juge Gustav Engelhardt ne resta dans l'antichambre que le temps nécessaire pour ôter sa toge noire et saisir son veston. Il l'enfila distraitement, en se dirigeant vers le couloir qui menait à son bureau. Ce jour-là, il était accablé par deux problèmes.

D'une part, l'affaire qu'il présidait. Une affaire de garde d'enfant de la pire espèce. Un couple en train de divorcer, un homme et une femme, qui en étaient venus à se haïr vraiment et qui avaient l'intention d'utiliser leur fillette de huit ans comme une arme. Tout à l'heure, à l'audience, en écoutant leur témoignage, il avait compris que ni l'un ni l'autre n'avait vraiment envie de s'occuper de l'enfant. Leur seul but, en se livrant à cet exercice épouvantable, était d'empêcher l'autre de le faire.

Un jour... un jour, se dit-il, je vais sortir de ce tribunal et partir sans me retourner.

Mais il savait qu'il n'en ferait rien. Tant qu'il y aurait des parents comme ceux-là. Tant qu'il y aurait des enfants maltraités. Il savait qu'il était de son devoir de les protéger, aussi longtemps qu'il en était capable. Ce qui était la source de son second problème.

Ce jour-là, le docteur Lanning devait lui communiquer les résultats de l'IRM de sa femme. Il lui avait promis de l'appeler dès la fin de l'audience du matin, à midi et demi.

C'est pourquoi Engelhardt avait clos la séance à midi vingt et regagnait son bureau au plus vite. Tandis qu'il longeait le couloir à grands pas, il ressentit ce malaise – ce mauvais pressentiment – qui lui disait que les résultats ne seraient pas bons. Pourtant, comme tous les êtres humains, il entretenait l'espoir en lui et se rassurait en pensant à la possibilité – rien que la possibilité, c'est tout ce qu'il demandait – que les résultats, une fois encore, soient négatifs.

Hanté par tous ces tracas, il ouvrit la porte extérieure de ses quartiers et se dirigea vers son bureau privé, quand il découvrit avec stupéfaction un homme, qui semblait l'attendre.

Bon Dieu, se dit-il, j'avais pourtant prévenu Edna ! Pas de visiteurs aujourd'hui ! Pas un seul !

Edna Callahan et l'intrus prirent la parole en même temps.

– Bonjour, Votre Honneur... Je suis le docteur Simon Freedman...

– Je lui ai dit que vous ne vouliez voir personne aujourd'hui ! fit Edna.

Sans un mot, Engelhardt rentra dans son bureau et claqua la porte derrière lui.

– Je vous l'avais bien dit, docteur, insista Edna. Il est inutile d'attendre.

– J'attends quand même. C'est trop important.

Ils restèrent là à se dévisager. La secrétaire, hostile et sur la défensive. Le médecin, résolu et inflexible.

Le téléphone sonna. Edna décrocha immédiatement.

– Oui, oui, un instant, docteur Lanning. Il attend votre appel.

Elle enfonça une touche.

– Le docteur Lanning, monsieur le juge.

Edna Callahan ferma les yeux. Elle serra la croix qu'elle portait au cou. Elle remuait les lèvres en silence. Bon Dieu, se dit Freedman, mais cette femme est en train de prier.

Quelques minutes plus tard – des minutes qui semblèrent une éternité –, un bourdonnement retentit. Edna Callahan décrocha le téléphone et fit un effort pour demander :

– Alors ?

Elle écouta la réponse.

– Oh... !

Son ton suggérait que le docteur Lanning n'avait pas annoncé de bonnes nouvelles.

– Ecoutez, docteur, vous perdez votre temps, fit-elle en regardant Freedman. A votre place, je m'en irais. Revenez une autre fois, peut-être un autre jour... Mais pas aujourd'hui, croyez-moi, surtout pas maintenant.

Freedman décida de s'en aller. Au moment où il franchissait la porte, le bourdonnement retentit à nouveau.

– Vous êtes sûr, monsieur le juge ? fit Edna. Bien, monsieur le juge. Oui, oui, j'y vais. Je vais le chercher. Il vient de sortir.

Elle raccrocha et se précipita vers la sortie en criant :

– Docteur, docteur ! Il veut vous voir.

Freedman fit demi-tour, aussi perplexe que la secrétaire. Devinant plus ou moins l'objet du message que le juge venait de recevoir, il s'approcha sans bruit du bureau privé. Il ouvrit la porte, regarda à l'intérieur, attendit que le juge l'invite à entrer. Celui-ci l'appela d'un ton sec.

– J'ai deux raisons de vous recevoir, lui dit-il quand ils se trouvèrent face à face. Primo, vous êtes médecin. Secundo, ma femme... m'a fait promettre... quel que soit le résultat de ses tests, de continuer mon travail. C'est très important, à ses yeux. Dites-moi, quelle sorte de toubib êtes-vous ?

– Vous ne vous rappelez pas ? Vous m'avez expulsé de votre tribunal, l'autre jour.

– Oh ! si, je me rappelle ! Eh bien, répondez-moi, quelle est votre spécialité ?

– Je suis pédiatre, répondit Freedman.

– Pédiatre, répéta Engelhardt, un peu déçu. Bon, vous pourrez peut-être m'aider.

– Je ferai mon possible, Votre Honneur.

– Imaginez que... un homme, disons... eh bien, disons qu'il reçoit le rapport d'un médecin... qui lui annonce qu'une IRM révèle la présence d'une tumeur... au cerveau. Et il semble bien que... bon, avant même de faire la biopsie, le médecin est quasiment certain qu'il s'agit d'une tumeur maligne. Ce que vous appelez, vous, les médecins, une tumeur « agressive ». Supposons que vous soyez ce mari. Que feriez-vous ? Vous le lui diriez, ou pas ?

– Aimez-vous votre femme, monsieur le juge ?

– Nous ne parlons pas de ma femme !

– D'accord, fit Freedman. C'est une hypothèse... Si j'étais le mari... Votre Honneur, si j'aime ma femme, si nous avons toujours été honnêtes l'un envers l'autre depuis le début de notre mariage, alors je dois être honnête avec elle cette fois encore. Quand ça m'est arrivé...

– Vous aussi ?

– Oui. Le cancer du sein. Quand c'est arrivé, je me suis battu, comme vous aujourd'hui. Et puis j'ai pensé : elle me connaît. Elle va remarquer un changement dans mon attitude. Elle n'est pas idiote. Elle va comprendre ce qui se passe. Et c'est elle, à son tour, qui va essayer de me protéger en feignant de ne rien savoir. Nous allons jouer tous les deux à un jeu terrifiant. Et passer le temps qui nous reste, un an ou deux, peut-être même un mois ou deux, à nous mentir mutuellement. Ce serait une manière indigne, bien peu honorable, de finir un mariage merveilleux.

Le juge Engelhardt l'écouta, pensif. Puis il hocha la tête. Brusquement, il redevint un juge au travail.

– Bien, docteur... Qu'est-ce qui vous amène ?

– Il y a deux jours, un petit garçon a témoigné devant votre tribunal...

– Benjamin Jackson, c'est ça ?

– C'est ça, monsieur. Je n'étais pas présent. Mais je sais ce qui s'est passé. Et je sais *pourquoi* c'est arrivé.

– Docteur, si vous avez l'intention de me servir une nouvelle théorie, comme l'a fait Corinne Wallace, je préfère que vous économisiez votre salive. Tout ce que je sais, c'est ce que le garçon a dit. Mes décisions reposent exclusivement sur les témoignages crédibles que je reçois à l'audience !

– Mais l'enfant était terrifié...

– Je sais, je sais. Quelque chose à voir avec la cinquième phase. Ou la cinquième étape. Le docteur Wallace m'a expliqué tout ça. Mais moi, je ne sais rien d'autre que ce que j'ai entendu le gosse dire à l'audience.

– Et s'il existait une preuve de ce qu'il avait dit et fait, ce jour-là ?

– Elle a avoué qu'il n'y avait pas de cassette, pas de CD, rien. Ce qui, je dois le rappeler, aurait dû être le cas pour une affaire de ce type.

– Et s'il y avait un témoin direct ?

– Un témoin ? Etes-vous en train de me dire que la scène avait un témoin ?

– Oui !

Le juge le contempla, essayant de savoir s'il mentait ou non.

— Elle n'a jamais parlé d'un témoin...

— Elle avait une raison. Une excellente raison, à ses yeux. Quelque chose qui s'appelle le secret professionnel. La confiance que le patient doit accorder à son médecin. Sans laquelle son travail ne peut aboutir.

Il lui raconta comment il avait décidé, de son propre chef, d'assister à la conversation entre Corinne Wallace et Benjamin, et comment il avait entendu ce dernier révéler le détail de ses relations sexuelles avec sa mère.

— Elle n'a jamais fait la moindre allusion, devant moi, au fait qu'un témoin avait assisté à la confession de cet enfant, répéta le juge.

— Le fait est, Votre Honneur, que vous avez affaire à une femme exceptionnelle. Elle préfère mettre en péril sa carrière professionnelle plutôt que d'ébranler la confiance d'un de ses patients. C'est le meilleur médecin, le plus dévoué, aussi, que je connaisse. Sa seule inquiétude, c'est que Benjamin apprenne ce qui s'est passé, et qu'il croie que c'est elle qui a trahi sa confiance. Elle estime que dans ce cas, ses chances de guérison seraient compromises.

— Une femme remarquable, admit Engelhardt.

Voyant que le juge réfléchissait, Freedman poursuivit :

— Ce que j'ai fait n'est peut-être pas très déontologique. Mais ça ne peut pas être retenu contre elle. Ça ne doit pas non plus pénaliser le gosse. Alors laissez-moi témoigner. Sous serment. Je rapporterai toute l'histoire, telle que j'y ai assisté. Vous aurez alors les motifs suffisants pour décider de laisser Benjamin à l'hôpital ou de le confier à une famille d'accueil jusqu'à ce que sa mère se fasse soigner.

— Très bien, docteur. Sauf que deux raisons m'empêchent d'agir ainsi.

— Mais si c'est la vérité..., protesta Freedman.

— Docteur, seul un étudiant en première année de droit peut commettre cette erreur. La vérité qui importe dans un tribunal est rarement la « vérité vraie ». Mais seulement cette partie de la vérité que la loi vous autorise à dire. Je vais vous expliquer pourquoi vous ne pouvez pas témoigner. Premièrement, vous étiez dans la salle d'audience pendant qu'une autre personne témoignait.

— Mais je ne savais pas, alors, que je pourrais être moi-même un témoin !

— Peu importe. Vous avez entendu le témoignage de quelqu'un d'autre. Deuxièmement, tout ce que vous pourriez me dire n'est constitué que de propos de tiers. C'est-à-dire, de propos que quelqu'un d'autre a tenus en votre présence. Si nous avions affaire à un gamin de six ou sept ans, je pourrais faire une exception et recevoir ce témoignage indirect, à cause de l'âge de l'enfant. Ou bien, *si je pouvais* manœuvrer de sorte que les déclarations de Benjie constituent ce que nous appelons des « aveux contre l'intérêt du témoin », je *pourrais* utiliser votre témoignage. Mais il est évident que ce n'est pas le cas. Ainsi, en fonction de la loi en vigueur dans cet Etat, des propos que vous auriez entendu prononcer par un enfant de dix ans ne sont pas recevables.

— Si vous soumettez votre décision à ce que vous avez entendu dans votre tribunal, Votre Honneur, vous allez commettre une grave injustice et anéantir toutes les chances qui restent à cet enfant de mener une vie normale !

Engelhardt fit pivoter son fauteuil. Par la fenêtre, il contempla les bâtiments officiels, si familiers, autour de la place du palais de justice. La place lui semblait bien moins familière, aujourd'hui. Puis il regarda le ciel, qui ne lui semblait pas si bleu, pour une si belle journée. Il était déchiré par un violent conflit. Ses devoirs de magistrat l'obligeaient à réfléchir à ce problème, sous la pression de ce médecin importun. Ses sentiments de mari aimant exigeaient qu'il se concentre sur ce qu'il dirait – et comment il le dirait – en rentrant chez lui ce soir-là.

Il réalisa que son état d'esprit ne lui permettait pas de prononcer un jugement sensé. Alors il se décida.

– Docteur, fit-il, je ne puis accepter votre témoignage. Mais je vais vous dire ce que je peux faire. Je vais partir du principe que vous dites la vérité, et je vais donner au docteur Wallace une chance de le prouver. Je vais revenir sur ma décision lui interdisant de voir ce garçon. Puis je demanderai que Benjamin paraisse à nouveau devant moi.

C'était moins que ce que Freedman espérait. Mais il réalisa que c'était plus que ce qu'il était en droit d'attendre.

– Je vous remercie, monsieur le juge.

– Edna, ma secrétaire, appellera les deux avocats et les informera de ma décision.

Freedman se dirigea vers la porte.

– Docteur ?

Freedman se retourna vers Engelhardt.

– Comment votre femme a-t-elle réagi, quand vous lui avez appris la nouvelle ?

– Elle a pleuré. Nous avons pleuré tous les deux. Mais ça n'a pas duré longtemps. Après cela, nous nous sommes dit notre bonheur d'être ensemble, notre bonheur de passer ensemble le temps qui restait. Et puis...

Il hésita, avant de poursuivre.

– ... Et puis nous avons fait l'amour.

Engelhardt hocha la tête. Il répéta, de sa voix officielle :

— J'informerai les avocats que j'ai changé d'avis.

— Merci, Votre Honneur, dit Freedman.

Juste avant de tourner les talons, il ajouta :

— Monsieur le juge, quoi qu'il arrive... Cela n'a pas eu lieu. D'accord ?

— Bien sûr, que ça n'a pas eu lieu. Et merci encore, docteur.

39

Tôt le lendemain matin, le téléphone sonnait avec insistance dans le cabinet du docteur Freedman. Il était encore à la porte, se débattant avec sa clé, car quelque chose lui disait que cette sonnerie annonçait un problème urgent. Il avait beaucoup de nouveau-nés parmi ses patients, et les appels de détresse se produisaient souvent très tôt le matin – quand ce n'était pas au milieu de la nuit. Il voulait répondre avant qu'un parent affolé, obsédé par un symptôme parfaitement normal ou une fièvre légère, ne soit intercepté par son répondeur. Ce qui contribuerait à le mécontenter un peu plus et à renforcer l'idée, si répandue chez les jeunes parents sans expérience, que les pédiatres ne sont jamais disponibles quand on a besoin d'eux.

Le message enregistré s'était déjà enclenché, et il entendit sa voix qui annonçait : « Vous êtes au cabinet du docteur Simon Freedman... » Il bondit vers le bureau de la secrétaire et décrocha.

– Bonjour ! Docteur Freedman. En chair et en os. Cela n'est pas un répondeur. Que puis-je pour vous ?

– Sim...

Il était soulagé : ce n'était pas un parent en proie à la panique. Il était ravi, aussi. C'était elle. Il ne lui avait pas parlé depuis un jour entier. En outre, elle semblait un tout petit peu moins tendue que la fois précédente.

– Corrie ?

– Sim ! Je veux que tu me répondes franchement.

– T'ai-je jamais menti ?

– Non. Sauf si je considère qu'espionner la confession de Benjamin n'était pas très franc.

– Tu ne vas pas recommencer avec ça. Je t'ai fait mes excuses.

– D'accord. Dis-moi, est-ce que tu as parlé à Hortense Laval ?

– Non. Pourquoi ?

– Il est arrivé une chose bizarre. Elle m'a appelée hier soir. Avec de très bonnes nouvelles. On dirait que le juge Engelhardt a changé d'avis. Je peux reprendre le traitement de Benjamin. Il est d'accord.

– Formidable !

Sim avait l'air aussi emballé que s'il apprenait la nouvelle.

– Je me suis dit que tu lui avais parlé, et qu'elle était allée voir le juge...

– Je te donne ma parole que je n'ai jamais parlé à Hortense Laval, dit-il.

Il ne mentait pas !

– Parfait, répondit Corinne Wallace, soulagée. Bien sûr, le plus dur reste à faire. Faire sauter une seconde fois les blocages de Benjamin. Comme un chirurgien qui doit réopérer au même endroit. Il faut traverser beaucoup d'adhérences et de tissu cicatriciel avant d'atteindre la source du mal. Il ne va pas être facile de lui faire avouer publiquement ce qu'il a fait.

– D'après toi, il est possible qu'il croyait vraiment, quand il témoignait, qu'il ne s'était rien passé ?

– Quand il a eu sa mère en face de lui, qui le regardait dans les yeux, il n'avait que deux possibilités : tout nier en

434

bloc, ou la perdre, elle. Il lui fallait effacer de sa mémoire ces terribles souvenirs. Ou bien perdre la seule personne qu'il ait jamais vraiment connue et en qui il ait eu confiance, de toute sa vie.

— Eh bien, grâce au juge Engelhardt, au moins, tu as une seconde chance.

Il était trois heures. L'heure normale, pour Benjamin Jackson, de son rendez-vous avec le docteur Wallace. Consciencieusement, bien qu'à contrecœur, il sortit de l'hôpital pour se rendre au Centre pour la protection de l'enfance, de l'autre côté de la rue. Il marchait d'un pas lent, l'air abattu, comme un écolier qui n'a pas fini ses devoirs. Il savait qu'il avait fait quelque chose qui avait déplu au docteur. Mais il ignorait ce que c'était. Il n'en avait pas la moindre idée.

Il se sentait vidé. Quelque chose manquait, il le savait. Il ignorait que c'était son ancienne colère, cette vieille envie de destruction sur laquelle il s'appuyait, auparavant, dans des situations semblables.

Il arriva au centre. Il traversa le grand espace ouvert de la réception. D'autres enfants à problèmes attendaient qu'on les reçoive pour un entretien ou une séance de thérapie. Pour se sentir mieux, Benjamin les traita mentalement de bleus. Lui, il avait dépassé ce stade depuis longtemps. Il avait son docteur à lui. Elle lui appartenait. Mais pourquoi se sentait-il si mal, alors qu'il allait la voir ?

Il arriva à la porte de son bureau. Il était terrifié. Il faillit tourner les talons. Mais il se força à entrer. Evie le salua.

— Bonjour, Benjamin ! Le docteur Wallace t'attend. Entre, n'attends pas.

Il se rendit compte que c'était le plus difficile à faire. Sa main moite de transpiration glissa sur le bouton de porte. Il ouvrit. Elle était là. Derrière son bureau. Comme d'habitude. Jolie, comme d'habitude. Bien habillée, comme d'habitude. Il avait toujours aimé sa façon de s'habiller. C'était si différent de celle de sa mère. Son parfum était différent, aussi. Plus doux.

Et elle était heureuse de le voir. Sûrement, vu le sourire qu'elle lui adressait.

– Bonjour, Benjamin. Ne reste pas à la porte. Allez, entre.

Il entra. Il s'avança dans la pièce, mais seulement de quelques pas.

Brusquement, il se mit à bredouiller :

– Je suis désolé.

– Désolé ? Mais pourquoi donc, Benjamin ?

– Je ne sais pas.

– Viens...

Elle se dirigea vers le divan, où ils s'étaient si souvent assis côte à côte. Il approcha timidement.

– Benjamin...

Elle tapota le divan, l'invitant à s'asseoir.

Il finit par obéir, mal à l'aise, les doigts agités de mouvements nerveux.

– Benjamin, tu te rappelles quand tu es allé au tribunal, l'autre jour ?

– Ouais.

– Tu te rappelles ce qui s'est passé ?

– Non.

Il ne se rappelait pas.

– Est-ce que tu voulais me poser une question à ce sujet ?

Il secoua la tête.

– Ou peut-être veux-tu me dire quelque chose ?

Il secoua de nouveau la tête.

– Est-ce qu'il y a quelque chose que tu voudrais savoir ?

Il secoua encore la tête, puis :

– Docteur Wallace, pourquoi est-ce que ça me fait si mal ?

– Qu'est-ce qui te fait si mal ?

– Sais pas... Je sais pas... Sauf que ça fait mal. Vraiment mal, fit-il en se frottant le ventre.

Elle réalisa qu'il n'avait aucun souvenir conscient de son témoignage devant le tribunal. Il avait oublié qu'il était revenu sur son aveu. Son désir de ne pas perdre sa mère, en conflit violent avec sa peur des menaces qu'elle proférait contre lui, l'avait poussé à effacer complètement cet aveu de sa mémoire. La dénégation était la seule solution dont il disposait pour assumer l'expérience du tribunal.

Il pourrait être douloureux d'ouvrir son esprit une fois de plus. Mais la douleur en soi n'était pas une thérapie. La douleur pouvait être suivie par un échec. Pire encore, elle pouvait entraîner une dépression plus profonde, puis des comportements agressifs. Peut-être bien plus agressifs. Voire l'autodestruction. Ce risque existait.

Le docteur Wallace était aiguillonnée par ses convictions, soutenues par une étude qu'elle avait menée. Les enfants qui venaient de milieux défavorisés, déshérités, des pires quartiers de la ville, les enfants comme Benjamin, dès lors qu'ils survivaient, s'en sortaient souvent très bien. La survie était la preuve de leur intelligence. Une intelligence qui méritait qu'on la sauve. Elle était convaincue que Benjamin était intelligent. Le défi consistait à sauver cette intelligence, à ne pas la laisser s'évanouir ou, pire, se vouer de nouveau à l'agressivité destructrice.

— Benjamin, est-ce que tu veux parler de ce qui s'est passé là-bas, au tribunal ?

— Non.

— De quoi veux-tu parler ?

— De rien.

Ils étaient tous les deux silencieux. De temps en temps, il levait les yeux et lui jetait un regard en coin. Il essayait de la surprendre, afin de découvrir si elle était fâchée contre lui. Ses doigts se remirent à s'agiter.

— Cela te fait toujours mal, Benjamin ?

Il réagit d'abord comme s'il considérait la question comme une intrusion. Puis il avoua d'un léger signe de tête que c'était douloureux.

— Peut-être..., fit-il timidement.

Il hésita, puis finit par se lancer :

— Vous pourriez peut-être me donner un cachet ou quelque chose.

— Il n'existe pas de cachet contre ce genre de douleur.

Il hocha la tête : son idée était ridicule.

— Benjamin..., essaya-t-elle encore, toujours sans succès. Tu n'as pas besoin de me regarder. Tu n'as même pas besoin de me parler. Tu peux te parler, à toi. A voix haute. Ça te fera peut-être du bien.

Elle attendit. Toujours pas de réaction.

— Benjamin... Cette douleur... Est-ce qu'elle ressemble à une douleur que tu as déjà ressentie ?

— Non, fit-il.

— Peux-tu essayer de la décrire ? Si tu fais ça, si tu en parles, tout simplement, il est possible qu'elle s'en aille.

— Ça sera pire, renâcla-t-il.

— Comment le sais-tu ?

— Parce que c'est de pire en pire.

– C'est pire que ce matin ?

– Ouais.

– Quand cela a-t-il commencé ?

– Je sais pas... Mais c'était... C'était là quand je me suis réveillé.

– Tu rêvais, avant de te réveiller ?

– Non.

– Tu t'es réveillé avec la douleur. Et elle est de pire en pire ? A quel moment a-t-elle été la pire ?

– C'est de pire en pire, simplement.

– Est-ce qu'elle a empiré au moment où tu devais venir me voir ?

Après un long silence, il finit par avouer, d'une voix à peine audible :

– Ouais...

– Tu ne voulais pas venir ici, aujourd'hui ?

Il n'osait pas répondre, de crainte de la vexer.

– Tu croyais que je serais fâchée contre toi ?

Il acquiesça.

– Pourquoi serais-je fâchée contre toi ? demanda-t-elle.

– Je sais pas... Mais vous êtes fâchée...

– Non, lui assura-t-elle.

Il osa lever les yeux vers elle, la fixa pour essayer de savoir si elle disait la vérité.

– Je ne suis pas fâchée, répéta-t-elle. Non... Benjie.

– Appelez-moi Benjamin ! fit-il.

Il ajouta, sur un ton plus libre, mais penaud :

– J'aime bien quand vous m'appelez Benjamin. Vous vous rappelez, vous avez dit : comme Benjamin Franklin ?

– Oui, je m'en souviens. Mais hier encore, tu voulais que je t'appelle Benjie. Tu te rappelles ?

– J'ai dit : Benjie ? Je vous ai dit de m'appeler Benjie ?

Il secoua la tête, aussi machinalement qu'il mettait la main à son ventre.

– Tu ne te rappelles pas ? Je t'interrogeais... Le juge a commencé à t'interroger à son tour. Et tu as dit de t'appeler Benjie !

Il allait nier à nouveau, lorsqu'une lueur apparut dans ses yeux bleus. Une lueur qui montrait que sa mémoire s'éveillait. Comme un son éloigné qui devient de plus en plus fort à mesure qu'on en prend conscience. C'était un souvenir indistinct, lointain, qui venait peu à peu corroborer les propos du docteur.

– Vous voulez dire... Ce n'était pas un rêve... C'est... c'est vraiment arrivé ?

– Oui, Benjamin, c'est vraiment arrivé.

Son regard vacilla. Son souffle s'accéléra. Il se détourna. Elle attendit qu'il parle. Mais il ne pouvait pas.

– Benjamin, fit-elle doucement.

Elle espérait déverrouiller le conflit qui le torturait et l'empêchait de se libérer.

– Si tu le dis à voix haute, tu te sentiras mieux. Essaie, Benjamin, essaie...

– Vous... vous, dites-le..., fit-il sans la regarder.

– Ça ne servira à rien, Benjamin. C'est à toi de le dire.

Il secoua la tête.

– Tant que tu ne le diras pas, la douleur ne s'en ira pas.

Il restait muet.

– Benjamin... Il ne t'arrivera rien de mal si tu le dis. Le juge ne te fera pas de mal. Je ne te ferai pas de mal. Personne ne te fera de mal.

Elle voyait son corps se soulever. Elle supposa qu'il pleurait. Elle se trompait. Il se leva soudain et sortit de la pièce en courant.

Sa première réaction fut de partir à sa poursuite. Mais l'obliger à revenir aurait été une erreur. Elle se précipita vers la porte. Elle le vit qui s'enfuyait dans le couloir. Il se cogna contre Rita Cahill, une des collaboratrices du service. Il faillit tomber, mais reprit son équilibre et dépassa à fond de train la jeune psychiatre, qui le suivit des yeux, ébahie. Elle se retourna et découvrit Corinne Wallace, debout dans l'encadrement de la porte de son bureau.

— C'était lui, docteur ? demanda Rita.

Tout le monde, au centre, connaissait désormais Benjamin Jackson et était au courant de son témoignage.

— Oui. C'était lui.

Rita ne dit rien, mais Corinne Wallace lut sur son visage qu'elle éprouvait de la compassion pour elle. Elle aurait voulu la consoler, lui dire — comme elle-même le répétait si souvent à ses jeunes assistantes — qu'on ne pouvait pas les sauver tous.

La séance suivante était presque finie lorsque le téléphone sonna. C'était une de ces interruptions qui annonçaient les pires ennuis. Elle était contrariée de devoir répondre. L'après-midi avait déjà connu sa part de déception et d'échec. Mais elle s'excusa tout de même et décrocha.

— Docteur Wallace.

— Corrie...

C'était Sim Freedman.

D'une voix étouffée mais furieuse, elle lui passa un savon :

— Pour l'amour de Dieu, Sim, ne m'appelle pas pendant mes heures de séance... Tu connais mon planning.

Mais il ne se laissa pas décourager.

– Corrie, je suis dans mon bureau. De ma fenêtre, tu le sais, je vois l'entrée de ton bâtiment. Un môme est assis sur le pas de la porte. Il pleure. C'est Benjamin. Il faut faire quelque chose !

– Merci, Sim. Merci mille fois.

Dès que sa séance s'acheva, elle sortit de son bureau, descendit au rez-de-chaussée, dépassa la réception et se précipita vers la porte d'entrée. Sur la marche du haut, elle reconnut le dos de Benjamin Jackson.

Elle s'assit à côté de lui. Son visage était caché sous son bras replié. Il lui tournait le dos – à elle, et au monde entier. La manche de son pull-over était trempée par les larmes.

– Benjamin, dit-elle doucement.

Surpris, il se tut brusquement, au milieu d'un sanglot. Il leva lentement la tête. Il n'osa pas encore la regarder. Mais il parvint à articuler :

– Docteur Wallace ?

– Oui.

– Vous allez faire du mal à ma maman ?

– C'est pour cela que tu t'es enfui ? Tu as peur que quelqu'un fasse du mal à ta maman, si tu dis la vérité ?

Il ne répondit pas.

– Non, Benjamin. Personne... ni le juge, ni moi... personne ne veut lui faire de mal.

– Vous allez m'enlever à elle ?

C'était une question tout à fait différente. Mais elle devait y répondre non moins franchement.

– Personne ne veut t'enlever à ta maman, Benjamin. Nous voulons tous que tu rentres chez toi. Mais cela prendra du temps. Du temps. Et cela dépend de ta maman.

– Elle fera n'importe quoi pour que je retourne avec elle. Elle m'aime, protesta-t-il.

– Elle n'a qu'une chose à faire, pour cela.

– N'importe quoi ! répéta-t-il.

– Elle doit venir me voir, ou voir un autre médecin. Dans ce cas, tu pourras bientôt rentrer chez toi.

Le calcul se refléta dans les yeux bleus encore pleins de larmes. Elle vit qu'il essayait de comprendre ce qu'il venait d'entendre.

– Si je lui dis de le faire, elle le fera.

– Pour commencer, Benjamin, tu dois raconter la vérité au juge.

– Je ne peux pas.

– Benjamin, est-ce que tu veux que la douleur s'en aille ?

Il hocha la tête.

– Tu veux rentrer chez toi ?

– Ouais.

– Tu aimes ta maman ?

– Oui.

– Alors tu dois raconter la vérité au juge.

– Il ne lui fera rien ? C'est promis ?

C'était la seule chose qu'elle ne pouvait pas faire. S'engager pour quelqu'un d'autre. Surtout pour quelqu'un comme Engelhardt. Qui avait suffisamment montré qu'il pouvait être excentrique et autoritaire.

– Benjamin, je peux te promettre ceci, et rien de plus : j'irai voir le juge avec toi. Et j'essaierai de le lui faire promettre, lui.

Benjamin hésita longtemps.

– D'accord, dit-il enfin.

40

— Je ne fais aucune promesse, et je ne juge aucune affaire avec des conditions préalables ! Vous promettre d'exempter cette femme de poursuites pénales ? Vous plaisantez !

— Les circonstances sont inhabituelles, Votre Honneur, avança Hortense Laval.

— Je vous jure que la plupart des affaires que j'ai l'honneur de présider impliquent des « circonstances inhabituelles », répliqua le juge.

— Si vous voulez entendre la vérité dans cette affaire...

— Je l'ai déjà entendue. Deux fois, dans deux versions différentes et, si je puis ajouter, contradictoires ! Ce que vous me demandez là est absolument inacceptable. Si ce garçon est prêt à dire la vérité, je l'écouterai. Mais pas de promesses. Mes devoirs de magistrat vont vers l'enfant, pas vers le parent. Je ne peux accepter de tenir cette femme pour inoffensive avant de connaître les faits. Point final.

— Votre Honneur, intervint Corinne Wallace, c'est parce que vos devoirs vont vers le garçon que je suis ici. Nous avons le même objectif. Moi aussi, je veux sauver cet enfant. Mais je sais que, pour y parvenir, je dois aussi sauver sa mère. Elle est plus importante à ses yeux que n'importe qui ou n'importe quoi d'autre. Si vous acceptez de ne pas lancer de poursuites criminelles contre elle, Benjamin vous dira ce qu'il sait. Toute l'histoire. Puis nous prendrons ensemble les mesures qui s'imposent, mais pas des mesures punitives. Des mesures correctives, qui leur permettront de constituer à nouveau une famille.

D'abord, le juge sembla indifférent, puis il demanda, de mauvaise grâce :

— Des mesures correctives... Que voulez-vous dire ?

— D'après ce que je sais de la mère, c'est une femme qui a toujours échoué dans ses rapports avec des hommes adultes. La raison ? Je l'ignore. Mais ses échecs répétés l'ont poussée à tourner sa sexualité vers son fils. Quelqu'un qu'elle peut contrôler et dominer. Quelqu'un qui ne l'abandonnera pas, comme les autres l'ont fait. Elle n'est pas mauvaise, monsieur le juge. Elle est malade. Nous devons découvrir pourquoi. Et quand nous le saurons, les sévices prendront fin et nous pourrons sauver Benjamin.

Le juge s'enfonça dans une de ses périodes de mutisme. Corinne Wallace et Hortense Laval se regardèrent, dans l'expectative. Elles étaient incapables de deviner ce qui lui passait par la tête.

Tout en se demandant quel poids il pouvait accorder aux arguments du docteur Wallace, il pensait au conseil que lui avait donné très récemment un autre médecin. Un conseil qu'il avait suivi et qui s'était révélé judicieux. Très judicieux. Un conseil qui avait adouci l'épreuve la plus douloureuse qu'il ait connue en trente-deux ans de mariage. Le médecin qui se trouvait devant lui, en train de plaider sa cause, avait joué indirectement un rôle dans cette expérience. Il pouvait la laisser défendre son point de vue. Il lui devait bien ça.

— Supposons, docteur... pour l'amour de la rhétorique, rien de plus... Supposons que je décide d'accéder à votre

445

requête. Comment les choses se passeront-elles, selon vous ?

— Si je peux travailler avec l'enfant et sa mère, je pense avoir une chance de les aider à guérir raisonnablement. En d'autres termes, de les aider à créer une famille en état de fonctionner. Et, je l'espère, une famille saine.

— Quelles chances auriez-vous d'y parvenir ?

— Les rôles sont renversés, Votre Honneur. C'est vous, à présent, qui me demandez des promesses, des conditions préalables. Et je ne peux pas vous en donner.

— Alors où en sommes-nous, docteur ?

— Nous en sommes au point où quelqu'un doit prendre un risque, répondit Corinne Wallace. Quelqu'un doit dire : si nous voulons connaître toute l'histoire, explicitement et officiellement, je dois promettre de ne pas engager de poursuites.

— Quelqu'un..., ironisa le juge. Vous pensez à moi, n'est-ce pas ? Je dois promettre et courir le risque qu'on me reproche plus tard d'avoir pris une décision erronée. Et si nous coupions la poire en deux, docteur ? Je fais une promesse. Mais vous m'en faites une, vous aussi.

— Une promesse ? répéta Corinne Wallace, perplexe.

— Vous dites que vous allez soigner cette femme. Très noble intention ! Mais j'ai déjà rencontré des affaires de ce genre. Je sais que les gens refusent parfois de se faire soigner. Alors, une promesse contre une promesse ? Si vous ne tenez pas la vôtre... si vous ne parvenez pas à convaincre la mère de Benjamin de se faire soigner, je serai libéré de ma parole. Ça vous semble équitable ?

— Je ferai de mon mieux..., commença Corinne Wallace. Mais le juge la devança.

— Vous ne m'avez pas compris, docteur. Ou vous la faites

soigner, ou je suis libre de transmettre l'affaire au procureur.

Cet arrangement n'était pas sans risques. Mais Corinne Wallace, dans l'intérêt de son patient, n'avait pas le droit de refuser.

– Je voudrais vous demander une chose, fit-elle.

Le juge la contempla, sceptique.

– Oui, docteur ?

– Une salle de tribunal est un lieu plein de tensions hostiles, par définition. Les personnes impliquées sont là parce qu'elles sont en conflit. Je voudrais que la confrontation se déroule dans un autre contexte.

– Où, par exemple ? demanda vivement le juge.

– Dans mon bureau...

Devinant qu'il allait refuser, elle ajouta tout de suite :

– Ou dans votre cabinet. N'importe où, pourvu que l'ambiance soit moins tendue.

Soulagé, le juge déclara :

– Mon cabinet. Demain, quatre heures.

– Je peux prévenir maître Levinson, proposa Hortense Laval.

– Ma secrétaire avisera les parties concernées.

Le lendemain après-midi, le docteur Corinne Wallace, Hortense Laval et le petit Benjamin Jackson firent leur entrée dans le cabinet du juge Gustav Engelhardt. A peine étaient-ils installés que Bernard Levinson et sa cliente, Melissa Jackson, entrèrent à leur tour. Melissa, comme toujours, était accompagnée par sa mère.

Il y eut un moment de gêne quand la mère et le fils s'avancèrent machinalement l'un vers l'autre pour s'embrasser, avant de se figer.

— Vas-y, Benjamin, dit gentiment Corinne Wallace. C'est ta maman, non ?

Benjamin se précipita vers Melissa. Ils tombèrent dans les bras l'un de l'autre.

— Oh ! Benjie, Benjie... Ça fait si longtemps.

Consciente des regards posés sur eux, consciente aussi des accusations qu'on portait contre elle, elle desserra son étreinte. Il s'écarta d'elle et regarda sa grand-mère.

— Bonjour, mamie.

— Benjie... Comme tu as bonne mine ! Est-ce qu'on s'est bien occupé de toi ?

Le bourdonnement de l'Interphone retentit. Edna répondit. Ils entendirent la voix du juge : « Allons-y ! Faites-les entrer ! »

Il y eut une légère mêlée à la porte, chacun hésitant à entrer le premier. Corinne Wallace prit l'initiative :

— Benjamin ! fit-elle en lui montrant la lourde porte d'acajou.

Benjamin entra. Les autres suivirent. On avait prévu assez de sièges pour tout le monde, et on les avait disposés en demi-cercle. Sauf un : celui qui se trouvait à côté du bureau du juge. Il était réservé au témoin clé. Ce que confirma immédiatement le juge :

— Assieds-toi ici, fiston.

Dès qu'il eut pris place, Engelhardt reprit :

— Benjamin, je crois que maître Laval et le docteur Wallace t'ont expliqué pourquoi tu es là.

— Oui, monsieur.

— Eh bien, dis-le-moi.

— Pour que ma maman et moi on soit de nouveau ensemble.

– Très bien. Maintenant, sais-tu ce que tu dois faire pour ça ? Est-ce qu'elles te l'ont dit ?

Cette fois, Benjamin hésita un instant avant de hocher la tête.

– Tu dois me répondre, fiston.

– Oui, elles me l'ont dit.

– Alors prends ton temps, et vas-y, dit le juge.

Son ton se voulait rassurant.

– Oui, monsieur.

Il baissa la tête pour éviter le regard du juge. Il gardait le silence, les mains serrées pour les empêcher de trembler. Il jeta un coup d'œil en direction du docteur Wallace, qui l'encouragea d'un léger signe de tête. Son regard se déplaça lentement vers sa mère.

Melissa semblait l'implorer en silence : « Ne me fais pas honte, Benjie. Ne me fais pas honte. »

– Je... Je veux aider maman..., commença-t-il. Je veux...

Il n'alla pas plus loin.

– Nous le savons, fiston. C'est la seule façon de l'aider, fit le juge.

Benjamin était toujours incapable de parler.

– Vous permettez, Votre Honneur ? demanda Corinne Wallace.

Le juge acquiesça.

– Tout le monde, ici, veut t'aider, Benjamin, et aider ta maman. Mais il faut absolument que tu dises au juge ce que tu m'as dit. Ce dont nous avons parlé si souvent, toi et moi. A partir du moment où tu désobéissais à ses règles, à tous les fais-ci, fais-pas-ça qu'elle t'imposait...

– Tout ce qu'elle faisait, c'était pour m'élever comme il faut...

– Quand tu désobéissais, que se passait-il, Benjamin ?

– Vous le savez...

– Oui, Benjamin, je le sais. Mais le juge ne le sait pas.

– Dites-lui, vous...

– Non, Benjamin, il faut que ce soit toi qui lui dises, ou bien ça ne compte pas. Dis-lui...

Le petit garçon dut se forcer à ne plus regarder sa mère.

– Quand je n'avais pas été sage... ça arrivait souvent..., il fallait que je demande pardon à maman. Parce que je l'avais fait souffrir. Alors je montais sur ses genoux. Elle ne voulait pas me regarder. Comme si je lui avais fait trop de mal pour qu'elle supporte de me regarder. Alors je venais tout près d'elle. Je me serrais contre elle. Je lui disais : « Pardonne-moi, je suis si méchant... » Et puis... et puis...

– Continue, Benjamin, dit Corinne Wallace d'une voix douce. Dis simplement au juge ce qui se passait.

– Elle fait comme ça...

Il toucha la fermeture Eclair de son jean.

– Et elle l'ouvre... Elle met la main dans mon pantalon, et...

Il n'alla pas plus loin. Conscient de son trouble, tout le monde retenait son souffle.

Soudain, un bruit de sanglots brisa le silence. Melissa Jackson s'était mise à pleurer.

Benjamin se figea.

– Continue, Benjamin ! Continue, je t'en prie !

– Continue, fiston. Il le faut, car je dois savoir...

Confronté aux pleurs silencieux de sa mère, Benjamin dut faire un effort pour continuer :

– ... elle met la main, et elle sort... mon « truc »... Elle le caresse, et elle l'embrasse, et elle l'embrasse encore... et puis... cette chose arrive... Alors je me sens mieux parce

qu'elle me dit : « Je te pardonne, Benjie, je te pardonne... »
Après, tout va bien, comme avant.

En entendant cela, Melissa éclata à nouveau en sanglots.
Sa mère la prit dans ses bras, en jetant un regard de défi
aux personnes rassemblées autour d'elles.

Engelhardt regarda Corinne Wallace d'un air accablé,
comme pour la prendre à témoin de ce qu'avait vécu ce
pauvre enfant, pendant si longtemps...

Levinson, choqué, s'écarta machinalement de sa cliente.

– Ne pleure pas, maman ! supplia Benjamin. Ne pleure
pas.

Les autres se réfugièrent dans un silence si pesant qu'il
était plus accusateur que toutes les charges qu'ils auraient
pu porter contre elle.

Seule la grand-mère trouva les mots pour défendre sa
fille. Elle se mit à les tancer violemment.

– Ne vous avisez pas de juger mon enfant ! Encore
moins de la condamner ! Peu importe ce que vous croyez
qu'elle a fait. Vous n'avez pas le droit. Aucun droit !

– Madame..., commença le juge Engelhardt.

Il était impossible de la faire taire. Derrière sa fille qui
s'abandonnait dans ses bras à une crise de larmes incontrôlable, elle leur jeta un regard furieux.

– A moins d'avoir connu l'enfer qu'elle a connu, vous
n'avez pas le droit. Il vous faut absolument un coupable ?
Eh bien, c'est moi qu'il faut blâmer !

– Madame ! Je vous interdis d'interrompre cette
audience ! gronda le juge.

Exceptionnellement privé de son marteau, la seule arme
dont il disposait d'ordinaire dans de semblables circonstances, il dut renoncer à la faire taire.

– Oui, blâmez-moi ! Dites-moi que j'aurais dû le savoir. Que j'aurais dû savoir quelle espèce de salaud c'était.

– Mais de qui parlez-vous, madame ? demanda Engelhardt.

– De lui ! De ce qu'il lui a fait, à elle. Son père. Des années... des années avant qu'elle soit capable de dire un mot. Elle était si terrifiée. Mais ce n'est pas une excuse pour ne rien dire. Je suis sa mère. J'aurais dû savoir. Je l'ai fichu dehors. Mais c'était trop tard... trop tard... C'est ma faute... ma faute.

On n'entendait rien d'autre, dans la salle d'audience, que les sanglots de Melissa. Le juge se tourna vers Corinne Wallace.

– Docteur ?

– Melissa...

La jeune femme n'eut aucune réaction.

– Melissa, écoutez-moi. Est-ce que vous voulez récupérer Benjamin ?

Sans s'écarter de l'étreinte de sa mère, Melissa hocha la tête.

– Il n'y a qu'un moyen. Un traitement. VOUS DEVEZ VOUS FAIRE SOIGNER.

Corinne Wallace avait accentué chaque mot.

– Par moi. Ou par n'importe quel médecin de votre choix. L'essentiel est de vous libérer. De vous libérer de votre passé. De cette maladie qu'on vous a transmise. Melissa ?

Sans répondre, elle se serra encore plus contre sa mère. Corinne Wallace fit une ultime tentative.

– Melissa ? Ecoutez-moi, Melissa, c'est important. Si vous ne le faites pas, vous aurez de sérieux ennuis. Et

Benjamin en supportera les conséquences, lui aussi. Melissa ?

La jeune femme secouait la tête, plus butée que jamais.

Conscient de ce qui menaçait sa cliente, Levinson intervint :

– Melissa, je suis votre avocat. Je vous ai défendue depuis le début. J'ai défendu vos droits. Et je continue. Mais je sais aussi ce qui peut vous arriver si la loi se penche sur cette affaire. Pour cette raison, je vous supplie, dans votre intérêt, de faire ce que vous demande le docteur Wallace.

Melissa Jackson se contenta de secouer la tête. Lentement, l'air décidé. Trop profondément blessée. Trop terrifiée pour s'accrocher à l'espoir qu'on lui offrait.

– Docteur, dit enfin le juge, vous connaissez notre arrangement. Il ne me laisse pas le choix. Je dois transmettre cette affaire au bureau du procureur.

A ces mots, la grand-mère s'emporta.

– Non, ne faites pas ça ! Vous n'avez pas le droit ! Je ne vous laisserai pas faire !

En entendant l'exclamation de sa grand-mère, Benjamin sauta de son fauteuil. Il se dirigea vers sa mère. Il tendit la main pour lui caresser les cheveux.

– Dis oui, maman... S'il te plaît. Le docteur Wallace m'a promis que si tu dis oui, je pourrai bientôt rentrer à la maison. Et je veux rentrer à la maison. Je veux être avec toi. Dis oui, maman... Je t'en supplie.

Il lui prit la main, la serra contre sa joue.

– Maman ? S'il te plaît... Fais ça pour moi...

Lentement, Melissa se libéra de l'étreinte de sa mère. Elle tourna vers Benjamin son visage baigné de larmes.

– Maman ? Le docteur Wallace, c'est mon amie. Elle ne

fera rien qui puisse te faire du mal ou me faire du mal à moi. Maman, je veux pouvoir rentrer chez nous.

Elle se pencha vers lui. Il s'approcha encore pour lui permettre de le serrer contre elle.

— D'accord, fit-elle d'une toute petite voix. Je le ferai. Je le ferai, docteur...

— Demain, Melissa, fit Corinne Wallace. Soyez à mon bureau, au centre, à deux heures précises.

Elle se tourna vers la grand-mère. Il fallait que sa nouvelle patiente s'en libère.

— Deux heures précises. Seule !

Levinson et sa cliente étaient partis. Hortense Laval, le docteur Wallace et Benjamin se tenaient devant la porte et s'apprêtaient à sortir.

Le juge fit signe à Corinne Wallace de s'approcher de son bureau.

— Eh bien, docteur ? dit-il quand les deux autres furent sortis. Que se passe-t-il, maintenant ?

— Votre Honneur veut des promesses ? Ou une estimation ?

— Une estimation, ça fera l'affaire.

— Je pense... attention : je *pense* qu'un traitement intensif me permettra de renvoyer Benjamin chez lui dans moins d'un an. Je pense qu'alors, ils formeront de nouveau une famille.

— Vous avez fait du beau travail, docteur.

Elle se dirigea vers la porte. Il l'appela soudain, comme si une pensée lui était venue subitement.

— Oh ! docteur, j'oubliais ! Ma fille a un bébé, une petite fille d'un an et demi. Elles viennent passer quelque temps chez nous. Elles sont à New York, vous savez... En cas de problème, pouvez-vous me recommander un pédiatre, ici ?

— Bien sûr, répondit Corinne Wallace sans hésiter. Freedman. Le docteur Simon Freedman.

— Un bon médecin ?

— Excellent.

— Vous le recommandez chaudement ?

— Oui, absolument. C'est un des meilleurs pédiatres, et c'est un homme bien. Il possède quelque chose qui est devenu plutôt rare, de nos jours. Du caractère. Et il est très doux, dans sa manière de s'y prendre avec les enfants. Non seulement ils se sentent en sécurité avec lui, mais ils l'aiment beaucoup.

— Freedman, répéta le juge en feignant de noter le nom. Docteur Simon Freedman. Il faudra que je m'en souvienne.

Le docteur Wallace était partie.

Le juge Gustav Engelhardt se laissa aller en arrière dans son grand et confortable fauteuil. Il était détendu. Il pouvait être fier de la manière dont il avait résolu une affaire extrêmement difficile. Il était encore plus satisfait de ce qu'il considérait comme un travail de détective très astucieux.

Il n'avait pas de fille. Encore moins de petite-fille sur le point de lui rendre visite. Il avait simplement vérifié ce qu'il soupçonnait depuis le jour où Simon Freedman avait insisté pour être reçu dans son bureau. Il avait détecté cela dans la manière dont Freedman parlait d'elle. Il venait d'en avoir la confirmation en regardant les yeux de Corinne Wallace au moment où elle vantait les qualités du docteur Freedman.

Il y a quelque chose entre ces deux médecins, décida le juge Engelhardt. Quelque chose de très bon. Enfin, je l'espère... pour leur bien à tous les deux.

41

Le lendemain, à deux heures moins vingt, Melissa Jackson, terrifiée et hésitante, se présenta au Centre pour la protection de l'enfance. Au milieu du bruit et du remue-ménage des enfants présents, elle attendit avec impatience.

A deux reprises, elle eut une envie folle de se lever, de se précipiter vers la porte et de s'en aller. Elle dut se forcer à surmonter cette impulsion en se répétant, inlassablement : C'est pour Benjie... Je fais ça pour Benjie...

Mais la troisième fois, accablée par la douleur et la honte qui l'attendaient et par la pensée qu'elle allait devoir révéler sa déchéance, elle se leva brusquement. Elle se dirigeait vers la porte lorsqu'elle entendit une voix appeler son nom.

– Mme Jackson. Melissa Jackson.

Elle se figea, puis se retourna lentement pour faire face à la réceptionniste qui lui annonça :

– Le docteur Corinne Wallace va vous recevoir.

Il était trop tard pour qu'elle s'enfuie. Elle entra dans le couloir, furieuse. Quand elle passa devant le bureau d'Evie, elle détourna le regard. Elle se retrouva devant la porte du docteur. Elle trouva la force de frapper. Elle entendit la voix de Corinne Wallace :

– Entrez, Melissa, entrez.

Le docteur lui montra en souriant le siège qui se trouvait devant son bureau. Melissa s'assit avec raideur, terrorisée.

– Que dois-je faire, docteur ? parvint-elle à prononcer.

– Pour commencer, vous allez me raconter ce qui vous est arrivé, il y a si longtemps...

– Je hais jusqu'à l'idée d'y penser. Mais...

– Mais vous y pensez chaque nuit ? hasarda Corinne Wallace.

Melissa hocha la tête.

– Quand nous commencerons à travailler là-dessus, vous constaterez que vous y pensez de plus en plus souvent. Mais je vous promets qu'à la fin du traitement, un moment viendra où vous y penserez de moins en moins. Jusqu'au jour où ce ne sera plus qu'un mauvais souvenir que vous évoquerez en disant : « J'ai surmonté cela ! Je suis une nouvelle Melissa Jackson, enfin libre ! » Mais le plus difficile reste à faire. Alors, allons-y !

Melissa Jackson commença à rassembler ses souvenirs, d'une voix hésitante, bientôt larmoyante.

– La première fois...

Elle frissonna. Par réflexe, elle prit son sac à main, où se trouvait son paquet de cigarettes. Puis elle fit preuve de volonté et le reposa.

– Je ne dormais pas tout à fait. J'ai entendu quelqu'un entrer dans ma chambre. Je me suis dit, c'est papa, il vient voir si je suis bien couverte. C'était son habitude, quand il faisait froid.

Elle bredouilla un peu, puis trouva les mots qu'elle cherchait.

– Sauf que... sauf que cette fois-là... quand il a tendu la main vers les draps, il n'a pas essayé de me couvrir. Il les a soulevés. Et il s'est glissé dans le lit, à côté de moi. Puis il... il... est-ce qu'il faut vraiment...

— Oui, Lissa, vous devez le faire, dit Corinne Wallace d'une voix douce.

Il lui fallut un moment pour rassembler son courage. Puis elle reprit son récit.

— Ses mains... elles me touchaient comme elles ne m'avaient jamais touchée.

Elle raconta combien elle était terrifiée. Combien elle se sentait sans défense. Combien elle avait honte quand c'était terminé.

— Puis il me mettait en garde : « Il ne faut pas le dire à maman. Il ne faudra jamais le lui dire. Ni à personne d'autre. Ce sera notre secret. Ton secret. Le secret que tu garderas pour toujours. Car si tu en parles un jour à quelqu'un, il se passera des choses terribles. »

Faire travailler sa mémoire, parler de tout cela était encore plus douloureux qu'elle ne s'y attendait. Quand la séance d'une heure s'acheva, elle était épuisée. Mais elle ressentait un léger soulagement. Elle pouvait enfin en parler à quelqu'un. A ce docteur. Non seulement elle la comprenait, mais elle semblait connaître toutes les souffrances que Melissa avait subies il y avait si longtemps, et durant toutes les années qui avaient suivi. Quand elle s'en alla, elle se sentait un peu mieux, un peu moins tendue.

Le docteur se sentait mieux, elle aussi. Le traitement de Melissa Jackson serait long et difficile. Du moins était-il lancé.

Une fois par semaine, le docteur Wallace recevait sa nouvelle patiente, Melissa Jackson. Une fois par jour, elle voyait son patient et pensionnaire, Benjamin Jackson.

Sauf pendant une semaine, quelques mois plus tard. Quand elle s'accorda une semaine de congé.

A la page des mondanités, sous le titre « Wallace-Freedman », les journaux firent état de son mariage avec le docteur Simon Freedman. Le communiqué annonçait également, comme c'était alors fréquent, que la mariée garderait son nom de jeune fille.

Composition : P.F.C. Dole

Aubin Imprimeur

LIGUGÉ, POITIERS

Achevé d'imprimer en novembre 2001
pour le compte de France Loisirs
123, bd de Grenelle, 75015 Paris
N° d'édition 28088 / N° d'impression L 62671
Dépôt légal novembre 2001
Imprimé en France